隋唐风云II中州殇 SUITANGFENGYUN 双陆·著

花山文艺出版社

content

目录

　　现代白领萧晓云，在一次车祸之后，穿越到隋朝末年的山东临淄，做了萧家的十三岁的三小姐萧兰，在还没有弄清形势的情况下，被趋炎附势的老爹打包嫁给了当地的小霸王段志玄。婚后发现自己的夫君并非传说中那么可怕，只是一个本质善良，爱打抱不平，经常惹麻烦的小孩儿，于是萧晓云跟段志玄订立了和平相处的协议，在帮助段志玄摆平麻烦的同时渐渐熟悉古代的生活。可惜平淡的日子总是太短暂，段志玄在婚前就暗恋同城的美女秦玲珑，为了秦玲珑杀了京城来选秀的差官，惹来杀身之祸。无奈之下，被卷入风波里的萧晓云只能改扮男装，随着段志玄落草为寇。在转战中，独立坚强的萧晓云苦练箭术，与段志玄携手努力，迅速成为义军中的重要领导，最终投奔了李世民，辅佐唐军攻入长安。

　　谁料进入长安后，不愉快的事情接踵而来，先是萧晓云的女儿身被发现，因此失去了军权；然后

萧晓云倔强的个性，引来长辈的不满……由于诸多
的现实问题，萧晓云与段志玄的感情陷入了僵局，
而就在这个时候，段志玄在长安重遇年少时的初
恋情人，此时已沦落风尘的秦玲珑。感情受挫的段
志玄按照古代的一贯作风将秦玲珑金屋藏娇，这
一举动让已处于困境的萧晓云难以接受，最终离
开了长安。

　离开京城后的萧晓云，与小道士孙白虎，小美
女朱玉凤一见如故，一起闯荡江湖，最终被裴行俨
请上了瓦岗寨，成为他的得力爱将，在瓦岗创立了
自己的一片天空。而在此时，曾有过数面之缘的大
将军宇文成都被她的率性所吸引，一方面成了她八
拜之交的兄弟，另一方面成了战场上的敌人。于
是，在隋唐乱世之中，萧晓云与倾慕的裴行俨、霸
道的宇文成都以及心怀愧疚的段志玄，开始了纠葛
的感情。

引子

义宁二年，夏。

宇文化及拥众十余万，据有六宫，自奉养一如炀帝。……以少主浩付尚书省，令卫士十余人守之，遣令史取其画敕，百官不复朝参。至彭城，水路不通，复夺民车牛得二千两，并载宫人珍宝；其戈甲戎器，悉令军士负之，道远疲剧，军士始怨。

——《资治通鉴　第一百八十五卷》

宇文化及懒洋洋地摊在椅子上，看着跪在地上的人："天宝将军，听说你这次折损了大半辎重，怎么搞的？"

宇文成都磕了个头，还未请罪，就听到旁边有人呵呵直乐："李密这次摆了个美人计，把二弟给套进去了。"那人笑得不怀好意，"这下我们十万人马可要饿肚子了……"

不用想也知道这是那酒囊饭袋的大哥。宇文成都顺着声音抬头望去，自家大哥被酒色养的肥胖的大脸正笑得猥琐，连带着下巴和脖子上的肥肉一劲地乱抖，让人看起来有说不出的厌恶："大哥此言怎讲？"

"我听说，"平日这个庶出的弟弟总是抢自己嫡长子的风头，今天宇文承基算抓住了他的把柄，立即不遗余力地还击过去，"这次天宝将军竟被一个小姑娘骗得三魂去了两魄，在山谷中了埋伏，给李密以可趁之机，烧了我们大半粮草。"

宇文成都蓝色的瞳仁颜色渐渐加深，看着得意洋洋的大哥："大哥还真是喜欢听人嚼舌根，对这等妄言竟然也深信不疑。"

"谁知道呢？"宇文承基没有看到他面部的变化，犹自说得口沫横飞，"我也奇怪了，一个十七八的小姑娘有什么好看的，居然能惹你失了分寸。

当年在大兴城,连千金公主那样的美女,你都能狠心拒绝,难道这个姓萧的女子比她还美上几分?若是如此,我倒要好好看看……"

"承基!"宇文化及喝止住了他,再没有人比他更不长进了,什么话到了他的嘴里,都能变成酒色财气的闲话,以致让人有什么事都不敢托付给他,"成都啊,此事可是当真?"

宇文成都早已怒不可遏,听了父亲的召唤,才勉强将几乎要杀掉他大哥的眼神调转过来:"绝无此事!请父王明鉴。"

"唉!"宇文化及叹气,"本王也不信你会如此糊涂。好了,你先下去吧。"他随口说了些冠冕堂皇的安慰,"李密当年与我同朝为臣,就以狡诈闻名。你也不必把这次失败太放在心上,整顿军队尽快回长安才是。"

宇文成都行了礼出去了,旁边的宇文承基着急起来。他好不容易才抓住的把柄,怎么能这么轻易地放掉:"父王,二弟他……"

"别说了!"宇文化及挥了挥手挡住这个不成器的儿子,现如今大家倚靠的是宇文成都手里那十万骁果,不哄着他怎么能行。不过……他看着宇文承基那张沮丧的脸暗自在想:不管怎么说,这个二儿子也是先帝亲封的大隋第一勇将,怎么居然让人用几千士兵就从他手里烧掉了一多半的辎重粮草,看来李密手下,也真有深藏不露的人啊!

第一章

宴无好宴

　　"少爷不是去接应你的？"朱玉凤和孙白虎都不在身边，齐武这个贴身护卫只好担当起照顾萧晓云的责任。宇文成都那一击力道确是惊人，萧晓云为了控制住大黄马也受了伤，被裴行俨特许在郑州城里养病。

　　"当然不是。"萧晓云斜靠在床边的墙上，脸上的颜色越发苍白，"主公只允许我带五千人上战场：一千五百名步兵袭击辎重吸引守卫士兵的注意，我自己的三千弓箭手从另一侧用火箭烧掉粮草，剩下的五百人分两路在山谷里放石头隔断宇文成都与后军的联络。至于谢六哥和罗士信以及他们随身那五十个护卫可是编外人员呀。"她挪了挪身体让自己靠得更舒服一些，"当时少将军带着一万五千人，怎么可能回来接应我。"

　　"那……"齐武觉得有点怪异，"这到底是怎么一回事？"

　　"唉！"萧晓云叹了口气，"少将军不过是路过罢了，我们是偶然相遇，明白吗？偶然！"

　　"但他救了你。"

　　"别胡说！"萧晓云从薄被里伸手点了点他的脑袋，"轻骑诱敌的是我，截断两军联络的是我，派人烧毁粮草的也是我，跟少将军一点关系都没有！"每说一句话，她的手就点一下齐武的脑门，"最后宇文成都败走，是因为他明白一个将军不能以私情为重，急着回去稳定军心，明白？"

"明白了。"齐武等她说完把头偏开,"对外我也会这么说,只是这里只有我们两人,你何必再做戏。"

"若不这么说,少将军违抗上令的罪名可是铁定了要坐。"萧晓云叹了口气收回手,"不过说实话,我也真没有想到会安排他带兵'经过'。我的本意是趁着宇文成都急于赶回去查看伤亡人数的机会带人离开,怎么都没想到他一见那边失利立刻杀了回来,还有……他的功夫着实厉害,要知道神风营的士兵都不是等闲之辈,四五十个人围着他居然讨不到任何便宜,我真是太轻敌了……"

屋子里安静了下来,齐武看着她又陷入沉思,忍不住也皱起眉头。萧晓云这次以五千人与宇文成都对战,巧使连环计后烧掉骁果大量的辎重粮草,这一胜利已是常人所不能及,何况又是在她养病之时,于是这件事传遍瓦岗成为一个传奇佳话。可她却对自己要求甚高,一提到这场战争就责备自己事前轻敌,心情低落。

门上传来咚咚的敲门声,齐武急忙起身,开门一看是每天必来谢罪的谢映登。因为他当时提出要捉拿宇文成都,耽误了撤军的速度,几乎让最后的胜利功亏一篑,因此被赶来汇合的单雄信狠狠地责备了一顿,责成他每天跑来给萧晓云请罪。

"正生气呢。"齐武看他每天来的辛苦,也有点不忍,"你一会儿再来。"

"没事儿,没事儿!"与往日垂头丧气的样子不同,谢映登今天脸上春风洋溢,"一会儿她听到我的消息就开心了。"说着话拨开齐武的手就往里走,"晓云,我有好消息说给你!"

没人回答。

谢映登笑眯眯地看了看瞪着他的萧晓云,黑白分明的眼睛里分明闪着探询的意思。"别这样……"他抓抓头,"宇文成都昨天退兵啦!"

"退兵了?"萧晓云愣了一下,"他们回扬州了?"

"不是,往北边走了!"谢映登笑着说,"他们不打郑州,从北边绕着走了。"

原来如此。萧晓云低头暗暗思量,根据回来以后得到的消息,自己下手烧了他们大约三分之二的粮草,粮饷匮乏必然成为他们最大的困难。这个时候再跟裴行俨和单雄信的五万大军争夺郑州这个小城就没有任何意义了,如果北上,他们的目标一定锁定黎阳粮仓。这个宇文成都,果然是个有眼光的将领。

谢映登看她脸上表情开始松缓,知道她高兴了:"怎么样?这个消息不错吧!"

"嗯,"萧晓云点点头,"看在郑州之围已经解除的分儿上,我就原谅你了。"其实更高兴的是东北面是徐世绩驻守的地方,之前这个牛鼻子老道想要独占攻下洛州的功劳,现在骁果改道北上,就让他也独占一下被王世充和宇文成都两员大将夹击的"辛劳"吧。当然这也是自己分出主要兵力攻打辎重粮草的最终原因,只是她从来没有跟人说起过罢了。她笑着点点头心想,徐老道的日子马上就要好过了,得赶紧找机会把白虎弄回来。

然而在徐世绩日子难过之前,不太好过的是瓦岗的主帅李密。

单雄信和裴行俨的队伍在郑州驻扎了六七天,确信宇文化及的队伍往北而行后,带着队伍回清渠复命。李密一听说萧晓云也回到清渠,只觉得头都大了。随着这场战争的胜利,萧晓云的名声传遍了整个瓦岗,同时传来的还有萧晓云战前请求的赏赐。全瓦岗的人都在注视着李密的一举一动,失去主公的面子或者落下一个言而无信的名声,这些可都不是李密想要的。所以他的奖赏一拖再拖,直到萧晓云跟着队伍回到清渠。

这天晚上,秦琼传话请裴行俨、单雄信去丰泰楼喝酒,萧晓云也在被邀之列。

掀帘子进了包厢,萧晓云就是一愣。秦琼这次请的人倒真齐全,程咬金、罗士信、单雄信、谢映登……她熟悉的人几乎都叫得出来,大家正围着桌子坐着聊天儿,见萧晓云跟在裴行俨背后进来,房间里顿时鸦雀无声。

"咦?"萧晓云看着房间里的众人觉得好生奇怪,"怎么大家到的这么齐?"

"找个机会吃顿饭,自然都要来了。"秦琼起来迎接,挥手让他们落座。

按照品衔高低，萧晓云应该是坐在最末位的，可是秦琼却把她往主位上让："前几天你打了胜仗，这个位子自然是你坐的。"

萧晓云觉得这样的场面越发诡异，再看看众人的表情，罗士信和谢映登居然在掩饰自己的不满："自家兄弟还在乎这些？"说着萧晓云搬了个凳子坐在罗士信和谢映登中间，"我年纪这么小，坐在上位还不自在呢。"

秦琼还想再劝，被裴行俨拦住："让他们几个小孩子坐在一起吧，若是夹在咱们老哥几个里，只怕脑袋都蒙了。"

萧晓云朝他做了个鬼脸，自己去逗罗士信说话。秦琼一看无奈，只得吩咐人把主位多出来的餐具撤去，于是众人吃喝谈笑，划拳敬酒，玩得不亦乐乎。

酒席正酣之时，话题不知怎的转到萧晓云这次的胜利上，秦琼突然转向萧晓云："明儿个不是要去面圣吗？你想要什么奖赏呢？"

萧晓云这时候正和罗士信骗谢映登喝掺了盐的水酒，当下也没有细想，随口说道："奖赏不是事先商量好的吗？不就是一个人的脑袋吗？"

这话一出，酒桌上立时一片安静，连在旁边闹的罗士信都不再说话。萧晓云发现谢映登端着酒杯的手一僵，愣了愣抬头说："我说的有什么不妥吗？"

秦琼顿了顿说："没有什么不妥，我以为你当时只是一句戏言，没想到你还当真了。"

"怎么是戏言呢？"萧晓云慢慢打量在场的各个的神色，"有拿别人的脑袋做戏言的吗？再说也没有人会为了一句戏言带着五千士兵跟宇文成都拼命呐！大哥你别是酒喝多糊涂了吧。"

此话一出，秦琼、程咬金的眉毛立即一皱，单雄信脸上微微露出一点笑意，谢映登和罗士信在她身边频频点头，只有自己的主帅裴行俨，脸上神色不变，让人一点看不出他心里是怎么想的。

程咬金皱了眉头说："晓云啊，你可想过明天你只要一要奖赏，可就有人要人头落地了？"

"嘘！"萧晓云摇摇头说，"他诽谤我的时候怎么就不想想这也是要我的命呢？这事怨不得我，只怪他自己心术不正，害人反害了自己。"

秦琼听了这话知道萧晓云无论如何都要揪出当时告密的人，拿着酒杯沉吟着不知是该继续劝下去还是就此罢手。桌子上的气氛立刻冷了下来，萧晓云忽然说："秦大哥，你是不是想让我就此罢手啊？"

"嗯？嗯！"秦琼点点头，"得饶人处且饶人。"

"别跟我说这些有的没的的话，"萧晓云挥挥手，"咱们兄弟之间还需要隐瞒吗？诽谤我的人是谁我心里一清二楚，而且他跟二位大哥可没有什么交情。大哥你不如直接把原因说出来，小妹也好判断一下这事该如何处置。"

秦琼跟程咬金对视了一眼，最后长叹一口气："还是告诉她吧，这事是瞒不住的。"

"晓云啊，你可知道杀了诽谤之人对主公的声誉会有多大的影响？"程咬金叹了口气说，"那日主公只是想挫一下你的锐气，谁知道你们两个话赶话变成了那样。事后主公跟我们说过无数次心里可后悔了，当时正想撤那道军令，可是你已带兵出战。当然这场战争胜了自然是好事，可主公却陷入了两难的境地。若是不杀那人你自然不肯罢休，若是杀了那人，今后敢向主公说实话的人就更少了，所以……唉，你自己掂量吧。"

萧晓云听了这话立刻明白，原来秦琼和程咬金是替李密做说客来的。所谓酒无好酒，宴无好宴，大概就是这个理儿吧。不过李密也够贪心的，又想保住自己在裴家军安插的党羽，又不愿意落下一个言而无信的罪名，天底下哪有这等的好事。萧晓云沉思良久，抬头看了看各人的表情又向四周扫了一眼，才说："大哥，你们是不是在主公面前立下军令状了？"

秦琼一惊，心说她是怎么知道的，嘴里却反驳道："没有。"

"没有？"萧晓云挑眉去看程咬金，"本来这个奖赏我是一定要的，别的不说，只为了给自己讨回个公道。可若是此事关系到大哥，那怎么着都得有转圜的余地。"

程咬金听了这话，急忙说："军令状虽然没有，不过我们已拍胸脯保证

7

过了。"秦琼叫了一声他的名字刚要制止，程咬金却说："晓云不是外人，告诉她也无妨。我昨天晚上在主公面前保证你不会再追究这件事了。"

萧晓云听了这话望向秦琼，见他面有难色，眼神闪躲，说明当时他不仅在场，大概也是做了保证的。朝裴行俨看了看又低头想了一下，然后释然笑道："早这么说不就得了，我们之间就该像程大哥这样坦诚。既然大哥说了不追究，那我明天上殿一定什么都不说就是了。"

之前萧晓云咬定了要那个人的脑袋，此时却突然松口，让秦琼几乎不敢相信："啊？这个赏赐你不要了？"

"你们都拍胸脯保证了，我还能要吗？"萧晓云嘟着嘴伸筷子夹菜，"大哥说的话，我能不听吗？"

"这……委屈你了。"秦琼听得她话语里全是委屈，嘴角垂下似乎要哭一样，"好云儿，大哥知道这事让你不舒服了，想要什么就尽管提，大哥都补给你。"

"真的？"萧晓云的眼睛立刻亮了起来，"我昨儿个在街市上看到一个玉制的九连环，喜欢的不得了。可是饷银都在小凤那里，她最近又因为出战的事儿不理我，大哥不如买来送我吧。"

众人听了哈哈大笑，裴行俨指着她对秦琼说："任她再怎么智勇双全，其实都不过是个孩子。前几天打着生病的旗号刚缠着我买了一个孔明锁，现在又算计到你头上来了。"

大家听了这话笑得越发厉害，萧晓云哼了一声夹了一个大骨头放到碗里低头去啃，眼角扫过旁边的屏风，看见那后面明黄的靴子离开远去，遂把眼睛一弯，笑眯眯地端了那杯掺了盐的水酒递到谢映登面前："六哥喝酒啊！"

在玄英殿中复命时，萧晓云很守约地忘掉了当时要求的赏赐，当然李密因此也赏了更多的金银珠宝给她。除了那些珠宝首饰像以往一样搬到秦琼家上缴朱玉凤以外，其他的元宝金锭被萧晓云和罗士信、谢映登在玄英殿外当众"坐地分赃",亮闪闪的金银在箱子里倒来倒去,晃的众人眼睛都花了。剩下几百两银子三人懒得再分,包下丰泰楼呼朋唤友玩了好几天,每天都喝得醉醺醺地回家。

后来有人把这事告到李密那里,谁知李密听了只说:"不过是小孩子爱玩罢了,没什么大不了的。"这话传出去之后,三人更是越玩越疯,最后还是单雄信忍无可忍把三人都抓了回来关了好几天,他们才老老实实地不再闹腾了。

丰泰楼的老板倒高兴了,自从上次自己的招牌被神射将军射下来以后,萧晓云他们就总带人来光顾他的生意。这几天他们出手更是大方,自己乐得赚了个盆满钵满,想到自己的生意这般好,晚上睡觉都乐醒了。

这天晚上丰泰楼大堂里又坐得满满的,虽然萧晓云他们没来,可是这里已经成为内军和右军以及中军将官的聚集地。有人边点菜边问老板:"怎么那三个小哥儿没来?"

"被关起来啦。"老板指着新换的菜牌说,"前几天萧姑娘和谢将军喝醉了比试,把小店的菜牌都射下来了。刚好单将军路过,把他们全抓回去不让出门了。"由于事后收到了丰厚的赔偿金,所以老板私下里倒希望他们多比试几次,把店里的桌椅板凳碗碟杯盏全砸了才好。

众人哈哈大笑,靠墙的一桌有一个新来的,还不是很明白:"萧姑娘?是那个玉影青弓吗?"

"哎,你的消息太滞后了。"他旁边的一个人说,"这个萧姑娘自从演武夺魁后,又大闹了洛州,把越王的登基仪式搅得一团糟,真给我们长了不少的见识。就连号称大隋第一将领的宇文成都,前一阵子被她带的五千兵马杀得不敢再走郑州!"

"真有这等厉害?"先前问话的人说,"听你这么一说,这个女人定然虎背熊腰,可怕的紧,我怎么都没见过她呢?"

"哈!"另一个人嘲笑他说,"看你就是个土包子。前几天我天天看见她和谢将军出来喝酒,好一个眉目娟秀的女孩儿,嘴角总是弯弯的,带着笑意,比你家婆娘不知好看多少倍了。"

"啊……"问话的人当即张口结舌,过了一会才说,"别是你看错了吧。我听说她就是一个主簿,哪有那么多钱来丰泰楼,这里可是清渠最贵的酒楼。"

"主公赏的呗,"又有一个人说,"我听宫城里当值的兄弟说,这次主公的赏赐比平时都要丰厚得多呢。"

"唉……"那人叹气说,"什么时候我也得到这么多的赏赐啊。"

"嘘!"那在宫城里的人小声说,"听说萧姑娘起始是被人诬陷了,因此才要打这一场仗证明自己是清白的。当初她要的赏赐可不是什么金银珠宝,而是诬陷她的人的头。"

桌子上立刻鸦雀无声,过了好一会儿才有人说:"萧姑娘果真不错,就应该给这些嚼舌根的小人一点教训。奶奶的我们在外面拼着性命杀敌,哪些小人随便张张嘴就能升个官,这也太没天理了。哎,最后把谁的脑袋砍了?"

"谁都没砍。"那个透露消息的人把声音压得更低,"主公谁都没有惩罚,只是多多的奖赏了一些珠宝。"

"什么?"刚才那人大叫了一声,被旁边拉住后尴尬地咳嗽了两声,等众人目光转开后才说,"萧姑娘就这么罢休了?"

"不然还能怎样,赏赐这么多,分明是主公想护着那个人,用金银珠宝堵住萧姑娘的嘴。"那个人叹了口气说,"咱们下面的人尽管替萧姑娘鸣不平,可是谁又有办法?"

又没人说话了,不一会儿有人小声说:"要是翟主公还在,就不会这样了。"

"嘘!"旁边的人说,"这个时候你还提翟主公,不要命了呀?"

"我就是随便一说。"那人低声说,"这种不守信用包庇小人的事,以前咱们瓦岗根本没有。自从翟……嗯哼,去了以后,咱们瓦岗就越来越糟了,不光连个洛州都打不下来,主公身边的小人也越来越多。"

"那倒是,"刚才让他别再说的人也慢腾腾地说了一句,"咱们主公以前多体贴将士,再看看现在,哎……真是……"

"别说了，越说越伤心。要是被旁人听见了告上去，咱们的脑袋也该搬家了。"另一个人说，"连萧姑娘那样的人遭人陷害都没有办法，甭说咱们了。喝酒，喝酒……"

桌子上顿时一阵碰杯声："喝酒，喝酒，不说了。"

他们隔壁的桌子上只坐了两个人，其中一个把这些话一字不落地全听进去了，握着酒杯的手紧了又松松了又紧，最后把杯子往桌上重重一放，转身就往外走。小二急忙赶上来结算酒钱，被对方黑沉沉的脸吓了一大跳，正犹豫时那人后边跟着的人塞了一锭银子在他手里："不用找了。"声音婉转动听，美妙异常。

又是一个女扮男装的？老板盯着银子乐呵呵的，自从萧姑娘的名声传开以后，清渠的姑娘们就喜欢穿着浅色的衣服扮成男装出来走动。不管是男是女，只要有银子赚就好，他笑呵呵地拿着银子在嘴里咬了咬，又拿袖子擦了擦。哎呀，银子底下还有钢印呢……内造，前面两个字太繁琐，有点看不清楚，没关系，银子是真的就行。

谁也没看见，二楼雅座掀着一角的帘子随着那人的离开也慢慢地放了下来，白玉般的手腕映衬着艳红的衣袖缓缓的缩了回去。

夜色沁凉如水，齐武睡不着，披了件衣服站在厢房的窗前往外看。院子里有两个人影，一青一红，红衣的那个背对着他坐着，是晚上来访的朱玉凤，青衣的正是萧晓云。

"走的时候像很生气的样子？"萧晓云用手抚着杯沿说，"这么说他应该都听到了？"

"看样子是这样。"朱玉凤点点头，"这次出来随侍的是他平日最宠爱的宣妃，可是走的时候连看都没看她一眼，想来气得不轻。你前几天不是答应秦大哥了吗，怎么又把这事闹了出去？"

"我答应不再要那人的脑袋，可下面人怎么议论我就管不了了。"萧晓云秀气的眉毛微微蹙起，"我原本也不想闹得这么大，当初要杀那人不过

11

给他们一点颜色，警告他们不要把主意动到我的头上。也不知当初李密怎么想的，非要护着那人，我也是不得已才出此下策。"

"不得已？"朱玉凤说，"这怎么算是不得已。"

"李密是个爱面子的人，如今他为了一个无足轻重的小棋子甘愿顶着不守信义的名声，这点很值得怀疑。"她喝了口水慢慢地说，"我猜想在我们回来之前应该是有人劝说过他。何况现在我风头正健，跟大家的关系也好得不得了，不过这时有人能跳出来说动李密的，除了这个人身居高位，这个人一定也有过人之处。这样的人，还是早点找出来防着点好。"

"所以你就借着李密常出来私访探听士兵们口风的机会设下这个局？"朱玉凤还是不清楚，"我不明白这个局与挖那个人出来有什么关系？"

"李密肯定会因为今天的一席话而迁怒于那人……"萧晓云沉吟了一下说，"只要留心他最近斥责了谁，或者对谁的态度突然改变了，就应该能判断出来。有时候打草惊蛇未必不是一个好办法。"

"然后呢？"朱玉凤算是明白了，"我们怎么反击。"

"先把他挖出来再说，这事总急不得的。"萧晓云品了一口水，慢慢地喝了下去，听着面前的朱玉凤自言自语地说："李密身为瓦岗首领，也算英雄中的豪杰了，怎么竟然……与传言不符？"

"传言多半有虚有实。"萧晓云起身在院里慢慢踱步，"其实他也算是个人物了，尤其是杀翟让夺权，突然发难一击即中，在不激起瓦岗人心大动的情势下夺取了权力，就算是我也未必有如此的手腕。只可惜手段再高，终骗不了他自己。在他取得权力之后，由于心里不安极力笼络人才，防止大将们再走他的老路，为了证明他自己比翟让更适合领导瓦岗，他好大喜功，频繁的微服私访生怕将士们怀念翟让。只要有人提出反对的意见，他就觉得自己的权威受到挑战。现在的李密一切努力只为了压过翟让，所以他最大的成功也是他最大的失败。"

"跟一个死人去争？"朱玉凤挑眉，"这有什么好争的？"

"当局者迷，他现在已经走火入魔了，不然我哪能如此轻易得手。"萧晓云伸手在盛开的月季花上慢慢抚过,"想必那个人也抓住了他的这个弱点,所以李密才会对他言听计从,失去了自己的判断力。"

大朵大朵的月季花在她的手指下绕动,让人看着倒别有一番风味。一只在花中睡着了的小蜜蜂被摇醒了,微一振翅飞了出去,倒把萧晓云吓了一跳。她退后两步看着小蜜蜂在夜空中消失,遂把眉毛一弯:"天色这么晚了,小凤就住在这里吧。"

"哎呀,不行。我晚上还要向秦夫人请教刺绣呢。"朱玉凤说着起身就要走,被萧晓云拽住,"小凤……"她耍赖地抓住她的衣袖,"我明天就要回老贯庄了,你今天就住在这里吧。"

"下次你来的时候我陪你,这次我真的约了秦夫人了。"

"这次我来了你都没时间陪我。"秀气的脸上写满委屈。

"活该,谁让你当初把我送到秦府去呢,走了走了!"

"小凤,我这里晚上能听到仙女唱歌呢,留下吧。"

"仙女?"脚步微顿。

"我啊,我啊,我会唱好听的歌给你听。"

"我才不要听你老鼠大米的唱呢。"

两人打打闹闹到了驿馆门口。"真的要走了?"萧晓云拉住她的手说,"虽然皮肤是比上次细了一些,可我还是舍不得。"

"傻瓜!"朱玉凤帮她拢了拢散着的头发,"总会回到你的身边的,有什么舍不得的?"

"等你变成老太婆的时候,我才不要你回来了呢!"萧晓云翻了个白眼,朱玉凤趁势敲了敲她的额头:"变成老太婆的时候,我就天天缠着你了,走了!"

窈窕的身影越走越远,等到那抹红色消失之后,萧晓云才喃喃地说:"其实我更希望你现在能缠着我啊。"呆立了一会,她长叹一口气,转身举步回到自己的小院,却看到裴行俨正站在东边主院的门口盯着她。

"少将军!"萧晓云看他脸色不是很好,行了个礼慢慢走近,"这么晚了有什么事吗？"

"我今天才知道你有这么大的胆子，"裴行俨盯着她说，"居然算计到主公头上了？"

"原来少将军刚才听到我们说话了。"萧晓云听了这话反而笑了起来，"反正我也不准备瞒您，少将军知道了也无妨。"

"你到底想要怎样？"裴行俨有点不耐烦，"我以为你那天答应秦琼的时候已放手了。"

"告密的郑铤我是放手了，这次的事情也把他吓得不轻，估计得老实好几天。"萧晓云看着他的眼睛说，"现在有了更重要的人浮出水面，他这个小喽啰自然不需要再注意了。"

"你！"裴行俨为之气结，"你就这么固执，一定要跟人结仇？"

"自保罢了。"萧晓云看着他生气的脸，心里一紧，很突兀地问，"看到我现在的作为，少将军是不是后悔前几天违抗军令救我了？"

话一出口，萧晓云全身的神经没来由地绷紧，朦胧的夜色里周围的声音出奇的静，她几乎可以听到灰蛾拍动翅膀从身边飞过。借着如水的月光，她却看到裴行俨的眼睛里的愤怒慢慢在消逝："没有。"

萧晓云在背后松开不知什么时候握住的手指，脸上绽开的笑容暖如春风："这次我就是查证一下，并没有其他打算。我知道主公对少将军有知遇之恩，所以您大可放心，我不会主动惹恼他的。"

裴行俨把她仔细打量了一下，点头转身回自己的院子："你有分寸就好。早点休息，明天我们要早起回老贯庄。"

"属下遵令。"萧晓云在他背后举手做了个童子军礼，转身往自己的院子里跑去。既然他不喜欢……反正也没有太大的关系，这件事就到此为止吧！食指上的戒指湿湿的，她边跑边摘下来放在嘴边吹干，忽然玩心大起，索性摘下戒指在嘴边"叭"的一亲，然后跳进院子顺手带上院门，"戒指啊戒指，告诉我谁是最美丽的女人？"

裴行俨回到自己院子里转身关院门时，正看到萧晓云偏头亲那枚戒指，亮闪闪的眼睛比天上的星星还要耀眼，然后轻快一跃跳进自己的小院，头都不回地带上了院门。他忍不住低笑出了声，脸上不禁流露出一种自己都不明白的宠溺，摇摇头关门休息了。

随着骁果的北上，瓦岗各军又回到了原本的驻守地。裴行俨带着萧晓云在老贯庄坐镇，单雄信也回到了西北角继续攻打洛州。重新回到练兵排阵的日子大家都平静了许多，唯一的大消息就是右武侯徐世绩因为攻打洛州不力，被停了两个月的俸禄。

萧晓云将递送这个消息的信纸叠成一个飞机，点燃尾部随手抛了出去。飞机在蓝天掠过，伴着黑烟一头栽在地下，烟尘散去只留下白底黑边的碎片。她对着那些碎片沉思良久，拍拍手站起来，转身向自己处理事情的地方走去。

齐武跟在她的身后回到主厅，当他从门口排队等待请示军务的各军主簿中穿过时，他突然惊觉这个头发刚长到后心的女孩已经变成了少爷之外又一个在裴家军里说一不二的人——裴家军只靠裴行俨一人强撑的困境，终于过去了。

第二章

临窗听雨

战争中最难得的是休息。

宇文成都的队伍北上,除了沿途打杀劫掠之外没有太大的动作。洛州城里只有三万残兵,城里粮草已断多日,除了偶尔抵抗一下瓦岗的进攻,再也没有能力突围。两大敌人都没了动静,洛口难得没有了战火和硝烟,倒也呈现出少有的宁静与祥和。

齐武抬头看了看阴沉沉的天空,又把视线投向前方,树荫下少爷正在给萧晓云讲解兵法。听不清她说了些什么,少爷脸一板,拿书去敲她的脑袋。从自己的方向看去,正好看到萧晓云做个鬼脸吐了吐舌头。她的头发蓬松松地在脑侧绑了一个髻,扮鬼脸时显得十分娇柔可爱。

齐武看到这情景自己也笑了,笑到一半时听到由远而近的马蹄声,急忙伸手握剑朝来人的方向望去。来人肩膀上披着黄色的领巾,是清渠的传令官。他紧走几步接过卷成一卷的明黄绸缎,再转身时已看到少爷正大步流星往这边走,后面远远跟着萧晓云,走得极悠闲却也不慢。

"怎么?"萧晓云走过来时少爷已经看完了内容。她说话的神情似乎有点不高兴,但仔细一看又没有什么表情,"主公又有命令了?"

裴行俨点点头,随手把绸缎递给她。萧晓云想了一下接过去,等看完里面的内容时立刻明白为什么裴行俨要让她看了。"唐营派使者前来结盟,中军元帅裴行俨立即回清渠议事,主簿萧晓云随行。接到命令即日起程,不得有误!"

短短的两行字萧晓云翻来覆去地看了三四遍,那边裴行俨已经翻身上马:"先回去安顿一下,晓云你安排好军务,齐武回去让齐文召集众将官到我住的地方,一个时辰后动身。"

齐武低头答应了一声:现在少爷有事只吩咐齐文,他已经变成萧晓云的贴身侍卫。

进入小暑后夜晚热得厉害,李世民坐在院子的石凳上把这个所谓的驿馆上下左右打量了一番。高人宽敞的房间,金碧辉煌的屋檐,银丝茜纱的窗幔,汉白玉的石桌。他微微点点头,这个驿馆修得的确不错,比他在长安的秦王府气派多了。

眼角的余光瞟到身背后站着的人,白衣长衫,柔和的月光,打在那人身上好似镀了一层霜,连呼吸都透出一股白雾,冰冷的与这酷暑相隔成两个世界。李世民看了一会儿,带着不经意的口吻问道:"你看清楚了?真是她吗?"

放在身侧的手忽然握紧,关节上隐隐透出一点白色:"是。"

"志玄啊……"李世民心里长叹却不再看他,"凡事莫要钻牛角尖,何况这事还没有定论。"

段志玄微微倾身行了个礼,低声答应,态度极其谦恭。李世民还想再说点什么,一转头视线落在他依然握紧的拳头上,于是改了心思:"你先去休息吧,明天见蒲山公莫要失了礼数。路过的时候让玄龄过来,我有事要吩咐他。"

身边的人答应一声离去,没有了他逼人的煞气,四下里反而热烈起来,草丛里几只蟋蟀叫声大作,此起彼伏。李世民也舒展了一下躯体,靠在了桌沿上,但她怎么会在瓦岗?

她怎么会在瓦岗？

回到房间的段志玄怎么也睡不着，跟着秦王殿下来到瓦岗，他本来是想沿途探访小兰的行踪，谁知一路上都没有消息，却在清渠见到了她。段志玄把自己扔到床上厚厚的锦被中，瞪着眼睛回忆起今天的情景。

他本来是陪着秦王殿下随便逛逛的，走累了就随便进了一家酒楼挑了个靠窗户的座位。楼下是清渠最繁华的大道，青石板路的尽头是瓦岗议事的玄英殿。从楼上往下看，可以看到来来往往的行人将官。小二嘴碎，拿了两锭银子就在他们旁边絮絮叨叨地说起清渠的小道消息。比如红衣的那个美貌女子是朱姑娘，是秦骠骑的远方亲戚。前几天有人不开眼找秦夫人的麻烦，被她削掉了两根手指；又比如刚过去那个穿道袍的是右武侯徐天师，呼风唤雨无所不能。他后面跟着的八个道徒各个法术高强，不过都比不上最新收的那个小徒弟，据说那人是白虎转世，连主公都对他佩服得不得了；再比如那个背黑色长弓的是神射谢将军，内军骠骑，最近正追着中军的萧姑娘四处跑……

听到这里段志玄的心动了一下，随后他暗笑自己太敏感了。全天下姓萧的多的是，怎么可能正好是她。从长安到清渠，秦王殿下已经尽量放慢速度让他去找小兰，现在到了节骨眼上，自己还是不要再生事为好。

窗下的人勒住了马，转身往回走，小二在旁边叫道："唉呀，真是说曹操曹操就到，萧姑娘这么快就来了！"

段志玄漫不经心地顺着小二的声音去看，迎面来了四五匹马，当先一匹身量较高，是从小就熟悉的没角巅麒麟，他微微"啊"了一声仔细去看马上的人。金黄色锁子铠，配着黑色的将军袍，国字脸宽额头，带着让人情不自禁就信服的沉稳。嘴里的"裴大哥"还没送出口，就见他的身后又转出一人。青衣短打扮，细细密密的青绳编成三指宽的腰带系在腰间，显得人若杨柳，轻灵万分。满头乌发在脑后高高扎起，细长的眼角向上微挑，唇边似笑非笑含着一个小小的笑漩。段志玄只觉得脑子嗡的一下，嘴里的话再也说不出来，只是瞪着眼睛看着，一眨不眨。

那个女孩转出来看到谢映登先是一愣，然后挑眉打马一劲儿往前跑，微侧身从背后解下一支青色的长弓，双臂轻探已然两支短箭上弦，她的速度越来越快，对面的谢映登也同样弯弓搭箭，跨下用力稳住马身，一副如临大敌的样子。

　　马蹄打在石板路上的得得声好像敲在自己的心上，段志玄只觉得心跳跟着这个频率越来越快，楼下逐渐放大的笑脸跟记忆中的人清晰地重叠在一起，就在他觉得自己快要呼吸不上来时，二马一错镫，萧晓云手里缰绳一勒，大黄马跑了两步转身回来。

　　"啊？"谢映登检查了一下毫发无伤的自己，再看了看没有出手的两支箭，扭头看见萧晓云正好整以暇地把手里的箭放回箭囊里，"喂，你怎么不出箭？"

　　段志玄的耳朵里立刻充满了熟悉的声音，分明正经却隐隐带着笑意："我都已经过来了，为什么还要出箭？"

　　谢映登一愣之下才想起来自己的原意是要阻拦萧晓云的通过，没想到她飞马而来杀意立现，在不知不觉中逼自己全神贯注的防守，居然忘了阻拦。"哎呀！"他懊恼的收箭把长弓挂到身侧，萧晓云已经拉着大黄马来到他的身边："喂！"她一肘顶在谢映登的胸上，"输了的人，把东西交出来吧！"

　　谢映登从怀里掏出一个发环，正中央突出一个火焰型的小尖，上面镶着一块玉石，其上有红色的血痕，映着黄金的底座在阳光下闪闪发亮。段志玄看到萧晓云笑眯眯地接了过去，嘴唇微动低声说了句话。谢映登显然被惹恼了，作势要发作，却被随后赶来的单雄信一记爆栗打在脑袋上，萧晓云于是笑得越发开心，最后还是裴行俨赶上来揉了揉他的脑袋，这几个人才沿着大道往宫门走去。

　　那几个人的背影越来越小，段志玄情急之下爬在窗户上探身去望，青色的人影在跳跃的马上微微晃动，似乎笑得很开心。段志玄看着那个身影轻快地跳下马把缰绳扔给后面的人然后走进了宫门，心里没来由地生出一阵惊恐。那个策马奔驰跟人对峙的小兰、那个弯弓搭箭英气逼人的小兰、那个嚣张地笑着问人要战利品的小兰、还有看着裴大哥揉了谢映登的脑袋后露出开心笑脸的小兰……每一个,他几乎都陌生了。

找了她整整半年,不是没有想过两人再见面的情景。也许会喜悦,也许会气怨,可从没想过是这种情景。她的笑容分明轻松明朗,却像刀一样刺入他的心底,在满满的惧怕中透出丝丝的隐痛,若隐若现,却又挥之不去。

段志玄下意识地捂住胸口,耳边回响起秦王殿下的话:"这个萧姑娘倒是似曾相识,可是仔细看看,却又不是故人。"

昨夜别长安,今朝非故人!

萧晓云眼观鼻,鼻观心,敛眉低头静静地听大殿里的各种声音。虽然脸上的笑容没有变,可是看在人的眼里却没有了往日的嬉戏,反而多了几分疏离,就连衣服都换了长衫,腰上挂着直垂膝盖的五行碧玉连环铲,外罩一件青色纱袍,整个人像是笼罩在青色的云雾中,似真非真,似明非明。

从李世民带着人进入大殿起,萧晓云就一直保持着这样的姿势没有动,安静地坐在裴行俨的后面,手指轻抚着耳边的玉石,悄然无声。

李密见了李世民倒是很开心,不管怎么说,他和李渊之前同朝为官,交情甚好,一声"世侄辛苦了"之后,就携了他的手来见众将官。第一个自然是中军主帅裴行俨,两人道了声"久仰",还没怎么客套,萧晓云就听见李密"喜滋滋"地说:"这是萧姑娘,我们瓦岗数一数二的神射手,人称玉影青弓。"

"哦?"李世民随着他的介绍看了过来,眼中光芒微闪,"萧姑娘清雅脱俗,玉影青弓这个名字倒是极为相配的。"

"秦王殿下谬赞,"萧晓云躬身施礼,"在下能力有限,只是承蒙主公错爱,赐诗'碎玉追空影,挽青断月弓',因此有了此名。"

"碎玉追空影,挽青断月弓?"李世民剑眉微挑,把那句诗在嘴里念了两遍,然后扭头对李密说:"家父常说伯父文采非凡,今日一见却是人胜其名。小侄这几日在清渠打扰,希望伯父能拨冗指教。"

20

"好说好说！"李密听了这话笑得嘴都合不拢,带了李世民去见其他人。萧晓云等两人去后才慢慢抬头,正对上一双眼睛,墨黑的瞳孔里光芒一闪,好像不经意地从自己身上掠过,又像是一直都在盯着她。萧晓云面色不变,轻轻坐下,纤指微挑去取旁边的茶碗。那人也没有停顿,跟在李世民背后擦肩而过。

是段志玄!

萧晓云慢慢地打开茶碗,放在嘴边轻轻喝了一口,动作微微停顿了一下,抬头环视了一圈,又扭头去看李密和李世民。玄英殿里的人分明关注李密与李世民的寒暄,有几个人却也在萧晓云眼光扫过时身体僵了一僵。萧晓云似乎没有注意这些,唇角依然带笑地看着单雄信那边的热闹。

虽然她闭口不谈自己的过去,却也没有故意隐瞒过。银月弓段志岚也罢,都督夫人段萧氏也罢,这大殿里的人,或多或少都知道一点,不然李密为什么要在急诏中特别要求自己到场,不然昨天秦琼、程咬金、罗士信谈到唐营使者为何吞吞吐吐,不然谢映登今日见了自己为何欲说还休,再不然刚才自己与段志玄擦肩而过时为何有人掩饰不住地往自己身上直瞟。能进这个大殿的,没有几个是傻瓜,可是能够不动声色掌控大局的,却也不多。

这些聪明人里面,李世民是一个,另一个,就是右武侯徐世绩。

萧晓云的视线越过李密对上了徐世绩,玄黄色的道袍,黄杨木的道冠,腰上系着罗盘,也许是总被香火熏绕,萧晓云觉得他的脸好似庙里的菩萨一样,带着看透众生的玄妙。对方的视线突然与她相遇,两人瞬间微笑,然后若无其事地错开。

"右武侯……"萧晓云沉吟了一下,把茶碗放在桌子上低声问齐武,"他什么时候到的清渠?"

齐武正全神贯注地看着段志玄,突然听到萧晓云的问话愣了一下,接着反应过来,压低了声音说:"也是昨日,比我们早半个时辰。"

萧晓云点点头,不再说话,又恢复了静坐的状态,直到众人见礼归坐开始宴会。

唐营这次派人来,主要是为了结盟,方今天下大乱,民不聊生。前有宇文老贼弑杀天子,后有王世充挟持越王窃夺帝位。李密创立瓦岗是为万民谋福祉,唐营愿响应瓦岗,共同对抗奸贼。

这理由听着冠冕堂皇,可是仔细想想却牵强得很。李渊攻入长安的时候也曾立了一个皇帝,听说杨广被杀之后立刻将那个孩子杀掉登基,宇文化及和王世充两人犯的错误李渊一个人全都犯了,要说做奸贼,可没有比他更专业的了。萧晓云听李世民在殿上侃侃而谈,心说李世民这番话说得耿直忠心,文辞华丽,定然是练过多少次了。记得半年前李世民文采虽然不俗,却也不是很出众,只是不知道这样的一篇底稿是出自何方高人之手。

她心里面这么一通乱想,再放眼在大殿上看了一看,这篇文章果然至情至理,丝丝入扣,一些人的面上已经露出跃跃欲试的神情。李密原本对李世民只是客气,现在反而生出一分看重,摸着嘴边的小胡须频频点头。

萧晓云看这事大局将定,于是低头整理腰上的玉佩,忽然听到上位的李密叫她:"晓云呐……"

"属下在!"她起身走出位置拜倒在地,"主公请吩咐。"

"你素来行事稳妥,又跟着裴将军历练了一阵子,如今也是该到独当一面的时候了。这件事就交给你来办。"李密看了看众人说,"这可是关系到我们瓦岗大计的事情,一定要慎之又慎。"

萧晓云听了这话一愣,内举避嫌的道理谁都懂,为何李密单单挑出她这个与唐营关系不清不楚的人来办事呢?脑子再一转,她心里有了计较,原来这是要把自己推到众人的眼皮下,逼自己不得不倾尽全力。若是办好了,她自然会得罪唐营,别的不说,不念旧情这个名声肯定会落下,正好断了唐营和自己的联系;若是办不好,那自己到底向哪边尽忠就有待商榷,今后在瓦岗也很难再翻云覆雨。她心里微微一叹,自从来到瓦岗,自己只顾随性行事,倒忘了明哲保身的道理。

"臣愿为主公鞠躬尽瘁,"她轻轻地伏下上身,"属下人微言轻,又是第

22

一次办事，难免有思虑不周之处。这次事情非同小可，因此想请主公再派个人指教提携。"

李密听了这话点点头，萧晓云最近名声大振，使得中军的声势压过了左右二军，打破了他之前苦心经营的平衡，因此他也想借着这个机会打压一下她的气概。可是与唐营结盟并非小事，若是办砸了也不好处理。瓦岗如今东有宇文，西有王世充，若是和北面的李渊再搞砸关系，就会陷入四面楚歌的境地。想到这里，他点点头说："也对，你第一次办事，我亦不放心。这样吧，我派一个人提点你，不过还是以你为主。"

说着话，他就在众将中查看。派给萧晓云的人既不能太差又不能和她走得太近，否则私情夹杂，就达不到初始要求的效果了。萧晓云出身中军，裴行俨自然是不能派了，左军的单雄信、内军的秦琼程咬金与她关系也都甚好，这个人只能从右军里选。他在众人中看了一会，随后吩咐道："徐天师，你向来稳重，又知天理。这件事就劳你费心了。"

徐世绩唱了个诺跪下接旨。萧晓云起身从小黄官端着的托盘里拿了杯水酒敬了上去："无岚第一次做事，还请天师多多指教！"

徐世绩接过一饮而尽："萧姑娘天资聪颖，老道也不过尽人事罢了。"

于是这件事就这么定了下来，徐世绩转身回位时微微皱了皱眉。昨天只向主公建议由萧晓云处理此事，原以为事情已定，谁知今天反拉扯到自己头上。看来事情不太好办啊！

萧晓云依旧嘴角含笑，却比之前灿烂了一些。徐世绩、李密定这个主意时你参与了多少我不管，可是你这个垫背的我却拉定了。咱俩现在拴在一根绳上，要是倒霉了，谁也别想跑！

李世民在一旁倒是悠闲地喝酒，只是在萧晓云报出自己的姓名时眼睛向后瞟了瞟，身后段志玄的身形这时微微一震。唉，她叫这个字也不是一天两天了，这个孩子也太实心眼，这么久还是接受不了。

瓦岗最近贵客盈门，前脚来了一个李世民，后脚洛州就派了"七贵"之一的段达前来招降。

倾盆的暴雨从空中倾泻下来,打在外面的石阶上噼里啪啦直响。萧晓云端了杯茶倚在窗前,有一搭没一搭地与孙白虎、朱玉凤闲扯——难得下雨休息,还要加班!

"师父的意思是先跟唐营那边拖着,等明白了洛州的真正意图,再讨论如何去谈。"徐世绩虽然答应了协助萧晓云谈判,却只派了孙白虎这个"得意弟子"前来,这一招把萧晓云气得够呛:这事若是办不好,连孙白虎都得落下水,到时候麻烦更大!

"这话倒是在理。"萧晓云点点头,"小凤,你们家那边有什么消息?"

"刚收到的消息,长安周围的确不太平。西边的薛举最近开始大举收购兵器粮草,像是要打一场大仗。"朱玉凤手里拿着一小张白笺,皱着眉头说,"还有,长安的消息说跟瓦岗结盟是李世民一手主持的,太子和齐王并不赞成。"

"果真如此……"萧晓云扭头去看孙白虎,"小猫儿,说说你的想法。"

"明摆着,"孙白虎起身拿着茶壶给萧晓云的杯子续水,"薛举驻军陇西,除了东进长安,周围的蛮夷根本不需要如此大规模集结兵力。宇文化及虽然目前尚在河南,最终目的还是要回长安。万一从我们这边借路成功,到时候长安东西受敌,隋朝第一员和第五员名将同时出兵,就算李世民再有能力,也难保长安。何况……北边的突厥觊觎中原已久,最近也不太安分。"

"谢谢。"萧晓云等他添完水,扬眉问道,"你怎么知道突厥的情况?"

"师父这边虽从东北围攻洛州,可也要注意北平那边的动静。"孙白虎拎着茶壶回到自己的座位上,又给朱玉凤的杯子续水,"北平王罗艺,若不是有突厥最近牵制住他,这么热闹的中原之战,他怎么能不来掺和?"

"你师父看得还真远。"萧晓云哼了一声放下杯子,"这么有眼光的人,区区委任一个右武侯还真委屈他了。"

"又犯脾气了,不是?"孙白虎笑着坐下来,看着萧晓云变冷了的双眼,

"你才见了师父几面,就把他当仇人一样。真是……哎,好像有人敲门,我去看看。"

萧晓云不再说话,低了头去想孙白虎刚才的话,她也曾经想过为什么自己这么讨厌徐世绩。也许是因为他在与世无争的外表下算计得太清楚,也许是因为他和自己遇到的人不同,总是不动声色地拨动事态的天平,也许是自己每次想给他点教训都莫名其妙地落空……总之这个人的眼光和睿智似乎比她还高一筹,表面装傻的功夫更不输于她——这点认知让萧晓云每次跟他斗智都好像跟镜子里的自己在打架,让她觉得无奈。

她咬着嘴唇想了想,最后决定把这件恼人的事丢到一旁,专心处理手边的事儿。"小凤!"她头也不抬,只顾看杯子里浮浮沉沉的茶叶,"秦王这次亲自来清渠,说明这个结盟重要的很。一定还有我们不知道的情况夹杂其中,长安那边……"她本想说长安那边的消息还要再打探得详细一些,却被院门口的孙白虎大声打断:"秦王殿下!"

萧晓云立刻住了嘴,和朱玉凤一起朝院门外看,门口的人紫衣玉带,五官俊朗,长身而立,浑身散发着挡不住的高贵,正是秦王李世民!

"这么大的雨……"萧晓云赶到门口迎接时李世民已经跨过院子进了长廊,"殿下怎么冒雨过来了。"

"本来是在酒楼喝酒的。"李世民收了伞,顺手交给后面的人。萧晓云探身看了看,是个书生打扮的文人,长相一般可是儒雅的气质却让人难以忘却,这人以前没有见过,想是她离开长安后新加入的。

李世民并没有给两人介绍,只是往屋里走:"雨雪本一家,虽然难以在长安围炉观雪,可是在清渠临窗听雨也不错了。"

萧晓云本来跟着他往屋里走,听了这话脚步一顿又紧走几步赶了上去:"可惜我这里没有酒。"她语气里带着无尽的惋惜,"扫了秦王的兴致,您莫要怪罪。"

"要想尽兴不在酒,而在于喝酒的人。"李世民推门进了屋子,"知己相谈,就算是白水,也是尽兴的。"他自顾自坐到主位上把屋子打量了一番,"你这里没酒有什么关系,我带了——三十年的竹叶青,正是品尝的好年头。"

说着话,李世民从袖子里掏出酒囊晃了晃。萧晓云一愣,看了看周围人才说:"真是好酒。我这里虽然没酒,确收了几副不错的酒具。白虎!"她扬声叫道,"把这酒放到井里冰一下,一会儿用上次谢将军送的那套青竹酒具盛过来。"她想了想又补充了一句,"外面下雨,出去的时候拿着伞,别着凉了。"

孙白虎应了一声,上来接了盛酒的皮囊出去。跟着李世民的那个人探头看了看西侧的书房,忽然说:"萧主簿,你这里藏书广博。若是不介意,在下可以借几本品读吗?"

萧晓云微微一笑:"区区几本书,哪里当得起广博二字。小凤,你带他进去看看,这位兄台还请不要客气。"

朱玉凤答应一声领他穿过厅堂去了西侧,屋子里顿时只剩下她和李世民两人。

"这么大的雨……"萧晓云起身给李世民倒水,"这酒大概要一会儿才来呢,殿下先喝点水如何?"

"这雨的确大了点……不过我心急,也就顾不得了。"原本和煦的笑容敛了起来,"小兰,为什么要离开长安?"

"真是……"萧晓云扭头去看李世民,"殿下果然心急啊!有些事情不好说,有些事情说不清,殿下若要问这件事,只怕我们三天三夜都讲不完呢。不如换个话题吧。"

"好!"李世民答应的异常痛快,"那我再换一个,去年雪夜观长安,当时的承诺你还记得吗?"

萧晓云听这话愣了一下,垂首不再回答。

李世民也不去看她,自顾自地说:"不管如何,我是记得的。你说自己在个人行事上虽然任性,对我的忠心却不会变。这句话,我一直都记得。"

萧晓云听着他的声音有一点激动,本想抬头,可是不知为什么又不敢看他,等他住了嘴才说:"殿下,物是……"

"不要告诉我物是人非!"李世民打断她,"小兰,你在长安吃的苦我知道,可是你的那些胡闹我从来没有制止过。长安的情形不用我解释你也清楚,你从来喜欢把握时局以断是非。当时结亲拉拢隋朝旧臣,让志玄的大哥顶替你的军功保全军队,通过你的公公制止御史言官动摇民心,我这么做到底是对还是错?"

萧晓云轻轻摇头:"如果我在你的位置上,也会如此。"

"那么,这些布局被你打乱以后,我可曾责备过你一句?"

"没有。"

"的确没有。"李世民越说越激动,"因为我知道你心里委屈,计划打乱了可以重新再来,但是你受了委屈我却心里有愧。所以我出征前把玄道安排在你身边,一是因为他年少没有心机不会让你整天戒备;二是为了保护你,缓和你和段家的关系。可是你呢?就为了一个秦玲珑居然扔下一切一走了之?连等我回来做主都不肯?"

萧晓云扭头不去看他的眼睛,只低声说:"是我愧对了殿下的厚爱。"

萧晓云寥寥一句"愧对",让李世民一愣,来之前准备的大段文字在这个短暂的停顿之后,居然再也说不出来。探头去看她的神色,全然没有大殿里的高傲和戒备,未曾束起的长发柔顺地垂在肩上,微微扇动的睫毛竟然带出几许落寞。

"秦王殿下对于此次结盟,应该是势在必得。"她的声音比大殿里说话时轻缓了许多,侧影却越发清冷,"长安的情况我多少知道一点,据说很多人都反对,您受的压力该很大吧,不然也不会亲自来访。"

李世民微微点头,既然萧晓云已经了然一切,自己再极力隐瞒,反而没有必要,也失去了信任:"我也不瞒你了,东边的战事本是大哥管着,这次我越俎代庖,大哥对我是有一些意见……"

"殿下总是把事情揽在自己身上,西边的薛举已经够你忙半年,这宇文化及……扬威天下或者马革裹尸,都是太子的事,殿下何必插手。"萧晓云叹了口气,"旧日情分,我也只能劝殿下一句——木秀于林,风必摧之,行

27

高于人，众必非之。就算兄弟父子……"

"这个道理我何尝不明白，只是眼睁睁地看着父兄送死，李唐刚建立的基业就毁在我的小心翼翼之中，我也心犹不甘。"李世民苦苦一笑，"就算被猜忌，我也依然要这么做了。"

"我却不能。"萧晓云看着他慢慢地说，"瓦岗耗费半年的时光，目标只为洛州。宇文化及一没钱财二没地盘，跟唐营结盟，瓦岗不过是做了你们的挡箭牌而已，没有任何好处。"

"宇文化及身上有传国玉玺。"

"他身上唯一可取的也就是那枚玉玺。可是相比于占据洛州指点天下，这枚小小的玉玺根本算不了什么。唐王没有这枚玉玺，不是照样称帝？"

"难道就不怕我们联合王世充齐攻瓦岗？"

"洛州那里，能自保就不错了，根本没有兵力再反击。至于大唐，面对薛举和宇文化及两面夹击，大概也没有工夫管我们。要我来看，你们三家兵力相当，各有所长，瓦岗若能够趁此机会先取洛州，再等你们战事结束坐收渔翁之利，半壁江山即可唾手而得。若此时能够打着皇泰主的旗号挟天子以令诸侯，又有黎阳、瓦岗两大粮仓保障做后盾，取得天下指日可待。这样做，应当更胜于结盟。"

李世民的脸刷地变白，过了很久才说："不错，的确如此。"恐惧把他的声音压得生涩暗哑，嗓子里像是被堵得死死的，一个字一个字地往外挤："半年不见，你愈发聪明，对时局倒看的通透。"

萧晓云受了这个赞扬，脸上没有一丝喜悦，倒仿佛怕冷一样往椅子扶手处缩了缩，嘴里只是喃喃自语："我遇见了这么多人，只有殿下从不逃避责任，只有殿下不会因为明哲保身而放弃改变和努力。我一直坚信殿下会成为那个流传千古的明君，现在这一切，会改变吗？"她扭头去看李世民，视线却透过他的身体投向远方："殿下想君临天下，指点江山吗？"

李世民听了这话吓了一跳，一时不知如何回答。外面的暴雨小了一些，散开的乌云中露出几缕阳光，或明或暗地打在她玉色的皮肤上，整个人有着说不出的诡异,一时根本看不清她的五官。李世民心里不由自主地慌了一下,再定神时发现她又恢复了那副笑盈盈的神态。

"我说过的话,自然会遵守。"萧晓云笑嘻嘻地说,"那些未来不过是我随便的猜测,其间变数也太多,最后结局不出来,谁都不敢定论。与其如此,不如先解决眼前的问题。不管怎么说,宇文成都这个大隋第一名将可不是好惹的,如果我们不联手消灭任由他坐大,今后一定会成为心腹大患。"

李世民听她忽然改口,心里诡异,正要开口询问,眼角余光瞟到孙白虎正端着放了酒具的托盘过来,于是咽下问话。萧晓云上前接了东西,亲自取了酒壶为李世民斟酒:"新瓶装旧酒,酒囊也罢,青竹杯也罢,就算今后变成了月光杯,琥珀碗,里面依然是竹叶青。殿下还有什么可担心的呢?"

于是唤了朱玉凤和那个随从过来,众人把酒言欢。直到雨尽云散,阳光洒遍小院,李世民才起身告辞。

朱玉凤陪着萧晓云送走李世民,等他们离开转身回院时身体突然被人从后面抱住:"如果他不能坐上帝位并且带来太平盛世,"她的声音因为惶恐而带出说不出的愤怒,"我今天就应该把自己的灵魂卖给撒旦,改变未来的一切!"

李世民在被大雨冲得光洁的青石板路上慢慢往驿站走,过了一会儿突然说:"玄龄,你在里面看到了什么?"

"回殿下,都是一些兵书。"身后的人想了想才说,"段夫人果然如传闻一样聪明,单是孙子兵法第一篇上的批注就让玄龄受益匪浅。"

"这个段夫人还是先不要叫了。"李世民皱着眉头说,"我看她是不会再当回都督夫人了。"

"怎么?"房玄龄有点诡异,"新瓶装旧酒,她分明说自己心属大唐,总有一天要回来,这都督夫人……"

"这也难怪,你没有接触过自然不是很了解,回归唐营,并不代表回到段家。"李世民叹了口气,"一遇到私事,她绝对不允许别人插嘴,她是我见过的最奇异的女子。"

"那么志玄……"眼前闪过那天从大殿回来后一直苍白的脸,房玄龄觉得很是心疼。在战场上流血不流泪的大唐将军,带领五千士兵奇袭敌军声名远播的都督,回到驿馆后只顾着强撑骄傲昂起头,却没有发现自己眼角里闪动的泪珠。

李世民也想到这些,长叹一声嘱咐他注意清渠的各种消息,不要再谈论这个话题。

当晚,萧晓云亲自送孙白虎回右武侯的驿馆,与徐世绩讨论了近一个时辰才出来。

第二日上午,李密召见段达,双方相谈甚欢。同一时间,徐世绩去拜访左武侯单雄信。

第二日下午,段达返回洛州,李密召集众将讨论是否归降。三军主帅均无异议,此事交由徐世绩全权处理。

三日后,徐世绩与谢映登从清渠起身,随段达去洛州接受招降。同日,瓦岗与大唐结盟,决定共同对抗宇文叛军。

冤家路窄

　　即使事先喝了醒酒汤,萧晓云依然在当天晚上庆祝结盟的宴会上被灌得够呛。因为徐世绩去了洛州,本次结盟的"功臣"之名就理所应当地扣在她的头上了。李世民是天生的交际好手,到了瓦岗才四五天,就跟秦琼、程咬金这帮人处得像亲兄弟一样,在李密"一定要喝到尽兴"的叮嘱下,带着众人轮番上来敬酒。萧晓云在一波又一波的人群中喝了个头晕脑涨,抓着裴行俨的袖子求了很久,终于在他的掩护之下仓皇逃出大殿。

　　从玄英殿角门往东走就能出皇城回驿馆,萧晓云走了一半觉得不妥,于是转个弯进了御花园,找了个僻静的地方坐下来,歪着身子靠了根青竹闭目养神。没过一会儿,耳边有脚步声,萧晓云也不睁眼。这个时候来御花园的,无非是找阴暗的地方谈情说爱的宫女、武将。因为有了这样的默契,彼此一定会避开,看到她在这里,多半会找其他地方幽会。

　　萧晓云虽然头晕,感觉却依然灵敏,听到那人不走开,心里微微诧异,只是喝醉了心里犯懒,不肯睁开眼。过了一会儿听得那人呼吸声越来越重,忍不住抬起眼皮瞟了一瞟。重重竹影中站着一个人,武将打扮,身量极高,遮住了半个月亮,虽然背光看不清长相,眼中的光却很亮。她一瞥之下,只觉得这眼神异乎寻常的执著。此时她脑袋晕得厉害,不愿多讲话,嘴里只懒洋洋的说:"抱歉,我不是宫女。"

对方听了这话并没有离开,过了一会儿才轻轻地说:"小兰。"声音暗哑,在沙沙的竹林中几乎低得听不见,"我是志玄。"

萧晓云听了这话才又睁开眼睛,把面前的人仔细打量了一番,漫不经心地说:"我喝多酒了,脑子不清楚。段都督若是有指教,请明日再说吧。"

"小兰。"段志玄的脸依然隐藏在黑暗中,迟疑了一下说,"我明天就要回长安了。"

萧晓云想起之前看到的眼神,叹了口气心说今晚怎么这么倒霉,喝多了酒还要打发这些乱七八糟的事儿。于是指了指对面的石头道:"既然都督大人有话要说,不如坐下来吧。"

段志玄依言坐下,刚才被挡住的月光倾斜下来,照亮了他的半边脸。萧晓云调整姿势,从青竹上直起腰,打起精神仔细看了看他半明半暗的脸。由于长年征战而晒成小麦色的皮肤在月色下泛着黄玉般的光泽,挺拔的鼻梁在脸上投下深深的阴影,衬得五官轮廓愈发分明。萧晓云隐约想起他在长安时被人传诵的除了年少有为,还有出众的相貌,那个时候自己还凑到他面前研究"最英俊的将军长什么样儿",闹得对方脸红不已,狠狠地推了自己一把……萧晓云摇摇头,许是酒喝多了,居然想到这些有的没的的事儿:"大都督这么晚找我,不知有什么要紧的事?"

"小兰,"他沉默很长时间后才说,"跟我回长安吧。"

"回……长安?"萧晓云勾了勾嘴角,"大都督,我是瓦岗的将领,与长安毫无关系,这个'回'字从何说起?再说,我为什么要跟你走?"

"你!"段志玄被这句话呛住,顿了顿才说,"小兰,你若是还生我的气,要打要骂都由你。不要再这么任性乱跑了,我找了你很久……"

"生气?"萧晓云看着他脸上挂着的沉痛直笑,"段志玄,我在这里过得好好的,怎么叫做任性乱跑?再说了,你跟我也不过认识而已,你做了什么,与我无关,哪里就值得我生气了?"

原本如玉的脸突然变得惨白,段志玄看着她的笑脸只觉得心中绞痛:"小兰,你不要这样。"他涩涩地说,"若是因为秦姑娘,我……我并没有娶

32

她。你如果不喜欢她,我,我……"他不知道该怎么说,自从小兰离开长安后,他就再也没有见过秦玲珑。连带着那个还在娘胎里的孩子,他也没有什么感情。有时候他也问自己,小兰回来以后如果提出不要那个孩子,或者不许秦玲珑进门该怎么办。每次他都听到自己的心底有个声音说:"好,就听她的。"这个声音斥责着他的良知,指责他为了一个女人抛弃自己的骨肉,告诉他自己的人品有多么低劣,可是他还忍不住地想,只要小兰肯回来……

"段志玄!"萧晓云断喝一声打断他的话,"你少看不起人。"她忽地站起来,"一个没名没分,没钱没势的女人,就能把我萧晓云逼出长安吗?那个女人,若是我防着她,你连把她接出青楼的机会都没有。莫说 个秦玲珑,就是十个百个我都不放在眼里!"她冷冷哼了一声:"我不是那种整天为情所困,除了哭哭啼啼就只会上吊自杀的女人,你别小看我,也不要高估了自己!"

她起身来的太猛,好容易压下去的酒劲随着一活动又冲上头,整个人忍不住晃了一晃,段志玄伸手去扶,却被她侧身躲开。段志玄看着自己空了的双手,再看看扶着竹子眩晕的萧晓云,愣了愣才说:"既然你不生她的气,为什么,为什么要离开?"

萧晓云靠在青竹上,只觉得两个太阳穴突突直跳,脑袋沉得像灌了铅一样。心烦之下,也不再考虑自己的措辞,只想快快把段志玄打发走:"我为什么要留下?你告诉我长安有什么值得我留恋的。我在这里是玉影青弓萧晓云,是机智无双的中军主簿,在长安不过是个没名没姓的段萧氏;在这里我带兵打仗,扬名立功,总好过于在长安藏着掖着见不得人,努力了半天为别人做嫁衣还没人感激;我在这里有兄弟朋友,喝酒赌钱都是正大光明,为什么要去过那种在自己家连进出大门的权利都没有的生活。你倒是说说看,我在瓦岗过得开心快乐,为什么要去长安自讨苦吃?"

她脸上透出点点红晕,不知是被酒精染的,还是情绪太激动了。段志玄盯着她看了一会儿,才慢慢说:"你是我的妻子。"

"妻子？"萧晓云冷笑道，"我走的时候留的话你没看是吗？浮天沧海，从此各行其道；风云随缘，今后两不相干。谁是你的妻子，你又是谁的丈夫？"

"我又没有写休书，我以前发誓……"

"永不休妻嘛，我记得。"萧晓云的头越来越疼，"你也把自己看得太重要了吧，萧晓云的命运掌握在自己手里，任何人都不能干涉，更无权掌控。离开长安时我给你留了面子，并没有把事情说透。看样子你还不明白，现在我就一字一句把那封书信的意思解释给你听：我们已经离婚了。你不是我老公，也别再打着这样的旗号对我指手画脚！"

段志玄身体猛地一僵，坐在那里一动不动，整个人顿时没了人气儿。萧晓云正待说话，竹林里一阵响动，有人从里面跑了出来，是同李世民一起来的那个文士。显然是在她之前就在林子深处的，他急急忙忙跑到段志玄面前，扶着他叫了两声没有听到回音，抬头对萧晓云怒目而视："你怎么可以这样说话，你知不知道他为了找你……"

萧晓云抬手作了个手势阻止他再说下去，倚着竹子慢慢坐下来，轻声说："原来你在这里，难怪在大殿里没有看到小凤。出来吧，我也没力气进去找你了。"

竹林里响起脚步声，没几下出来了一个女孩儿，美丽动人的脸庞上全是羞色，配着黑色的衣服，在往日的明艳中增添了几分神秘。她径直走到萧晓云面前，低声说："我不是故意偷听……"

"我知道！"萧晓云拉了拉她的手，轻轻笑着说，"你们俩也谈了快一个时辰了，今天晚上我喝多了，你暂时忍耐一下分别之苦，送我回去好不好？"

朱玉凤听了这话脸上发烫，更是抬不起头来："我也没有……就是碰上了随便聊聊。"

萧晓云也不再追问，借了她的力站起来往外走。临走前看了看呆坐着的段志玄，死灰般的脸色配着无神的眼睛，像受了很大的打击一样。萧晓云见了朱玉凤心情慢慢缓和下来，微一冷静就觉得自己刚才的言语也有些唐突，于是朝朱玉凤示意往他那边走。房玄龄看她过来，护雏一样挡在段志玄前面,厉声说:"你已经伤了他,还要做什么?"

朱玉凤眼睛一瞪就要说话,被萧晓云拉着袖子拦住。可是房玄龄在她一瞪之下,勇气失去了一大半儿,只勉强站在萧晓云面前,不敢再去看朱玉凤。萧晓云见了这情景想了想,也不坚持要过去了,只站在房玄龄面前微微提高了声音说:"志玄,你从小东征西战,经验能力积累了不少,进了长安以后几次独立处理事情都做得很好,有没有我在身边都没有实际意义了,你现在觉得不舒服,只是五年来的习惯被打破了而已,再过一段时间你就会忘了这种感觉,重新享受自己的生活。我们同甘共苦了五年,这算是我给你的最后一个忠告——人生总是有得有失。离开了长安,我得到了自由,却失去了安逸和荣华富贵,你也是如此。虽然没有我再帮你,却也得到了婚姻的自主。秦姑娘也罢,其他人家的女儿也罢,只要你真心喜欢,都可以娶回来,不必再顾及我的感受。以你的条件,娶一个贤惠温顺的妻子,从此儿孙满堂全家幸福和睦是轻而易举的事。未来的生活如此好,你何必为了一个必然经历的分离而伤痛呢。"

萧晓云说完话,略微等了等没有听到回音,在扭头时看到房玄龄脸上气愤的神色褪了不少,朱玉凤一双美妙的大眼睛却仍狠狠地瞪在他的身上,微微沉吟地笑道:"房公子,两情相悦本不应该计较太多,可是这翻墙的事情,也不能总让我们家小凤做,好歹你也做一次,我那小院墙上没有放钉子,扎不着手。"

对立和愤怒立刻消散,身边两人臊得低下了头,不再吭声。萧晓云看看房玄龄发红的耳根,再看了看红着脸低了头却时不时向对面瞟几眼的朱玉凤,扶着越来越重的脑袋说:"走吧,这酒劲越发厉害了,我有点撑不住了,再不回去就要倒在半路了。"

朱玉凤听了这话像是得了大赦一样,拉着萧晓云就往外跑。可怜喝醉的萧晓云,被东倒西歪地拽着跑,几乎被自己磕磕绊绊的脚绊倒。房玄龄红着脸看着朱玉凤的身影很快消失,刚要笑,想到还有段志玄,于是收起心思走到他面前:"志玄!"他扶住对方的肩膀,"你不要怪我说的不好听。

段夫人……萧姑娘的话还是有几分道理。她是想透了才离开长安,这样的人是不会回头的。事已至此,你也放下过去,向前看,像她说的,过自己的生活吧。"

一直刮着的风停了下来,竹林里一片寂静,房玄龄觉得段志玄的呼吸从似有似无,时断时续变得从容绵长了。坐着的少年抬起头来,黑色的眼睛里隐藏着深深的痛,却流光溢彩光芒夺目,使得那种一向冷峻没有表情的脸散发出无比的魅力:"没错儿,我要过自己的生活。"他的声音平稳有力,与战场上发号施令时一般坚强自信。

何处是归程?长亭共短亭。

清渠往东三里有一个小亭子,本是供过往旅客歇脚避雨的地方。李密在清渠修筑宫城的时候,顺便也把这个亭子修葺一新。半人多高的草丛中竖起一个金碧辉煌的小亭子,倒也别有一番趣味。

微一恍惚,眼中顿时碧色成片。萧晓云略略一定神儿,重新看向亭中众人,裴行俨这次代替李密为唐使送行,稳重地陪在李世民身边,指点介绍周围的景色;秦琼、程咬金、罗士信三人围在段志玄周围,正絮絮叨叨的说些什么。扭头看看自己身后满脸别扭的朱玉凤,萧晓云微微一笑,起身朝亭子另一侧的那个人影走去。

"房公子。"对方听到她的声音急忙回头施礼,"从刚才起就一直见你看向这边。怎么,清渠这里的风景让你喜欢吗?"

"这里芳草萋萋,碧水蓝天,的确美丽。"房玄龄虽然对向她,眼睛却只向她身后瞟,"不仅仅是喜欢啊。"

眼角余光处的红色不安地扭了扭,萧晓云轻笑一声:"长亭外,古道边,芳草碧连天。素闻房公子有'倚马立成'之文采,前几日俗务缠身,没来得及请教,还请你不要见怪。"无视房玄龄听到第一句词时的惊讶,她扭头吩咐身后的人:"小凤,去取些水酒来。我要为房公子送行。"

身后的人答应了一声去亭子中心的石桌上取酒,萧晓云突然收了笑容："本来很早就要去拜访房公子，可是昨晚酒喝多了误了时机。今日时间紧迫，我也就直话直说了，若是有冒犯之处，还请房公子多多见谅。"

房玄龄见眼前的人突然变了神态，心里诧异，不知道有什么大事要谈，当下不好说话，只能点头表示洗耳恭听。

"房公子到清渠这五日，跟我家小凤似乎走的很近。冒昧问一句，你觉得小凤如何？"

房玄龄没想到萧晓云会问关于朱玉凤的事儿，这么直接的话问出来，对方没有怎样，他的脸先红了一大半："朱姑娘……性格天真直爽，反应机智，很容易相处。"

"多谢房公子谬奖。" 萧晓云扭头看了看在石桌旁专心致志从坛子中往外舀酒的朱玉凤，嘴里没有停，"房公子虽然青年才俊，可是出身名门。若是我没猜错，家中应该有妻儿了吧？"

房玄龄跟着她的眼光朝朱玉凤望去，眼里忍不住透出浓浓的羡慕之情，嘴里不自觉地回答道："萧姑娘说的没错，我已有两房妻妾，目前有一个儿子。"这话说完他觉得有点不对劲，可是哪里不对又说不出来。

身边人不容他多想，已经把这不对劲的答案给了他："既然如此，你为什么又来招惹我们家小凤？"冰冷的声音在耳边响起，"我为什么离开长安，房公子你不是不知道。难道你觉得，我会让自己的下属重蹈当年的覆辙？"

房玄龄被这冰凉的声音激得打了个哆嗦，身上忍不住起了鸡皮疙瘩。急忙转头时对上一双冷冷的眼睛，黑色的瞳仁周围衬着白的发蓝的眼白，好像被万年寒冰淬过一样的清冷，嗖地穿过他的七经八脉直指心底。房玄龄的心在针刺一样的眼神中狠狠地收缩了一下，停顿了几秒后才放开，整个人被这种力量震得慌乱无主，张口结舌说不出话了。

萧晓云眼角瞥了瞥正欢天喜地地往盘子里摆放酒壶酒杯的朱玉凤，不等房玄龄的回答又径自说道："小凤脾气耿直，虽然跟着我暂时在这里落脚，却不是普通人家出身。这件事房公子还请想清楚。我不想干涉你们的事情,但并不表示我不关心她的幸福。"

房玄龄听了这话心里打了个突,刘文静刘大人经常为萧晓云离开长安扼腕叹息,四殿下淮阳王李玄道一次听到有人传她的流言当场砸桌子翻脸,更何况勇冠三军的大都督段志玄还是她挂名的丈夫。加上她身在瓦岗手握兵权,别的不说,单是上次拜访时对天下形势的剖析,以及随后在不动声色中翻云覆雨促成结盟就足以说明她的能力。这样的人,他是无论如何惹不起的。

房玄龄心里的念头转了又转,竟然没有发现朱玉凤已经端着酒走过来了:"房……公子,你怎么脸色这么不好?"

萧晓云看她一脸的焦急,心中微微叹气:"小凤,房公子经不得风,你扶他到背风处休息一下吧。"微微一顿又说,"最后下定论的是当事人,好与不好,外人是极难评判的。刚才我也只是随口一说,房公子听过就罢,不必放在心上。"说罢,朝朱玉凤点点头,转身朝李世民那边走去。

裴行俨本来与李世民闲谈,见萧晓云插了过来,心知他们本是旧识。这次两人所属阵营不同,萧晓云为了避嫌极少与李世民私下见面,这次临别在即,有心让他们叙叙旧,因此聊了两句找了个借口就去看段志玄了。

段志玄和秦琼三人正笑得开心,见裴行俨过来,都停了话语一起行礼。秦琼他们未曾归降瓦岗前是裴行俨的下属,进了瓦岗之后虽然是李密的红人,却不敢忘本,见了裴行俨态度依然恭敬。倒是段志玄,从小跟裴行俨一起长大,关系比自家兄弟还亲,见他过来也只深施一礼,低声说:"今后劳烦大哥了!"

裴行俨微微点头把他拽到身边,伸手拍了拍他的肩膀,颇有感叹地说:"这几年倒是老成了不少。你的消息我一直派人打听着,刚开始听说你做了大都督还有点不信,怕你被人骗去做挡箭牌。这次见面看见你行为处事,我倒是放心了不少,总算是长大了。"

段志玄点头一笑:"大哥总把我当孩子看,不过我还要一两年才到二十,大哥莫要忘了当年的约定,记得要来帮我行加冠礼呀。"

裴行俨点头答应，却把眼光投向正在与李世民笑着说话的人身上："我说句话你别不喜欢，晓云固然与众不同，可是好男儿志在四方，你也不能总把心思留在女人身上。"

　　"大哥！"段志玄顺着他的眼光也朝那边看了一看，"接下来的话由我说吧，男儿膝下有黄金，不能为了女人而较求，对不对？我昨夜是心急了点，你也不必因此怪罪晓云。"

　　裴行俨心里叹气，心说自己的这个弟弟虽然其他方面都成熟了，但总是在女人这一关上过不去，嘴里却说："就算你不来求情，我也会照顾她，这点你放心。只是……哎，你要纵容她我也不说什么了，自己想清楚就好。"

　　段志玄听了这话愣了愣，过了一会儿才说："她要做的事没人阻拦得了，何况……"何况她并不认我这个丈夫的。这句话放在心里苦苦的，却说不出来。曾几何时，他也相信夫为妻纲，只是遇到萧晓云，这话他是无论如何都不敢说了。

　　李世民在另一侧招手让众人准备上路，段志玄伸手捏了捏一直放在袖子里的瓷瓶，光滑的瓶身上有浅浅的水渍，那是他从早上开始手心里就止不住的汗水。一路走来，他总找不到合适的机会送过去。只是现在就要走了……

　　"这是什么？"对方看着递到眼前的瓷瓶没有接，只是微笑看着自己。

　　"解酒药！"她宿醉之后向来头晕，虽然今天看来脸色不错，但不经意间皱起的眉头还是流露了不适。

　　众人的眼光都集中在两人身上，段志玄觉得手里的东西好像有千斤重，竟然有点拿不住。还好对方微微一笑接了过去："其实已经没有什么了，有劳都督挂心了。"

　　他在心里长出了一口气，又听得萧晓云说："秦姑娘快要生产了吧，都督府上最近想必很忙吧。"

　　怔了一怔，段志玄随便点了点头。萧晓云这么一说倒是提醒了他，好像孩子也该生下来了。自从萧晓云离开以后，军队里的事情一大堆，闲暇时间又被他用来找人，差点把这件事忘了。

萧晓云并不知道这些，只是笑着说："孕妇怀了孩子很辛苦的，身边少不了要人陪，你也要多多体贴才好。"

体贴什么呢？段志玄愣了一下点点头，心想既然她开了口，就先把秦玲珑从永乐巷接入都督府，后面的事情，走一步看一步吧。

回清渠的路上，朱玉凤一把拽住萧晓云的缰绳拉到一旁嘀咕："你刚才干吗收那个东西？"

"人家都拿出来了，我能不收吗，多不给面子。"

"那你不怕大家误会？"

"一瓶药而已，哪来那么多误会。虽然不是夫妻，起码也是旧日的朋友。不必决绝到如此地步。倒是你，刚才房玄龄说了什么？"

"也没说什么……"朱玉凤好看的小脸皱成一团，"也不知道你说了什么，他刚才一直魂不守舍的，怪死了。"

萧晓云伸手打掉她要放到嘴边的指头："别啃指甲！之前跟着我还没这个习惯，到了清渠反而有了。真是怪！这事急不得，你也别放在心上，总得慢慢来不是。"

朱玉凤听了脸上一红，支支吾吾说："不过是谈得来而已，并没有，没有什么的。"

萧晓云听了这话似笑非笑地瞟了她一眼，劈手把缰绳夺回来，拖长了声音说："哦，谈得来而已……"话未说完，人已窜出五步开外，空留下清清凉凉的声音在空中回荡："十八里相送到长亭，执手相看，垂泪相对……那叫一个惨啊！"

朱玉凤听了这话银牙一咬，打马追了上去，嘴里叫着"让你再胡说"，脸上的红色却越发浓重。

第四章
兵行险着

"那么就先这样。王将军回去先清点人马,明日辰时三刻排开阵势,与宇文老贼交战!"

轰然一片答应声之后,聚集在帅帐的人慢慢散去。裴行俨眼光一扫看到萧晓云眉头正微微皱起,从圈椅中起身时带着犹豫,于是放慢了自己的脚步。果然,等众人离开帅帐,萧晓云脸上的笑容陡然消失:"少将军,有些安排我还不明白。"

裴行俨点点头,招手让她来到中案前:"有话直说!"

"嗯……"萧晓云遣词派句想把自己的意思表达得委婉一点,"宇文成都武艺绝伦,之前与右武侯徐将军几次交锋都大获全胜。我觉得他现在锋头正健,又占据地利人和,直接跟他硬碰或许不是上策。最好能避其锋芒、固守营盘,伺机而动。"

裴行俨心里暗叹,放眼整个瓦岗,英雄虽多,可是能够为将的人却很少。像萧晓云这样遇事不慌,把握全局的人更是少之又少。别的不说,单单是她这份始终以最终胜利为目标,不贪求一时战功的心态,就是号称"瓦岗第一"的右武侯徐世绩也难以企及。尽管她总时不时地任性一回,无伤大雅的情况下露出点孩子气。不过,这也无妨,她还不到十八岁,这个性子可以慢慢磨练。

41

想到这里，裴行俨忍不住对着萧晓云笑了笑："我明白你的意思了，可是我们不能总处于劣势，需要用胜利来鼓舞一下士气，所以这场战我们一定要打，而且必须打赢。"

萧晓云看到裴行俨的笑容愣了一下，这一愣就错过了反驳的时机，只得行礼退出帅帐。齐武跟着她走出来，见她若有所思的样子，紧走两步上前问："怎么？有什么不对劲吗？"

"嗯……你有没有觉得……算了，也不是什么大事。"裴行俨最近好像总是对着她笑，那个笑容在欣赏背后好像还有其他含义。最近不管自己做什么，裴行俨都是好脾气、很包容，让她有一种被人宠着的感觉。她本来想问齐武也有没有这样的感觉，转念一想又觉得这么问有点多余，于是什么也没说。

这个时候有人凑了上来，而且凑得很近："萧主簿！"

萧晓云收了心思一抬头，不着痕迹地往后退了退，拉开两人的距离："郑主簿。"她对着那张带着讨好的笑脸点头，"刚才在帅帐没来得及打招呼，你什么时候从清渠回来的？"

"昨夜就回来了。"郑铤本来还要往前凑，萧晓云眼神微微一变，视线在他身上扫了扫，不知怎的，郑铤就缩了回去，改成并肩而行。整日不离萧晓云身边的齐武正好插了上来，两人就变成隔着一个人说话了。

"是吗？"萧晓云看了看那张白胖脸上的小鼠眼，嘴角勾起，"郑主簿这次回清渠，真是辛苦了。听说这次主公生气了？"

"岂止生气，简直是大发雷霆！"郑铤眯着鼠眼径直打量萧晓云，昨天他在怡红院喝花酒，听姑娘们说唐营那个"冷得让人忍不住喜欢"的都督段志玄是萧晓云的丈夫，心里诧异萧晓云这种没有女人味儿的女人都能嫁出去？因此刚才在帅帐里把这个差点要了他脑袋的女孩子很是仔细地打量了一番，没想到这一看不要紧，居然发现这个萧晓云在细看之下真有几分妩媚，尤其是那双细长的丹凤眼，顾盼间带出一种风情，昙花一现间让人看着心里痒痒。她要是穿上柔弱的女装，认真打扮一下再好好调教调教,可算女儿中的上乘之姿了。郑铤本是靠溜须拍马,背后打报告爬到现在的位置上的,自然对女人颇有研究。心里这个主意一冒出来,竟然不能停止。上次抓告密的人的风波之后,郑铤本来以为萧晓云会私下报复,没想到对方再没有找他的麻烦。于是他的胆子又慢慢大了,今日专门等在帅帐外跟萧晓云套近乎。

"这次对阵宇文老贼,我们五战皆败,主公气坏了!"这个侍卫怎么这么碍手,总插在他和萧晓云中间。

"这也难怪!"前面不远处就是自己的帐篷,远远的看见有人在帐篷前晃悠,萧晓云刻意放缓了脚步:"真是难为郑主簿了,右武侯若是知道你替整个右军承受了主公的怒气,一定会感激你的。"她试探地说,"明天这一场,看来是非胜不可啊!"

"那是当然!"郑铤心里很是得意,徐世绩有时候也问他一些事情,每次都有赏赐。这次搞不好又是重金酬谢,"主公特别交待一定要尽快取得胜利,还亲笔写了封信让我带回来呢!"

萧晓云听了这话忍不住笑了起来,难怪裴行俨急着要跟宇文成都干架,原来是后面李密催得太急。裴行俨极力隐瞒不肯让众将知道,怕的就是下面人感觉有压力,进而影响军心。他若是知道郑铤这个大嘴巴漏了出来,真会气晕了。

在她帐篷前徘徊的人看到了这边的情况,也许是心里焦急,竟然等不到两人走过去,一溜小跑地赶了过来。隔着老远就叫:"萧监军!萧监军!"

郑铤向来以自己是读书人为傲,对瓦岗落草为寇的将军们很是不屑。一看跑来的是王君廓,立刻不爽起来,鼻子一哼,听萧晓云在旁边解释说:"王将军约了我讨论明日的战事,没想来的这么快。"

郑铤立刻行礼告辞,临走前还说:"萧姑娘还该多读一些诗词歌赋,陶冶心情,不要被这些粗人坏了典致。"

王君廓刚好赶到两人身边,听了这话撸袖子就要揍他。萧晓云身形一转拦在他们面前,向郑铤还礼把人送走。扔下一句:"外面人多,有事先回去商量。"说毕,转身大步往自己帐篷走去。王君廓看了看郑铤洋洋得意的背影,咳了一声跺脚跟着萧晓云往回走。

进入帐篷,萧晓云到书桌前倒水。王君廓开始大声骂娘,把郑铤骂得一钱不值。萧晓云并不反驳,等他骂得差不多了才把茶杯放到他面前:"不过是个小小的主簿,就能惹得你这么大的怒火?这么半天了,怎么也不见你骂宇文成都?"

这句话好像封条一样把王君廓的嘴封住了,过了好久他才结结巴巴地说:"我……我骂……宇文成都……干什么?"

"他不该骂吗?"萧晓云本来靠着桌案看他,听他开口才避开目光,扭头看了看桌子上的葫芦形澄泥砚台,往里面滴了两滴水,又拿起搁在一旁的墨块磨墨,"宇文成都攻占童山后屠杀了守在那里的五千弟兄,难道不该骂吗?每次交战后他都在军营里把咱们弟兄们的脑袋当球踢,让人死都不能闭眼,难道不该骂吗?前几天还听说他把俘虏的人当骁果练习箭术的活靶子,整条洛水都染红了,难道不该骂吗?"

"当然,当然该骂!"王君廓正准备开口,又听到萧晓云冷声说:"你怕什么呀?"

"我……我怕什么了?"

萧晓云看着他嘴里强硬,虎背熊腰的身体却不自觉地向后缩了缩,心里叹了口气,难怪裴行俨极力隐瞒李密下命令的事,这些人还没有见到宇文成都就已经怕成这副模样了,若是再施点压力,真要哆嗦着上战场了,于是放柔了语气说:"不管怎么说,我还是你的监军,明日我也要到战场压阵。上次我能以少胜多赢了宇文成都,这次双方人数差不多,就算他气势再盛,也不能从我手里捞到什么好处。"

王君廓抬头看萧晓云,对方眼里森然的光芒使他骨头里都感觉冷嗖嗖的:"宇文成都想靠杀人放火以助长自己的声势,也要看我给不给他这个面子。明日一战,我定然一个人不留给他!"

王君廓不自觉地点了点头,跟萧晓云大概聊了聊明日的情况,过了半个时辰才出去点兵,把排兵布阵的任务交给了萧晓云。

这一战正是二伏的头一天,辰时还没过完,太阳就把地面烤得直冒烟。齐武拉了拉身上的锁子甲,只觉得上面烫手,贴身的小衣早已被汗水打湿,贴在身上黏糊糊的,很不舒服。他忍不住扭头看了看身边的人,淡青色的无袖双排扣紧身夹袄,里面是白色的棉布小衣,袖子用细细的金线束在手腕上,像开放的栀子花,金线的尾端系了一柄柳叶刀,插在贴着手掌的牛皮手套上。她微微翘起的鼻尖在烈日下亮亮的,整个人显得格外清爽干净。齐武忍不住想起帐篷里那个一次都没有穿过的白银细丝锁甲,也许这样的天气,还是不穿铠甲的好。

萧晓云并没有发现身边打量的目光,因为对面的人已经摄走了她全部的注意力。金盔金甲镏金的凤翅镗,塞龙五斑驹本来就比一般的马高,跨坐在上面的人身材又比平常人大了一号,阳光从他的背后照过来,整个人像天神一样高大威猛。萧晓云抬头看着对面的宇文成都,再看看身边已经不自觉露出惧色的将官,心里不禁叹了口气,对身边的旗排官点点头,色旗转动,此起彼伏的号令声中,身后的队伍整齐地排出了阵形。

宇文成都一上战场就看到了萧晓云,这也难怪,身处帅旗之下本来就容易被发现,一字排开的将官中不穿盔甲的更是引人注目。身下的宝马不耐烦地刨着地,宇文成都一直盯着那个明显比周围人低一头的青色身影,等对方排开阵势后仰头大笑:"果然是一群胆小鬼!"他高声说,"你们不是要进攻吗?怎么排了一个雁形阵?"

雁形阵,如大雁展翅般的阵形,两翼为弓箭手和枪兵,后端为步兵。虽然弓箭攻击的效果奇佳,却因为包角太小,无法包住敌人。而且由于是线性构造,因此移动较慢,显然是一种防守的阵形。

宇文成都的奚落让王君廓变了脸色,手里的大刀紧了紧刚要开口,身边的萧晓云双臂轻舒,一枚哨箭已经钉在宇文成都的马前。雁形阵两侧立即有哨箭的尖叫声呼应,在萧晓云的九棱白羽长箭之后齐刷刷排出十支七棱箭,箭秆一齐朝外排成一排,力道控制的极好,显然都是用箭高手。宇文成都胯下的白马一声长嘶,前面两蹄腾空在空中蹬了几下又落回原地,好像那一排箭是不可逾越的鸿沟一样。

瓦岗的队伍中有人轰然叫好,萧晓云眼角余光扫到刚才那几个在宇文成都气势下变了脸色的人尤其激动,心知自己这边已经从宇文成都的杀气中挣脱出来。她嘴角微翘,等欢呼声过去后放声说:"宇文成都,一次就把你打败了多没意思!最近我们正闲着,不如大家慢慢玩儿。今天先让你们一仗,我们守,让你们先攻!"

宇文成都听了萧晓云的话挥手压住背后蠢蠢欲动的众将官,勒马从那排箭上跳过,来到场地中央:"好啊,那就先来比试一场。我倒要看看,你们谁守得住我?"

话音刚落,有人在一旁请战:"宇文成都,你休要猖狂!王将军,末将愿意先上阵较量!"

王君廓扭头一看是诸葛德云,严格说来,他并不是自己的属下,而是萧晓云组建自己的队伍时挖掘出来的将领。因此犹豫了一下,扭头去征求萧晓云的意见。

萧晓云镇定地坐在马上,一点都没有被炙热的温度影响,脸色反而比平常更苍白了。丹凤眼微挑说:"诸葛德云,宇文成都号称天下第一勇将,并不是你以前碰到的那些虾兵蟹将。你确定要出兵迎战吗?"

"末将愿意前往一试!"

"你可知道失败的后果?"萧晓云盯着他的眼睛说,"宇文成都心狠手辣,若是败在他手下,生不如死!"

"请监军大人放心!"诸葛德云抱拳施礼,"我绝对不会给瓦岗抹黑!"

"好!"萧晓云大喝一声,"诸葛德云!我就在这里等你的好消息!"

黄脸的汉子行了个礼拨马往两队中央的空地走去。边走边把马上侧挂的长枪取了下来。走出雁翅时他的眼睛瞟了瞟旁边的人,瓦岗的队伍中随即响起一阵助威声。诸葛德云是萧晓云新组建的长枪队的队长,他的哥哥诸葛德威是弓箭队的队长,这两兄弟直爽憨厚,萧晓云麾下的将士有一大半跟他们处的极熟,因此众人看到诸葛德云上阵,不禁大声喝彩。

宇文成都见来了一个不认识的人,本想要对方通名报姓,转念一想不过上来个送死的,于是不再多说,只把镏金凤翅镗在手里转了个花,撇了撇嘴说:"上来吧!"

这分明是看不起人!瓦岗队伍里一片嘘声,王君廓看了这个情景一皱眉,眼角余光只看到身旁的人嘴角紧抿,面无表情,犹如石雕一般。

王君廓心里诧异,来不及细想,就听到两军阵前一声大喝,急忙看时,只见诸葛德云手里的枪尖急颤:点、戳、扎、挑、搬、撩、扣、滑,红缨抡圆了犹如盛开的红花一般在宇文成都周身绽放,虽然一招紧似一招,却招招沉稳劲道十足。

真是枪如游龙扎一点,棍似疯魔打一片!

王君廓砸砸嘴心说这个诸葛德云了不起,短短几个月的工夫就长进了这么多!别的不说,单是枪杆上下磕、碰、崩、滑的力道,就看得出是下了苦功的。这样的人,前途不可限量!

思虑间诸葛德云又是一声暴喝,双手握枪对着宇文成都凌空暴打,当的一声砸在凤翅镗柄上竟然迫得宇文成都退后两步。瓦岗这边顿时响起震天的喊声。长枪不停枪身微颤带着一阵风在宇文成都身边游走,枪尖游动也越来越急,阵前士兵如雷般的轰动。众人的眼睛随着颤动的红缨急转,几乎让人目不暇接,突然金色的光芒一闪,犹如凤凰展翅优雅地从花丛中飞过,不小心带过了花瓣,炫目的红花瞬间凋谢,此时,长枪已被挑飞。

错愕间,凤翅镗尖已经点在诸葛德云的脖子前:"倒是有两分能耐,不过还是差远了!"宇文成都嘴里说着话,却拿眼睛瞟向萧晓云。

很多人没有看清楚,可是王君廓却清楚地看到宇文成都的那一招:从一个无论如何都想不到的角度伸入枪尖织成的密网中,扎上了诸葛德云的手腕,然而那一招,只是简简单单的一个挑式。

大隋第一勇将!

王君廓的脑袋里全是这几个词儿,难怪右武侯会五战连败,难怪跟他交过手的人提起他都不肯多说。这样的人,这样的武功,根本就是不可逾越的! 一想到接下来还要跟这样的人交手,而自己毫无胜算,王君廓顿时心都凉了!

再看萧晓云却露出一笑,一个冰冷的沁人心魄,忧伤的让人心碎的笑。

几乎是同时,宇文成都听到镗尖前的人大声说:"瓦岗帐下的人,宁死都不会做俘虏。大哥! 一定要替我报仇!"

血红的花朵再次绽放,比刚才的那朵更加艳丽夺目,却代表了一个生命的流逝。

撕声裂肺惨叫绝望地响起:"德云!"

夜幕降临之后,存储在地底的灼热开始散发。洛水边的空气带着让人窒息的潮热,蒸起茫茫的雾气。齐武看了看满天的星光,犹豫了一下,低声说:"晓云,回去吧!"

对方没有看他,只是哑着声音问:"都打扫干净了?"

"是!"

"双方的损失呢?"

"我们这边大约有八百人左右,另有近一千五百人受了伤。骁果……应该跟我们差不多。"

"德云他……"

"尸体已经抢回来,我派人先送回营地了。"

"嗯。"萧晓云微不可见的点点头,突然深吸一口气猛地转身死死地盯着下面的黑暗,过了一会儿才说,"阿武,你能看到什么?"

齐武顺着她视线的方向看去,那里是今天的战场。诸葛德云死后,瓦岗的军队群情激奋,萧晓云带领弓箭手牵制住宇文成都的行动,王君廓则带领步兵和骑兵全力突击,与号称大隋战斗力最强的骁果展开了殊死决斗。开始是给诸葛德云报仇,后来则是杀红了眼,见人就砍。对方鸣金收兵后，身为主帅的王君廓居然又带兵追了上去，幸亏萧晓云赶上去将他们拦了回来。王君廓激动来得快去得也快，他带人清扫完战场就收兵回营了。一直冷静的萧晓云却转身上了洛水边一块突起的石头上，一直沉默到日落西山。

现如今偌大的战场上只留下零散的几队人马，那是萧晓云的贴身卫队。在黑暗中憧憧的影子排列整齐，等待着他们主帅的命令。

"下面只剩下我们的卫队了。"齐武犹豫了一下说，"天已经黑了，什么都看不清了。"

"天黑真好啊！"萧晓云在他身边轻声叹息，"宇文成都只杀了三百人，就染红了洛水。今天这一千多人的生命，一定浸透了这片土地。可是黑暗一来，什么都看不到了。鲜红的洛水，血染的大地，全都消失在黑夜中。到了明天，新的太阳再次升起，我们又会站在这里厮杀，用无尽的鲜血和卑劣的阴谋再次污染这里，日复一日，年复一年。"

齐武听了这话心里咯噔一下，急忙说："你想多了，这件事根本不是你的错！"

"不是我的错？"萧晓云伸手拽住他胸前的披风，"当然不是我的错？拿刀砍人的不是我，拿枪扎人的也不是我，为什么是我的错！"她的手越抓越紧，明亮的眼睛里亮晶晶的，映着天上的星光微微荡漾，仰起的脸颊两侧绯红。不甘、愤怒、生气、懊悔……齐武从她一向风轻云淡的表情中读到了悲哀和恐惧，忍不住伸手想去摸摸她的脑袋，对方却突然松手："对不起。"她低声说，"我想一个人静一下。"

齐武把伸到一半的手缩了回去："我在下面等你。"

"不用了！"刚才的激动之后，萧晓云的声音不再沙哑，"你先带他们回营休息。我再呆一会儿就回去。"

"可是……"

"放心！"恢复了清冷的声音中带着嘲讽，"这个地方杀气重的连鬼都不会来，我没事儿！"

齐武想了想退了下去，带着早已整装待发的卫队策马回营，临走前又抬头看了看那块石头，淡淡的青色若隐若现，蒸腾的水汽在她身边飘浮，她抱着膝盖坐在那里的身影隐没在凄苦的黑暗中。齐武在黑夜中不自觉地捂了捂胸口，决定回去找自家少爷。

　　潮湿的空气让人的呼吸一点都不顺畅，萧晓云在灯下慢慢踱步，过了一会儿才开口说："今天叫你过来，主要是为了明天的战事。"她慢慢地说，"德云，你觉得我们明天有多少胜算？"

　　黄脸的大汉慌了神，站起来的时候身后凳子噼里啪啦直晃，过了好久才憋出一句话："只要有萧监军在，我们就不会输。"

　　"哦？"萧晓云挑眉看了看他，"这算什么？我要听得是对战事的分析，不是溜须拍马。"

　　"我没有，没有……"大汉的脸涨得通红，一着急居然开始口吃，"只要监军一声令下，咱们兄弟一定奋勇杀敌，决不后退。监军这么聪明，咱们又是百里挑一的勇士，再难打的仗也会赢！"

　　"奋勇杀敌……"萧晓云沉吟了一下说，"即使不要命了吗？"

　　"是！"

　　"诸葛德云！"萧晓云厉声说，"你可知道明天的对手是谁？是被称作大隋朝第一勇将的宇文成都！是几乎没有败绩的宇文成都！是连你师父罗士信都打不过的宇文成都！你敢跟他对阵厮杀吗？"

　　"末将敢！"

　　"若是输了呢？"萧晓云冷笑两声，"我手下的士兵，不仅仅要有出众的武功，还要有过人的勇气。乞降求饶的软骨头别想进来！"

　　"监军大人请放心！"那个汉子把腰板挺得笔直，"身为队长，我绝对不会给咱们队伍丢脸！"

　　"你敢立军令状吗？"

　　"当然敢！"

"很好！"萧晓云转身回到案前，手里的狼毫挥洒成章，啪的一声把一张纸摆在他的面前，"这是请战书，要证明你的勇气和忠心，就在上面签字画押！"

毫无犹豫的，鲜红的指印按在那张纸的最后。

萧晓云微微一抖，指印的颜色是那么的红，就像今天凤翅镗上的红色一样刺眼。映着夜色的黑暗在她眼前晃动，总是难以挥去。她烦躁地起身，在石头上走了几步，越走越觉得气闷，索性一把拽掉外面罩着的夹袄，由于动作过大，衣帛撕裂的声音在空旷的野外格外的刺耳，白色的身影忽地纵身一跃，扑通一声落入水中

呼啸的风声之后是胸前陡然增大的水压，白色的气泡从身边急速升起。

"监军大人。"早上的情景那么清晰地浮了上来。

"我和大哥从小相依为命，若是这次我无法回来……"他已经预感到自己要去送死吗？

"不要这么悲观，我还等你获胜回营庆功呢！"萧晓云你这个魔鬼！亲手把人推向死亡，还睁着眼睛说瞎话！

"请照顾我大哥！"他知道自己根本只有死路一条，居然不反抗！

"放心，我一向都很看重你们弟兄俩！"没人性的萧晓云！这么忠心的下属，你都要把他往鬼门关推！

"请监军大人放心，我绝不给瓦岗抹黑！"那句话，分明是报了必死的决心！

经过雁翼的时候，他瞟的那一眼，原来是向他大哥告别！

那气势雄壮的让人忍不住喝彩的枪法，原来是他倾尽生命绽放的美丽！

扑向凤翅镗前，嘴里叫着大哥，眼睛却死死地盯着自己，为的，只是要告诉她，他没有食言！

卑鄙！

魔鬼！

绝对的卑鄙！

放弃了挣扎的身体反而从水底慢慢浮了上来,仰面躺在水上,黑天鹅绒般的天空中缀满了星斗,无限伸展将这一方土地全部覆盖,顺水漂流中,萧晓云听到自己心脏由急促变得缓慢,眼角一阵灼热。

身体被什么东西挡住了,萧晓云有点艰难地伸出手想去拨开,可是没有拨动。将双腿一收,她扶着那个东西慢慢从水中站起来,岸上传来一个熟悉的声音:"没想到这么快就上来了,太好了!"

心里猛地一惊,萧晓云这才发现,自己刚才扶着站起来的,赫然是一支插在水中的剑鞘,本该在鞘中的宝剑却握在岸上那人的手中,在夜色里散发出逼人的寒光。

"胡闹!"裴行俨看着跪在地下的齐武生气,"晓云年轻任性,你也跟着不懂事吗?居然把她一个人丢在外面,往日你那些稳重劲都到哪儿去了?现在是交战时刻,她一个女孩子出了事让我怎么跟志玄交待?"

"属下知错!"齐武在地上磕了头说,"晓云……监军大人她坚持不肯让我们呆在身边,所以属下才快马加鞭地赶回来请示少爷。毕竟……毕竟她在这里,只听少爷一个人的!"

裴行俨扶着太阳穴叹了口气:"平时挺明白事理的一个人,怎么总在这些小事上钻牛角尖!算了,你去点齐一队人马,跟着我去把她带回来。"

"她的卫队还没有解散,我让他们在外面候着,现在就能出发。"

裴行俨点点头,交待了齐文几件事,转身出了营帐,沿着洛水奔向战场。

昨天晚上他没有等到萧晓云来汇报作战计划,于是亲自拜访,结果看到萧晓云拿着一个册子在灯下发呆。

"少将军！"他从萧晓云手里抽出册子时对方脸上一片慌张，"对不起，我还没有写完……"

不要说册子上的墨迹，就连砚台里的墨都已经干涸。他大概翻了翻萧晓云那个"没有写完"的册子，上面记录着她对于双方兵力、士气、将官能力的分析对比，简洁而精辟。

"诸葛德云？你怎么准备派这样一个不出名的人跟宇文成都厮杀？"

"是！"萧晓云迟疑了一下才说，"在我看来，战场上的主帅厮杀，主要目的不是比试武功，而是鼓舞士气，给士兵鼓劲儿，让他们奋勇杀敌。倒不是我灭自己的威风，瓦岗众多将领中，能够称得上宇文成都对手的没有几个，明日若是以主将厮杀定胜负，我们毫无胜算。"

烛花爆了一声，突然放大的亮光映入萧晓云的眼底，漆黑的瞳孔里隐约闪过七彩的泪光。意识到自己已不觉地被打动，他急忙调转头看向别处："难为你看得这么清楚，既然如此，你可有破敌良策？"

"善用兵者，避其锐气，击其惰归，此治气者也。"萧晓云手里拿着毛笔把玩，"骁果是皇帝身边的御用军队，战斗力本来就比普通队伍高出一大截，加上有宇文成都做主帅，之前连胜五场，现在的状态说是战无不胜、锐不可挡也不为过。要想打赢这样的队伍，只能制造混乱，在对方的心理上制造空当，以治待乱，打压对方的气势趁机进攻……这样，或许能勉强打个平手。"

"想法不错。"他合上册子在手里轻轻地拍了一下，"可你别忘了，骁果是精选全国武艺高强的人组成的军队，即使朝廷大员，看到他们都难免心里不打颤。你想打压他们的气势，实在难啊！"

"我也没有太大的把握。"萧晓云眼波流转，像是投到很远的地方，"小时候常听人说一句话，胆小的怕胆大的，胆大的怕不要命的。宇文成都使着武艺高强，算是一个胆大的，那些能力不够的人，是些胆小的，自然赢不了他。可是遇上不要命的人，他难免不会有一丝退缩，只要抓住这瞬时的机会，应该有一两成的把握。"

"不要命的？"他心里诧异，又仔细看了看那个名字，"诸葛德云？队伍里拼命的人挺多，为什么单单选中了他？"

萧晓云的眼帘垂了下去："不仅要打压对方的气势，还要鼓起我们士兵的战斗力。德云使的是长枪，枪为兵器之王，真要舞起来，气势雄伟惊人。他学的又是罗士信那套不要命的枪法，让人看得热血沸腾，极适合鼓舞士气……更何况……"细碎的牙齿在下唇上咬来咬去，她踌躇了一会儿才说，"他在队伍里本来就极有人缘，若是……若是……大家一定会努力为他报仇。别的不说，他大哥诸葛德威……一定……一定会……"

剩下的话不用再说，裴行俨也明白了。他只是不明白一向爽朗的萧晓云为什么今天吞吞吐吐，分明是很好的一个计策，却把自己的嘴唇咬得快要流血了："这个计策不错！有多大把握？"

"三四成……"

"我看倒可以增加到六成！"他本来想摸摸那个低垂的脑袋，犹豫了一下改成拍拍她的肩膀，没想到对方突然抬头，急切地说："我觉得不好，少将军你一定有更好的计策，你教给我吧！"

裴行俨一愣，马上明白了她的意思。收敛了笑容说："你觉得不好，是因为良心过不去？"

萧晓云点点头，又摇摇头，张了张嘴没说出话来。

裴行俨叹了一口气："身为主帅，必要的牺牲是必须的。每次考虑战略尽管也要考虑伤亡，但不能因为这些同情心而束缚住手脚。妇人之仁会导致战争的失败，你明白这个道理吗？"

"是！"萧晓云身体颤了颤，低头轻轻跪倒："请少将军明日在营中等待佳音！"

看着似乎明白了，其实还是没有明白啊。裴行俨一边策马狂奔一边在心里叹气，她本来是个聪明人，却总爱在一些极简单的问题上纠缠。现在又是如此，天黑成这样还不肯归营，大概是一个人躲在什么地方跟自己较劲了。一想到她皱着眉头把食指上的扳指在左右手间倒腾，裴行俨就觉得她还是个孩子，志玄不过才十八岁，萧晓云大概也只有十七岁吧。虽说英雄出自少年，可是他们毕竟还年轻，很多事情还想不透啊！

叮叮当当的金属撞击声从水边传来，水雾中隐隐传来一声极熟悉的清叱，裴行俨急勒马缰，再扭头发现齐武脸色已变，二人对视一眼朝声音传来的方向疾驰而去。

白色的绸带在缓缓流动的洛水中飘摇，被水打湿的长裤贴在腿上，勾勒出修长的轮廓，底边浸入水中，像兰花一样随水绽开，白皙的小脚在水中挣扎了两下，碰到水边大块的卵石时才在上面慢慢停住。上半身被压在河滩上的人从艰难的呼吸中一个字一个字地往外挤："宇文成都！你不要欺人太甚！"

"欺人太甚？"裴行俨赶到时看到对方主帅正半蹲在地上，膝盖微曲压住身下人的胸口，一只手钳住萧晓云的双手，另一只手钳住她的脖子，笑得得意又残忍："萧晓云，你今日落在我的手中，就别想活着回去！"

钳在脖子上的力气越来越大，气管好像要被压扁了。萧晓云脑袋有点昏眩，甚至能够感觉到在那层重压下一次次艰难的呼吸，她张大嘴巴，拼命地吸着气，脑筋却飞快转动，试图从记忆中找出宇文成都出现在这里的蛛丝马迹。

然而她找不到理由，碰到宇文成都，不过是无数个偶然中的必然。

第五章

柳暗花明

　　宇文成都看着军营里来来往往的人马就心烦,必胜的一场战争被打成了平手,伤亡居然近两千。眼看着有人在军营里骑马飞奔,他就知道是自己那个草包大哥又得了消息前来奚落。这个整天吃喝玩乐的家伙带兵不行,消息倒是来得贼快!宇文成都火冒三丈地看了看马上洋洋得意的人,看那家伙衣服还没有穿整齐,也不知道刚从哪个营妓的床上爬起来!宇文成都冷冷一哼转身出了营地,现在他的心情糟糕透了,还没等那个家伙开口,他就真想冲上去将他揍扁!

　　并不是没有失败过,可是在所有打赢自己的人当中,萧晓云是最可恨的。从蒲州相遇,他就一直提防着这个总是微笑的人,结果却总是超出自己的控制。为了舒三的安危,她嘴里叫着大哥却用弓箭对准自己的心脏;在那样周身都是杀机和埋伏的日子里,他留下自己的贴身侍卫带她回扬州,却只看到多姆带着一根几乎废掉的食指回来了;挥师北上时,本来让人欣喜的故友重逢,也变成了她伏击的诱饵,害得自己被父亲责怪不得不改道前行;这次在战场上兵戎相见,那个不知道叫什么的家伙在凤翅镗前自杀的时候,他明明看到她脸上的痛惜,眼里却有着隐藏不住的兴奋,他就知道自己又中计了。果然,瓦岗的士气在那之后突然暴涨,猛烈攻击之外还有人用同归于尽的打法,让自己的队伍损失惨重。

宇文成都信步走到洛水边，满肚子的气没处发泄，心里狠狠地咒骂着那个人，发誓下次再见面一定要给她好看。直到天黑他的心才慢慢平缓下来。然后他看到了顺水漂着的人，白色的衣服在夜色中格外扎眼，那人闭着眼睛在水中漂游，完全没有发现自己的存在。

报仇的念头突地涌上心头，宇文成都的手几乎颤抖着摸到腰间的宝剑——真是得来全不费工夫啊！

清冷的脸颊涨得通红，镇定了然的眼睛蒙上一层水雾，由于呼吸困难，半张开的朱唇边有细细的水渍沿着下巴的曲线流入石堆，战场上云淡风清的表情早已不复存在，取而代之的是，在痛苦中透出的一丝楚楚可怜。宇文成都看着手掌下的那张脸，从心底涌起说不出的快慰，手上的力道忽轻忽重，他并不急于要她的性命，而只是看着她不断变幻的表情微笑。

这样的快乐降低了警觉，等他发觉马蹄与石头相交的清脆声再抬头查看时，一道寒光已如闪电般划破夜空直扑向他的手臂。

放开萧晓云或者被砍断手臂，这分明是围魏救赵的办法。宇文成都哼了一声一把抓起地上的人，"叮"的一声长剑急偏贴着萧晓云后背滑过，剑啸中一片白色的布帛快速落下。

齐武突然提到嗓子眼儿的心放了下来：刚才他在马上飞剑救人，没想到差点伤了萧晓云。若不是少爷及时弹出飞石打偏剑尖，后果真是不堪设想。

宇文成都看了看手里抓着的人，打斗挣扎中萧晓云的上衣完全松散了，刚才那一剑又削掉了她肩膀上的布料，现在她的衣服已经半褪下，露出细细的锁骨，显得肩膀很是单薄。不过她并没有注意这些，只是贪婪地呼吸着扑面而来的清风。

视线在她裸露的肩膀停了一下，宇文成都抬头打量了一下周围的情景，他看到了宝剑出鞘正对着他的裴行俨，还有身后下马的十二骠骑已经形成半圆将他包围。

"天宝将军！"那个低着头猛咳嗽的人影微微刺痛了裴行俨的心，"今日的战争已经结束,请不要再为难晓云!"

宇文成都一笑,抓着萧晓云的领口退后一步:"她是我的俘虏,如何处置不需裴将军操心!"

齐武心中着急,往前赶了两步被裴行俨拦住:"天宝将军,战争结束后不再趁机抓捕任何人,这个规矩你是知道的。晓云也不过是个女孩子,你何苦为了她丧失为将之责,坏了自己的英名。"

"胡说!"宇文成都看到随身的宝剑在擒拿萧晓云时丢在自己可以够到的范围之外,手腕一翻将萧晓云带到自己怀里,探身将柳叶刀抓起放在她的脖子旁边,"不过是请她去我们那里做客,怎么算是破了规矩?"

青色的刀芒在萧晓云细长的脖颈上闪耀,柳叶刀尾部的金丝线将她的手腕吊在胸前,软软的垂在半空中。裴行俨见了这个情况心中一惊,眼睁睁地看着宇文成都拖着萧晓云慢慢退向洛水,竟然无计可施。

若是他渡过洛水,萧晓云就真的救不回来了!

齐武心中着急,带着十二骑护卫亦步亦趋地跟着宇文成都往前走,投鼠忌器,无法靠近。

就在宇文成都退到河中央时,忽然响起短短一声唿哨,一直被挟制的人的身体向后猛地一撞,手腕高举在空中划了一个圆圈,身子一歪栽入水中,溅起半人多高的水花。

巨变陡生!

宇文成都受了那一撞手腕用力握住柳叶刀,抬眼间对方散乱的长发从他眼前划过,一直跟在身旁的十二护卫突然发动,刀枪剑戟各式兵器从不同的方向刺了上来。这时他手腕突然一紧,发现萧晓云转身之时已将金线在自己周身绕了一圈,随着她的栽倒,金线勒紧把他的脖子和执刀的右手绑在了一起。

倒下去的那人在散乱的头发中露出让宇文成都无数次愤怒的笑容。宇文成都急忙转身形躲开招呼过来的武器,胳膊猛一使劲,将萧晓云从水中生生甩上半空,另一只手握拳虎虎生威地对着落下来的人砸下。

斜刺里一只长剑挡住拳头的方向，趁着他变招时在空中挽了一个剑花，斩断两人间的金线，接着手臂一伸将萧晓云截了过去，然后在混乱中沉声说："住手！"

众人听到命令立即停止了动作，原本掌握在宇文成都手中的人质此时已稳稳当当地抱在裴行俨怀中："天宝将军，今日之事就到此为止吧！"

宇文成都狠狠地盯着萧晓云看了一会，脸色阴沉地点头："好！不过……"他看着伏在裴行俨胸前直喘气的萧晓云咬牙说："我不会就这么放过她！"

"我也不会！"萧晓云咬牙抬头看他，缓缓举起自己的小臂，系着的金色丝线已经看不清楚，鲜红的血开始渗出，顺着洁白的胳膊缓缓流下，画出诡异的图案。原来金线在刚才的争斗中划破了她的手腕，深深嵌入伤口："以我的鲜血发誓，你一定会得到惩罚！"

裴行俨伸手握住她受伤的手腕，披风一甩将衣服早已破烂不堪的萧晓云裹入怀中，朝宇文成都点了点头："天宝将军，我们战场再见吧！"

宇文成都点头转身涉水而去。走过自己刚才坐过的石头时，听见背后萧晓云声音颤抖地说："伤口回去再包扎。"脚步微微一顿，没有回头。

有些人说她软弱吧，面对危险偏偏站得笔直毫不退让；可是说她勇敢吧，一点点疼痛就能连哭带叫撒娇耍赖弄上好长时间。

齐武看着面前的人直想叹气：难怪她坚决只让自己留下来查看伤口，不肯传召医官。任谁看到现在的样子，都无法想象这就是让整个瓦岗都敬佩的"玉影青弓"。

让他头疼的人趴在床上，整个脑袋埋入叠得整齐的被子里，哭得正欢。说她哭得欢是因为这个人哭的声音不大嘴里却没有停止，齐武从她手腕上的伤口中小心翼翼地将细如毛发却坚韧无比的金丝抽出来时，耳朵里塞满了"谋财害命不能找我啊，钱都在小凤手里"、"阿武我可没有克扣过你的军饷，怎么对我这么狠"、"小猫小猫，赶快给他塞红包"之类的话，也不知道她是疼得胡说八道，还是故意嚷嚷。

现在她身上的伤已经处理好了，可是她还没有一点儿要停止的样子，裹着裴行俨的披风依然哭个欢。搞得他心里惴惴不安，就像那些伤是他给她弄出来的一样。

好容易等她叫完从被子里爬出来，齐武眼尖发现她脸上根本没有泪。好个萧晓云——再正常不过的一张脸，还对着他的打量微笑，刚才凄惨哀怨的人到底是谁呢？

"你假哭？"控诉啊，害得他从伤口中取金线时一个动作抖了好几次，足足出了一身汗！

"我真疼！"萧晓云白了他一眼，再看看从胳膊一直裹到掌心的绷带，好像……有点夸张。

"根本一滴眼泪都没有！"

淡淡的笑容僵了一下依然保持着，却没有之前的狡诘。接着她低头仔细检查了一下手腕上的绷带，不再做声。齐武有点后悔自己口不择言，却又不知该说些什么。

帐篷里一阵安静，安静得让人心慌。

幸好这样的情景并没持续多久，有人在外面说："伤势很严重吗？这么久了还没包扎好？"

说着话，帐帘微挑，一个高大的身影走了进来。齐武像从重压下缓过劲儿来一样，长长出了一口气，起身躬身施礼："少爷！"

"少将军！"萧晓云抬起头来笑了笑，"不过是点皮外伤，没想惊动了少将军的大驾，真是不好意思。"嘴里说着不好意思，人却没有起来行礼。

裴行俨浓眉微挑，屈身坐到她旁边："怎么听着倒像是生我气了。"他仔细端详了一下床上人的气色，"好吧，也怪我。若是早点去找你，你也不会受这么大的罪了。"

萧晓云脸上微微一红："我并不是那个意思。"她别开眼睛又去看裹得像粽子般的手腕，"这次都怪我行事鲁莽。"

"你也知道自己鲁莽了？"裴行俨收了笑容，"虽然你在名义上只是监军,可是大部分军务我都交给了你。现如今中军战车上千、士兵五万、粮草数十万担,都由你一人调配处理。这其中的利害关系,你可清楚?"

"是。"萧晓云微微点头,"我本该随军回营,只是……"

"只是你不想回来,因为无法面对诸葛兄弟?"裴行俨摸了摸她的脑袋,在洛水中浸过的头发还带着浓浓的潮气,"晓云,我知道你心里总觉得不忍,觉得他的死是你一手造成的。可我还是昨天那句话——身为将帅,你就是兵之司命。你要考虑的,不是一个人的生死,而是整个军队的存亡。道、天、将、地、法,兵之五事,每一方面都要权衡。为了换取全军的胜利,诸葛德云的牺牲是值得的。"

手掌下的人听到诸葛德云的名字时,身体一僵,然后缓缓地点了点头。

"还是想不通?"裴行俨示意她抬头,"三年的戎马生涯了,这么简单的道理难道还不懂?"

"我……懂的,大局为重。"萧晓云的眼睛里没有了往日的清朗,"懂是懂了,只是不明白,一样都是生命,分明该是平等的,为什么德云就要被牺牲?为什么全军的胜利就是重要的?为什么德云的命就是卑贱的?若说牺牲一人为保住军中数万人的生命是值得的,那么我们在这里每次都以上千人的伤亡却只是为了斩杀宇文化及一人,这本账分明不划算,为什么还要做下去?"

她的视线透过裴行俨的身体,遥遥落在很远的地方,出神地望着,嘴里幽幽地说:"用兵之道,无非是将兵之五事校之以计而索其情。可是人命呢,夹杂在这其中的财富、权势、数量、地位……你能告诉我衡量这一切的标准是什么?"

裴行俨为她理顺头发的手停了下来,再看她眼睛里蒙着的淡淡的水雾,迷迷蒙蒙的仿佛什么都看不清。他本想劝她"人有高低,命有贵贱。"可是又觉得萧晓云分明鄙视这种想法,不然也不会有今晚的变故,因此这句话刚到嘴边又咽了回去。

萧晓云失了会神,突然自嘲一笑:"居然这个时候讲人权,真是自寻烦恼。"她眨眨眼睛向裴行俨微微俯身，"少将军莫怪，我也就是随便想想，该做的事还是要做的。"

裴行俨看她笑得跟以往一样淡淡的，心里怀疑她这个疙瘩并没有解开。这样的状态再上战场，只怕迟早要出事。于是点点头说："你受了重伤，这几天就不要管战场上的事了，好好呆在这里养两天。"

萧晓云跟着他的视线看向自己的胳膊，瞟了一眼齐武笑吟吟地说："战场我是上不去了，可是军务却能处理一些——总得对得起这么多绷带不是？"

齐武知道她嘲笑自己包扎得有些小题大做，扭头瞪了她一眼。再一转头看到裴行俨带着不赞同的眼光正看着他："阿武！"他皱着眉看着两人"眉来眼去的"，"身为她的贴身侍卫，今天的事情你也有责任！"

"也不怪他！"眼看齐武咚的一声跪在地下，萧晓云急忙说，"是我自己想要静一静，他只是听我的安排罢了。"

焦急的神色布满了她清丽的面孔，裴行俨眉头皱得更紧了："这次是他失职，虽然没有铸成大错，可是惩罚……"

袖口被紧紧地攥住，萧晓云急急忙忙打断他的话："裴大哥，我身边已经失去了一个德云，阿武他……他就算了！"

裴行俨听了这话沉吟了一会儿，终于松口："罢了，他终究是你的护卫，你要护短，我自然也不能管得太多。"

"并没有护短。"萧晓云也发现了自己的失态，一边朝齐武打手势让他起来一边辩解："他和其他护卫不过是执行我的命令罢了。即使处罚，我这个判断失误的人应该先被处罚才对。大哥就看在我受伤的分上饶我一次吧！"

裴行俨见她掰扯的有理有据，忍不住笑了起来："就你这张嘴会说，行了，你今晚也受了惊，早点休息吧。"

萧晓云点点头躺了下去，嘴里还忍不住说："我看宇文成都似乎不肯罢休，明天……"

"有我呢！"裴行俨从她床边站起来，"这场战争也不是一天两天就能分出胜负，你先安心养病，别想太多。"说完，又吩咐了齐武几句，才离开监军大帐。

倒是萧晓云，在床上翻腾了一会儿睡不着，又吩咐守夜的齐武重新点上灯，拿了本兵书看到半夜才睡。

这之后宇文成都果然日日前来叫阵，裴行俨每次都亲自上前厮杀，两人同为大隋朝的名将，武功不相上下，虽然各有胜负，总的来说也打了个平手。一直到萧晓云手腕上结了疤，可以随意在军营里走动，瓦岗与骁果依然处于胶着状态。

瓦岗与骁果的战争慢慢变成了宇文成都与裴行俨的战争，宇文成都日日前来叫阵，裴行俨每每前去厮杀。在两人高超的武功面前，上万军士武将统统变成了陪衬，有时候一整天下来，士兵们唯一可做的事情就是早晨吃饭后上战场摆阵，中午撤回来吃午饭，下午亦是如此，手中的刀枪，只不过是摆在那里看热闹。

反而是不上战场的萧晓云比往日都忙，经常让手下众将领从营东找到营西，还找不到人影。

这一日裴行俨又带兵与宇文成都纠缠，萧晓云在校场上被诸葛德威抓了个正着。

"萧监军，末将请求出战！"背后突然响起的话音让萧晓云手抖了一抖，本已瞄准的长箭失了准头。

练了这么些年，还是无法排除外界干扰。萧晓云深吸了一口气，就着打开的弓重新瞄准百步外的靶心。

"萧监军！"扑通一声来人跪倒在地，声音嘶哑着："宇文成都那厮口出狂言，每日前来挑衅。末将愿出战……"

"不行！"

"为什么！"

"因为我从不……"我从不让……手下人做无谓的牺牲。萧晓云突然感觉很心虚，这句话，面对诸葛兄弟，无论如何她都说不出口，只得换了口气，"德威，你要上阵杀敌，究竟几分为公？几分为私？"

"我并不隐瞒监军大人，与公与私都有！"诸葛德威大声说，"宇文成都杀我兄弟，伤我士卒，每日又在阵前辱骂监军，着实应该好好教训一下！"

"德威你起来。"萧晓云放下弓箭偏了偏头，"让你上战场，不过是一句话的事。你们几个队长的要求，只要合理又可行，哪次我驳回过？还是老规矩，先说理由，后说办法。你若能回答出我问的五个问题，调兵遣将我都鼎力支持。"

诸葛德威顿时傻了，萧晓云向来为人处事不吃亏，不但自己，就连她的属下她都极力维护，这也是为什么她在各位将领中规矩最多，大家还抢着往她麾下挤的缘故。前几日她被宇文成都伤了手腕，这几日对方在阵前叫骂的又极为难听，连自己都觉得不能忍受，因此他凭着复仇的热情疯了一样找萧晓云请战，根本就没想过如何去打这场战，更没料到……她居然说照老规矩，先说理由，后说办法。

"怎么？没有？"萧晓云头也不回，"那就想好了再来！"

诸葛德威不甘心，张嘴想分辩，只听萧晓云说："宇文成都号称大隋第一，光凭武力或者一时的激情根本不可能赢他。如果没有六成以上的胜算，就不要再来找我！"

立在一旁的齐武看到萧晓云细长的眼睛微微眯起，知道她已经不耐烦了。急忙朝诸葛德威做了个手势让他住嘴。萧晓云眼角一瞟看到旁边人的动作，也不点破，听得背后呼哧呼哧的声音越来越重，然后咳了一声，脚步声从自己身边越走越远。

"德威！"萧晓云在声音快消失时开口，"没有我的命令，谁都不准擅自上……"

话音未落，听到战场方向军鼓齐响，震天动地，其中夹杂着厮杀声，分明是前线开始混战。萧晓云惊疑中脸色微变，斜影弓往肩上一挎，朝外跑去。齐武眼快跟上,萧晓云也来不及走校场的大门,伸手用力一撑,整个人轻飘飘飞出了围住校场的篱笆。落地时为了保持平衡重心沉了一下,嘴里却趁着这个难得的停顿,吩咐:"德威,带弓箭队前往辕门!齐武,去找张青特召集士兵,准备迎战!我在辕门等你们!"

两人急忙按吩咐去办事,萧晓云脚步不停跑上辕门的哨岗:"怎么回事?"负责放哨的小兵见她上来急忙要下跪,"不用跪了,先说一下情况。"

"有人袭击骁果。"

袭击骁果?萧晓云长出一口气,还好不是裴行俨有事。从岗哨探出身朝混乱的方向望去,骁果的背后早已乱成一团,一支铁骑在混乱中左突右冲,速度之快好似锋利的匕首般将宇文成都的后阵划成几块,几支落单的小部队立时被消灭得干干净净,手法极为利落。萧晓云看着这支铁骑暗暗喝彩,虽然自己的弓箭队战斗力也很强,但比起这支铁骑,在行动速度、技法熟练以及配合度上还差了一筹。

再看裴行俨这边,整支队伍早已展开有序的进攻。与那支铁骑不同的是,这边的攻击并没有锋利的气势,队伍仍按照惯有的阵法稳步向前推移,不急不徐,不慌不忙。虽然速度不快,可是阵法稳固,攻击力持续不断,已渐渐地将宇文成都的队伍逼到洛水边。

两支队伍一静一动,一支凌厉且迅速,一支稳健而不拖沓,合力攻击之下,突遭巨变的骁果立即伤亡惨重。可是宇文成都也着实厉害,面对突然而来的变化居然能迅速稳住队伍进行防守,硬是没有让前后夹击的两支队伍形成合围之势。等张青特上来报告队伍集合完毕时,骁果已经组成了新的阵形开始反击。

"算了!"萧晓云看着冲杀的速度越来越慢的骑兵队摇了摇头,他们的优势在骁果逐渐稳下军心后,已慢慢消失,"幸好不是我们受到袭击……这支突袭的骑兵是哪儿来的?"

张青特顺着她指着的方向看去,为首的战将身穿黄金甲,头戴黄金盔,就连身下的马也披着厚厚的铠甲,一人一马亮澄澄的极为惹眼。虽然是撤兵却锐气不减,所过之处敌军犹如被太阳晒焦了的庄稼,稀里哗啦倒了一片。

萧晓云听到张青特猛的吸了一口气:"天,这是右武侯将军啊!"

"右武侯?徐世绩?"萧晓云想起那个让人看起来总是云山雾罩的道士,再对比这个在乱军之中杀敌轻易得犹如探囊取物的人,也不禁倒吸了一口气:"真的……是右武侯?"

"是!"张青特指着渐行渐远的骑兵解释说,"当年瓦岗被攻打的时候,右武侯就是这身黄金盔甲,带领军队犹如天神降临般解救了陷入苦战的弟兄们。正是因为如此,徐将军才成为咱们瓦岗的第一猛将。"

萧晓云听了这话一愣:"我以为第一是少将军?"

"右武侯忠心耿耿文武双全,是瓦岗的擎天之柱。"张青特说,"只要有他在,谁都不敢称第一。这是主公当年的原话。所以不论文官武将,没有人敢称自己第一。"

萧晓云听了这话不再追问,只是让张青特下去解散队伍,然后静静地看着战场上宇文成都与裴行俨鸣金收兵。一个虽然稳住了阵脚可是急需救治伤患;另一个最懂得见好就收,穷寇莫追。

这一夜晚饭,裴行俨发现萧晓云吃饭的时候心不在焉,筷子有一搭没一搭的在碗里拨来拨去。于是开口问道:"晓云,在想什么?"

"徐……右武侯的骑兵队,好像很厉害!"

"是啊!"裴行俨点点头说,"就是我的神风营,也未必是他们的对手。这次要不是他带兵夹击,我们也不会重创宇文成都。"

"嗯……"萧晓云点点头去扒饭,"宇文成都的确不好攻打,若是两军联手,胜算确实高了不少。"一个想法从心里闪了过去,速度快得来不及捕捉。虽然不知道该怎么联手,可是萧晓云却知道这个念头很重要。索性放下碗筷,把刚才两人说的话想了一遍又一遍,突然说:"没错儿!就是两军联手!"

裴行俨见她突然冒出这么一句话，微微一笑："两军联手，然后呢？"

　　然后？萧晓云瞪大了眼睛看向裴行俨："两军联手，一方与宇文成都纠缠；另一方趁机从另一侧攻击，这不是极好的办法吗？只要我们配合得当，毁了宇文成都的辎重粮草、俘虏了宇文成都的手下大将，别的不说，单是这一次次的骚扰，就足以让他火冒三丈，到时候……哼，还怕他露不出破绽来吗？"

　　裴行俨笑了笑说："你当我没有想过这个办法吗？今日徐将军之所以能够与我们得胜，就是因为宇文成都每日前来挑战，他可以由此攻其不备。我们能想到的，宇文成都也一定想到了。被人夹击是兵之大忌，往后宇文成都一定会加强防守，下次再想用这个办法，就怕没这么容易了。"

　　"总是一个可行的办法！"萧晓云微微一笑："何况宇文成都那人向来目中无人，今日吃了暗亏，一定会咬牙切齿的报复。我敢打赌，他一定会找徐将军报仇，而且就在三天之内！"

　　裴行俨听了她的话考虑了一会，传下军令："派探子十二个时辰监视骁果，一有异动立即汇报。张青特与王君廓各带一万人轮流待命，随时准备出战！"

第六章

荆棘漫漫

　　"奶奶的！今天杀得真痛快！"王君廓人还没有进来,洪亮的声音已经从帐外传来。萧晓云与裴行俨相视一笑,从棋盘上直起身子,一前一后出了中军帅帐。

　　"少将军真是神算！"夏天的早晨亮得早,虽然是寅时,可是天空已经透出一丝亮光。清新的空气扑面而来,从中军帅帐出来时萧晓云忍不住呼吸了一下这甜美的空气,看到眼前的壮汉一把扯下身上黑色的夜行衣,露出贴身的绞丝盘云梭子甲。"奔波了一夜,王将军辛苦了！"

　　"不辛苦,不辛苦。"王君廓张开双手任由亲兵上来从身上解下梭子甲,乐呵呵地说:"少将军算得真是准,宇文成都那小子军营里根本没留下多少人,咱们进去砍人就跟切瓜一样,呵呵,杀得痛快！痛快！"

　　"老小子就知道砍人！"高大的人影从还有些暗的晨曦中慢慢显现出来,萧晓云一笑,张口招呼道:"张将军也回来了！一夜辛苦！"说着话,眼光转向他身边的人,微微点了点头。

　　"说我老小子！"王君廓哼了一声说:"敌人的耳朵我可是割了满满一袋,绝对不会比你少。不信你拿出来咱俩数数。"

　　"不用数,不用数！"张青特把上来为他卸下胄甲的亲兵推到一边,自己动手解开:"王君廓,今天晚上杀人有什么好讲的,老子摸到他们存放粮

68

草的地方运了一批回来,没运回来的干脆就放了一把大火都烧啦。这就叫因……"

他忽然卡了壳,转头去看身边的人,萧晓云跟着他的目光转了过去,那人并没有像王君廓、张青特一样解开夜行衣,只是把蒙在脸上的黑色面巾取了下来,面似暖玉眉如远山,见众人看他,毫不在意地笑着露出洁白的牙齿:"因敌于粮,胜敌而益强。"

"昨夜袭击骁果大营,事先并没有透露消息。指挥士兵时还能顾全大局,奇谋叠出,张将军这次可是立了头功!"说着话,裴行俨看向旁边那人,点了点头说,"志亮也算是历练出来了。"

王君廓在一旁不满了:"张青特,你也是段主簿提醒才想到这的。哼哼,要不是萧监军没有跟我们去……怎么会让你拨了头功!"

"这倒是我的不是了。"萧晓云笑着朝王君廓施礼,"实在是前几日受了伤,没法参加昨晚的袭击。不过王将军也很厉害啊,到了天明,我们把那些耳朵穿成一个串拿个盒子装好送给宇文成都,保管气得他吐血。这就叫兵不血刃呐!"

王君廓本来是不忿张青特抢了头功,故有刚才一说。萧晓云自认有错时,他就知道刚才自己的话有点冒失了,幸好对方并不在意,还出了个不错的主意,于是哈哈大笑:"没错儿没错儿,找个漂亮点的盒子,把我马前挂着的袋子里面的东西倒出来,再拿点胭脂啊、花瓣之类的倒进去,天亮了拿去给宇文成都。"

于是众人大笑着往帅帐里走,萧晓云想象了一下堆满耳朵的盒子,觉得有点不舒服,皱了皱眉决定不再想下去了,上前携了段志亮的手说:"昨晚辛苦了,没有受伤吧?"

"还好,并没有遇到太大的抵抗。尤其是粮仓那一带,敌人睡得很沉,我们得手很容易。"段志亮看了看萧晓云手上的绷带,"也算给你报了仇。"

"那可多谢了。"萧晓云伸手掀开帅帐的帐帘,"分明是个儒雅的书生,偏偏要跟着来战场的最前线,真真让人担心,幸好你今日毫发无伤地回来了。进去吧，吃饱了肚子回去好好休息。"

段志亮也不客气，进帐篷时嘴里只说："你一个娇娇弱弱的女孩子，不也天天在前线呆着。"进门看到角落里的棋盘，扭头说，"下了一夜的棋？"

"睡不着啊。"萧晓云跟在他身后进了帐篷，"等你们的消息等得心焦，只好下棋打发时间。"

此时已经有亲兵将早已备好的烤猪、羊腿热腾腾的摆了一桌子，丰盛的让人直流口水。王君廓、张青特带着副将们也不客气，没等众人坐齐，已经伸手取来大快朵颐，边吃边含糊不清地说味道不错。

萧晓云一笑坐到裴行俨旁边，单拣爽口的小菜慢慢吃，眼看众人第一轮吃的差不多了，才端起酒杯："各位昨晚奋勇杀敌，真是辛苦了。"

"还好！"张青特立了头功，嗓门大的生怕别人不知道，"我们昨晚从西南摸过去的时候，宇文成都那小子营里全是黑的。段主簿还怕里面有埋伏，派了前队在外围的几个帐篷里打探了一下。嘿，你知怎的？里面人睡得跟死猪一样，喊哩喀喳就让弟兄们给砍了脑袋。也不知道怎么杀到粮仓，志亮就说不如派人运回咱这边来。"说着话，他狠狠瞪了王君廓一眼，"都是他在西北面杀得声音太大惊动了其他人，害得我们没有把粮草全弄到手，最后只好放了一把火！"

王君廓在一旁直摇头："我怎么知道你在那边偷东西呢。我们可没你们那么多事，到地方直接就从西北面杀进去了，见人就砍，砍了就割耳朵，杀得那叫一个美！嘿！"他突然想起什么一样扭头对萧晓云说，"萧监军，进去前我可是说了啊，回来数着耳朵给大家赏。"

"放心。"萧晓云忽然不太想吃饭，索性放了筷子吩咐人弄了一杯牛奶来，"呆会让你的人统计个数儿出来，到我那里领赏。"接着又扭头说，"张将军那里也少不了呢。就按照运回来的粮食算！"

两位将军乐呵呵地谢了萧晓云。倒是段志亮，随便吃了两口去问裴行俨："少将军怎么知道宇文成都昨夜不在军营？"

"是探子报的！"裴行俨虽然也很开心，可不像其他人那样喜形于色，

"昨天宇文成都被徐将军带人冲杀,伤亡惨重,晓云就说他一定不会善罢甘休。所以我派了探子随时监视骁果的举动。没想到宇文成都还真沉不住气,三更刚过就全营点灯,秣马厉兵地要干点什么。"

"奇怪了?这宇文成都大半夜的爬起来干什么呢?"王君廓在一旁说,"咱们半路上没碰见他啊!"

"他去偷袭徐将军了!"萧晓云接过话题,"宇文成都一边想报仇,一边想着徐将军今儿得了胜利必然松懈防备,因此趁夜想去偷袭。我和少将军商量了宇文成都自恃武功高强,这次偷袭既然是为昨天报仇,一定会亲自带兵前往。所以才趁他们营盘空虚,让你们前去杀敌。"

"原来如此!"张青特恍然大悟,又突然担心起来,"右武侯那里……不会有危险吧。"

"放心!"裴行俨笑着说,"徐将军他们驻扎在黎阳粮仓,那里易守难攻,防御工事不比瓦岗差多少。宇文成都讨不到什么好处的,反而是自己后方被袭,得不偿失。"

"这就叫螳螂捕蝉,黄雀在后。"萧晓云笑着补充,"想必宇文成都现在已回营盘了,看到这么严重的损失,不知要气成什么样子!"

萧晓云预料的不错,宇文成都并没有从徐世绩那里讨到好处,却得了个消息说营盘遇袭。等赶回来时对方已经撤得一干二净,除了上千人受伤之外,本来就不多的粮草又被烧了一大半。面对乱的一塌糊涂的营盘,宇文成都一拳捶在身边的木桩上:"萧晓云、裴行俨!"他咬牙切齿地说:"我定会让你们为此付出代价!"

身边的亲兵看着被打进地下一大截的木桩,再看看自家主帅扭曲的面孔,吓得腿肚子直哆嗦,一屁股坐在地上,好半天才爬起来。

宇文成都扎营时南依童山东麓,西邻洛水,地理位置极好,攻守兼宜。裴行俨本来隔着洛水同样背靠童山西麓,隔着洛水制约西线,北部则有徐世绩依靠黎阳粮仓数十年建立的防御工事,阻拦骁果北上路线的徐世绩,与裴行俨将宇文成都回长安的路堵了个结结实实。因此半个月后，瓦岗已经从被动挨打的局面中挣脱出来。

徐世绩与裴行俨的配合使宇文成都开始首尾难顾，骁果无法再像以前一样对瓦岗全力出击，进攻一方的时候不得不留下一半人马防止另一方的偷袭，因此想取得胜利格外艰难。更让人气愤的是萧晓云和徐世绩都格外偏爱趁火打劫，与裴行俨激战回营之后，徐世绩好几次趁着士兵休整的时候前来袭营。好容易应付完了他们，萧晓云又会冒出来攻击——即使是天下第一，这种神出鬼没的车轮战也让他们招架的很辛苦。

相比于宇文成都的困扰，萧晓云要轻松许多。虽然没有与徐世绩经常互通消息，可是两个聪明人还是容易配合，尤其是从对方的作战风格来看——只有小规模骚扰没有大规模进攻，很明显，这是跟宇文成都耗军饷。正好两人都存了这份心思，于是双方颇为默契地避开宇文成都的正面攻击，专等骁果耗尽粮草取得最后胜利。为此萧晓云甚至对不断请战的众将说："三个月后骁果耗尽粮草，有你们出战的机会，到时候只要努力打，高官厚禄一点不难！"

萧晓云这话说得没错儿，宇文成都此时的军粮最多还只能支持三个月了，只是她忘了：现在的瓦岗，已经变成归降洛州的瓦岗，战争的胜负，并不是他们这些调兵遣将的人所能左右的。

李密的一道命令，完全改变了他们的作战计划。

"议和？"萧晓云听了这个词立即皱起了眉头，"主公说要议和？"

"是。"刚从清渠赶回来的裴行俨点点头，"主公已经派人去宇文化及那里，要求议和。"

"虽然目前在军事上并没有占到优势，可是胜利已在望。"萧晓云不理解，"只要再等三个月，等到宇文成都粮尽之日……"

"三个月有点长。"裴行俨摇摇头说，"主公希望在这个月内能够击败宇文成都，因此提出了议和。"

"这个月？"大白天做梦都梦不到这种事儿，"为什么一定要这个月？"

"听说皇泰主从洛州下了圣旨——封主公为尚书令、东南道大行台，并且暗示今年的黄道吉日只剩下八月初二了，若是在此之前拿下宇文化及，祭奠先帝时会加封主公为魏国公。"

"什么乱七八糟的！"萧晓云眉毛一扬，"魏国公也罢，唐国公也好，难道主公就不考虑一下前线的战士吗？再说就算议和，宇文化及的脑袋也拿不下来啊？"

"主公的意思是假意答应借粮给宇文化及，骁果这几天缩减开支，已经有几处兵变。宇文化及若是答应了议和，为了安抚人心，定然会大肆赏赐而放松警惕。这样我们就可以趁对方放松戒备时大举进攻，胜算会很大。"

萧晓云的眉头慢慢松了下来："这么一说也是个办法，听说宇文化及这个人虽然聪明，可是近来被酒色财气磨得已没了棱角，让他中计比较容易，想骗过宇文成都却很难。主公对宇文成都可有计谋？"

"也没有什么详细的计策，无非是美人财帛，多破费一些就是了。"裴行俨摇了摇头，"我赶到的时候议和书已经给骁果送去了，也不是很清楚，主公叫我不要再打。"

"这么急？"萧晓云听了这话吃了一惊，"单将军不是一直跟在主公身边吗？怎么也不劝一下。"

"他也不比我们知道多少。"裴行俨叹了口气，"主公这次是铁了心要这么做了。别说我们了，就连他一向信任的徐将军还不知道这个信儿呢。前几天他还跟宇文成都交过手。"

萧晓云听了这话低头默然，过了一会儿才说："那也只能等消息了。"

"是，"裴行俨点头说，"最近一直跟宇文成都周旋，你也辛苦了，趁着这个机会休整一下吧。唯今之计，也只能等下一步的命令。"

下一步的命令来得很快，李密在三天后亲临中军，带来了宇文化及或者说是宇文成都同意议和的条件——在停战期间，瓦岗除了提供必备的粮草钱帛之外，还要为骁果开放西进的道路；作为答谢，骁果将帮助瓦岗攻下洛州。但是为了保证议和的诚意,宇文化及要求瓦岗送来人质,指定的人选——萧晓云。

"我?"萧晓云听了这消息一震,"他们指定我去做人质?"

"是的!"李密坐在帅帐的主位上捋着八字小胡须点点头,"这次还要麻烦萧监军去对面住两天。"

萧晓云想都没想就要拒绝,一旁的裴行俨已经出来反对,"似乎不妥,宇文成都与晓云结怨已深,这个要求分明表示他根本不相信我们要议和,故意给我出难题。"

"正是因为如此,晓云才更要过去。"李密摇着脑袋说,"只有表现出诚意,这个计策才能真正实现。"

"若是晓云过去了,他们仍不肯议和,那就麻烦了。"裴行俨急忙提醒说,"晓云是我们这边极为重要的战将,若是被他们诓去杀了,那就有点……"

"这点裴将军可以放心。"李密打断裴行俨的担忧,"宇文化及为了表示诚意,也把他的幼子宇文承趾派来做人质。这样还算公平吧。"

"可是我听说,宇文成都因为他生母的关系,与另外两个兄弟向来不和。万一这是他在借刀杀人……"裴行俨说出了自己在长安时就听到的消息,让萧晓云单身冒险,这种事情绝不能干!

"裴行俨!"李密坐在上位大声呵斥,"从我提出这件事儿,你就百般阻挠,如今胜利在望,你干挠不断,是何居心?"

哗啦啦甲胄响,裴行俨惊恐地跪在地上,一旁愣在中央依然站着的萧晓云变得格外显眼。李密看了她一眼压下怒气:"这事儿也不能你说了算,还是看看萧姑娘的意愿。"

是个人都不会愿意去的,萧晓云心说我脑子又不是进水了,于是摇摇头说:"宇文成都这个要求提的实在蹊跷,瓦岗人才济济,能力比我高超的只多不少,可只有我与他过节最深。宇文成都的这个要求,难免不让人想到趁机报复。倒不是我贪生怕死不愿为瓦岗大业努力,只怕宇文成都想借我们放松的时机伺机而动——最好观察一下情势再做决断。"

李密听了这话立马把脸沉了下来："我知道你害怕去了那边安全不保，可是宇文化及也把自己儿子送来做人质啊。俗话说虎毒不食子，就算他想对你下手，也要顾及自己儿子的性命，你又有什么好担心的？"

连自己儿子都肯送来做人质，难道还会顾及她的性命吗？萧晓云刚想开口反驳，就听李密语气严厉地说："萧晓云，身为主帅就应该身先士卒。现在我们不用浪费一兵一卒就能打败宇文化及，你却想放弃？难道非要看着成千上万的士兵们都牺牲了才甘心吗？"

裴行俨听了这话险些从地上跳起来，忍了又忍还是觉得不能就这么把自己的属下送入虎口，尤其是萧晓云。刚要开口，却听到身边的人幽幽地说："既然主公这么说，末将愿前往一试！"

青色的身影慢慢跪了下来，裴行俨转头时看到她冷若寒冰的侧脸，一缕墨黑的头发垂在脸庞，眼中似悲似怨似满似空，裴行俨心里一沉，咽下要说的话没再阻拦。

晴空万里的天际中，飘动着几朵白云，太阳透过云端，洒出迷人的金色。四周显得那么的寂静。六月底的洛水边已经有了早秋的气息，虽然气温没完全降下来，可是让人窒息的热浪已经消散，偶尔还会让人感到丝丝的凉意。

只是在一些人的心里，面对议和这样轻松的事情，却无论如何感受不到天气带来的清凉。

段志亮下意识地把手指绞在一起，坐在对面的宇文成都的眼光，总是让他想得心惊胆战。那是一双看到猎物时兴奋的眼睛，是一双杀戮前极其残酷的眼睛，混杂了兴奋与冰冷，宇文成都蓝色的眸子幽幽暗暗，深不见底。在这双眼睛的注视下，段志亮可以完全心慌得不知所措——他唯一能够想到的，就是幸亏那夜偷袭时宇文成都不在营中。

这时旁边的一只手慢慢伸了过来，将他的指头轻轻地扣住，然后一点点地打开，抚平。段志亮无意识地跟着对方的动作松开手指，心头压着的重担减轻了不少,他低头看到修长的手指,看到旁边熟悉的侧影。微翘的嘴角,小巧的鼻尖,似笑非笑的双眼,长长垂下的刘海。她的嘴唇微微翕动,声音小的刚好两人听见:"不要看他的眼睛,那里杀气太重。"

话虽如此,段志亮却看到她的眼睛直直地看着对方,接着下巴微微抬起,拉出一个好看的弧度。段志亮反手握紧她伸来的那只手:"万事小心!"

宇文成都这时已经别开眼睛,萧晓云也低下了头,缓缓地将手抽出来笼在袖子里放在自己腿上:"嗯。"

"我能不去吗?"萧晓云拿着一块鹿皮细心的擦拭着斜影弓,头都不抬,"如果我不去,你知道后果会怎么样吗?"

"后果?"段志亮一时愣住,不去做人质,自然是留在这边指挥军队,会有什么后果?

"同僚们会怎么看我?好容易抓住我的小辫子,你以为郑铤那帮人会放过我?"萧晓云冷冷一笑,"下属们又会怎么看我?瓦岗向来以勇猛为傲,没有人愿意跟着一个贪生怕死的主将,就算被迫跟着,你以为还有多少人心甘情愿?"

"郑铤他……不足为惧。"段志亮看不起郑铤,不过是个嚼舌根的小人,有什么可怕的!

"最怕的就是小人。他们生命力坚强,他们手段阴险毒辣,他们为了达到目的无所不用其极。我的事情已经够多了……没有多余的精力再跟他们斗,可是他们有。"萧晓云把手中的鹿皮放在桌子上,"这样的人,我惹不起。"

"即使如此,主公也不会是非不分……"段志亮急忙分辩,"生杀大权并不是郑铤能够掌控的。"

"是吗?"萧晓云的手轻轻地从斜影弓上拂过,轻柔而小心:"主公他,都已经决定把我送去做人质了,你还觉得他会维护我?君要臣死,臣不得不死。他不过是让我去骁果呆两天,我就推三阻四,这样的臣子,主公自己就想先杀之而后快,怎么还会等到别人动手?"

"怎么会这样?"段志亮听了这话觉得心都凉了,"难道说裴大哥也是考虑到了这些,所以才再没有极力劝谏?"

"少将军?"萧晓云抱着斜影弓靠在椅子里,把脸轻轻靠了上去,"段志亮,我想让你记住一句话——求人不如求己!如果把生存的希望放在别人的拯救下,你就是一只待宰的羔羊。他也许不想救你,也许想帮忙但被其他事绊住了脚,也许有足够的时间可是没倾尽全力……各种各样的无聊的无稽的理由都会让你丧命。所以我希望你遇到困难的时候,首先要做的,就是把这句话念三遍,除了你自己,没有人会为你拼命。"

段志亮听了这话心头一震,定神望去,萧晓云缩在椅子里,散下来的头发静静地披在肩膀。怀里的长弓在昏黄的油灯下散发着淡淡的青色,细长的弓弦贴着她的脸颊从手心一直延伸到上面,没入头顶的黑暗。她的脸一半被光打上了淡淡的玉色,另一半则留在阴影中;在明暗的交汇处,眼帘微闭垂下来看着地面,仿佛睡着了一样的恬静。

她抱着斜影弓的样子,好像彼此相依为命。

段志亮眼睛忍不住发酸,两人从见面到相处,从离散到重逢的情景急速闪过。

她在帐篷里处理事务发布军命……

她站在校场、训练队伍排兵布阵……

她在清渠比武中名震三军一举夺魁……

重逢时她在围攻中站在夕阳里懒洋洋地叫着自己的名字……

在临淄祖宅里她掌管家务替他们弟兄善后……

甚至第一次见面时轻松地避过大嫂的刁难冲他微笑行礼……

由始至终,她都是一个人。所处的环境变了又变,不变的,是她需要面对不断遭际的各种困难;身边的人换了又换,没有换的,是她始终是大家的依靠却没有人为她遮风挡雨。

睫毛微微颤动,萧晓云睁开眼睛的动作在段志亮的眼里看得那么真切,漫长的好像用尽了自己的一生:"怎么哭了?"

77

段志亮扭头忍住自己眼里几乎掉出来的泪水："哪有？"他勉强笑笑，"我承认你这句话说得很对，可是要依靠自己，不一定非去做人质。"

"做人质……虽然有危险，却不至致命。"萧晓云弹了弹怀里的弓弦，"比起这里的暗箭，我宁愿去骁果面对明枪。"

司礼官宣布吉时已到，歃血盟誓的仪式即将开始，身为人质的萧晓云和宇文承趾慢慢走上将台，立在两旁。

裴行俨跟着众将注视着台上的仪式，眼睛却不由自主地飘向站在一旁的身影。萧晓云今天没有穿劲装，只套了件月白色的大袖宽身禅衣，外罩雨过天青的窄袖袍衫，在胸前打了一个复杂的褶子，剩余的带子一直垂到腰间。她的头发也没有像战时高高束起，而是从鬓角松松地抓了两缕在脑后用一只青玉簪子绾住，这身休闲的打扮让人格外注目，也露出几分平日没能看到过的娇柔。

她的眼睛漠然看着台下，就像那日看向李密帐篷时的冷淡："人质的日子并不好过，这我清楚。"他还记得萧晓云从中军大帐中出来后，面对自己的质问淡淡地说，"主公刚提出这个建议的时候，我也非常非常的不愿意。可是现实容不得我逃避。"

李密和宇文化及走上台去，简单的寒暄之后是司仪高声阅读议和的内容。

"……监军萧晓云，文武双全，乃瓦岗肱骨之臣。允其于结盟之日起驻于清渠，共商破贼大计……"

萧晓云听到这话身子微微一震，随即面色淡然，站在旁边不再有任何动作，倒是台下起了一阵不小的骚动。

这个小动作瞒住了众人，可是裴行俨看得清清楚楚。那日她说："去了骁果，也许离地狱就更近了。只要一想到这些，我就感觉从心底一直往外冒寒气，也想逃避。可是这次成功了，下次我就能逃脱吗？一味的躲避，最后只能被人逼上死路，而这不是我想要的结果。我有我的骄傲，所以除了迎头而上,我没有别的选择。"

简单的仪式很快结束,让人最难以忍受的人质交换终于开始。萧晓云最后扫了一眼台下熟悉的面孔,接着对着一个角落露出今天唯一的笑容,向李密躬身行礼,走向骁果的队伍。

诸葛德威站在最后一排低下脑袋,死死地咬住自己的嘴唇,不让自己发出任何声音。即将被送入虎口的是他们兄弟的上司,也是他们兄弟的恩人。可是她面对自己跟宇文成都决一死战的请求时说过:"一个德云已经足够了,不能再让更多的人因为我的无为而再牺牲了。既然这个办法可以减少伤亡,不管有多困难,我一定会让它成功!"

眼泪吧嗒吧嗒地滴下来,在地上砸出两个小坑。虽然视线已经模糊,可是那个离去的身影却不断地在它眼前浮现,他始终记得她眼中的悲哀:"德云的死,我一直都想对你说句对不起。"

宇文成都把视线从大哥铁青的脸上转到一直抖得像筛糠的弟弟身上时,心里涌起一阵复仇的快感,待看到向自己躬身行礼的萧晓云时,浑身更是有说不出的兴奋。

"以后要与宇文将军共事了,还请多多包涵!"

"萧监军客气了! 我一定会好好'关照'!"

第七章

君子好逑

　　齐武对着帐篷愣住了，转头时看到萧晓云在马上也是一呆："就是这儿？"

　　宇文成都很满意两人的反应，点点头说："仓促之下，难免安排不周，萧监军不要介意。"

　　萧晓云从马上跳了下来，把紫红色的帐篷上下打量一番，再看看前面不远的地方：一片淫声艳语，几顶红色的帐篷，一群在门口提着裤子排队等着的士兵。萧晓云不禁一笑说："这虽然不是我的风格，不过我可以适应。只是……"她对着齐武指了指那一片粉红，"你和其他的人能耐得住寂寞吗？"

　　像是为了回应萧晓云的问话，从红色帐篷里钻出一个女人，酥胸半露，发髻散乱，等在外面的士兵嗷嗷地叫了起来，推推搡搡地挤了过去。攒动的人头中那个女人似乎被人抱了起来，却不忘对着他们这边挥舞着大红的手绢："那边的小哥，过来一起玩吧。红姑这里……"

　　萧晓云笑眯眯地看着齐武的脸由白到粉，由粉到红，忽然开口说："不知道第一次去有没有优惠？最好能打折。"

　　"萧晓云！"齐武的脸红的好似血滴一样，"你是姑娘家，就不知道含蓄一点吗？"

　　"好啦，好啦！"萧晓云不再嘲笑他，伸手从腰间的八宝袋里取出一根宝蓝色的发带叼在嘴里，口齿不清地说："把行李卸下来收拾东西吧！"

齐武看了她一眼，挥手让后面跟着的侍卫们下马，从马车上往下抬箱子。

宇文成都有点惊异地看着萧晓云干脆利落地把长达腰际的头发拢起在脑后盘成个髻，再用发带缠得紧紧的，然后捋了捋耳边的碎发挽起袖子就开始搬东西。看着萧晓云像没事儿人一样，宇文成都都有点目瞪口呆了。瓦岗众人热火朝天地干活儿，连说带笑的仿佛在自家地盘上一样随意。倒是宇文成都和自己的亲卫队下马之后站在一旁，走也不是，留也不是。

"愣在那儿干什么？"看见宇文成都正浑身不自在地站着，萧晓云朝他招招手，"过来帮个忙，这箱子我一人抬不动。"也不知着了什么魔，他居然走上前去拎了起来。

"还是你的力气比我大！"萧晓云长出一口气，小巧的鼻翼两边渗出细细的汗珠，"打死我都拎不起来。"

宇文成都斜着眼睛往下瞟她："你那小胳膊小腿的能跟我比……"一滴晶莹的汗珠顺着她脖子优雅的曲线没入衣领，被晒得泛红的皮肤在水印下透出细细的纹理。这滴小小的汗珠弄得他口干舌燥，下面的话噎在嗓子眼儿，再也没吐出来。

"也不算小胳膊啊，我到底也练了几年弓箭，力气应该不小吧！"萧晓云把袖子挽了挽，用手去捏自己的胳膊，"虽然不是很粗，至少还比较结实的！"说完话，抬起胳膊在宇文成都眼前晃了晃。

白皙的胳膊在眼前晃动，虽然很瘦，却能清晰地感觉里面蕴含的力量，与以前看到的那种柔弱无骨的玉臂完全不同。更重要的是，上面有着一块一块的青紫："怎么这么多的伤痕？"他伸手去握那只胳膊，没想到握了个空。

"小心小心！"萧晓云一下扑上去接他松了手掉下来的箱子，"这些书可是我的宝贝，比斜影弓都重要，摔坏了我跟你玩儿命！"

宇文成都一只手拎着箱子，听了这话忍不住裂开嘴笑："这么一个小箱子,我一只手就拎起来了。"说完,躬身进了帐篷,按照萧晓云的指挥放到床头。

"谢啦!"萧晓云伸手给了他肩膀一拳,"大恩不言谢,中午请你吃饭啊!"

宇文成都刚想说好,放眼一看帐篷里几把歪歪斜斜的椅子,几张摇摇晃晃的桌子,还有粗麻布铺着的床铺。突然想起自己的本意是要给她一个下马威,等着看她生气跳脚,却不小心沦为她使唤的小厮,于是脸色一沉:"我什么时候跟你这么熟了?"

萧晓云听了这话往后退了两步,宇文成都心里不耐烦地甩起帐帘大步而去。帐篷外面的喧闹立时消失,隔了一会儿,齐武挑帘子进来,看到萧晓云兀自靠着摇摇摆摆的桌子冷笑。

"你们……"

"没事儿,他只是没有算计到我,自己生气了。"萧晓云摸了摸自己的面颊,"我还以为是什么折磨呢,不过是住宿差了一点,真是没有创意,这点小case就像让我哭鼻子,小看人儿!"

"我觉得……"齐武看了看屋子里的一堆破烂,真的是白给他都不要,"也许我们表现出受屈的样子,才能活得更久一些。"

"有一定道理。"萧晓云点点头说,"现在就服软儿呢,只怕会招来他们的怀疑。反正后面的麻烦少不了,我会找一个差不多的时机讨饶,至少在他出了恶气以后。"

于是两人把帐篷收拾好,直等到天色暗了下来都没有人告诉他们什么时候吃饭。萧晓云看着满天星斗朝齐武苦笑:"要我说呢,虽然没饭吃这个办法一点都不新颖,实际效果却好得不能再好,难怪从古到今都作为欺负人的首选。"

齐武点头:"要不要拿点干粮出来吃?"

萧晓云偏头想了想说:"也好,叫大家都进来吧,我也正有话要说呢。"

把烂的根本没法坐的凳子都踹到角落里,萧晓云示意众人席地而坐:"这次来骁果做人质,连我在内,一共二十个人。二十对六万,各位的处境有多凶险,不用我说你们自己知道。可是有朝一日我们能活着回去,高官厚禄荣华富贵就自不必说了。所以我在这里强调一点——夹着尾巴做人!不管说什么、做什么,都要先考虑清楚,绝对不能给他们留下空子。"

幸好外面的月光洒了进来,不然这没灯跟蜡的帐篷里还真暗得什么都看不见了。萧晓云在月光下站稳,青色的柳叶刀在指尖飞快翻转,流星般一闪即逝的光芒一道接着一道,将周身的黑暗不断划开:"你们跟了我半年多,知道我丑话喜欢说在前面。这次依然如此,为了保全其他人,惹了祸的人只有一个下场——斩首曝尸!"

刀芒从她手中闪出,在夜色中划出凌厉的一道弧线,"铮"的一声钉在地上。死亡的气息随着嗡嗡的震动向四周散开,众人忍不住打了个寒颤,一起伏下身去:"属下遵命!"

从这以后……

前五天愣是没有在骁果军营里吃到一粒粮食,萧晓云算是知道什么叫做"葛朗台式的吝啬"了。

本来就睡眠不好,自从有了军妓做邻居,萧晓云连着几天都顶着黑眼圈扮"国宝"。

郁闷的是连老天爷都敢欺负她,一夜天降大雨,地处军营最低点的萧晓云的住所重温游泳池的感觉,终于明白什么叫做"祸从天降"了。

更惨的是第二天自己住的营帐不知怎么又着了火,面对烧成一片的灰烬,萧晓云真信了:"福无双至,祸不单行"。

不过幕后主谋宇文成都也没有太得意。本以为挨饿的人会低头求饶,不想练兵累得半死回来却发现闲着的人带着手下跑到四五里外的镇子上大快朵颐。从此之后每到饭点儿必然有外卖送来,酱叉烧鸡翅的香味从辕门一直飘到军营最里面,馋得军营中口水一片。

好容易老天帮忙天降大雨,睡到一半儿终于忍不住去看被水淹的人,却发现对方带着下属大半夜的跟同样被淹的军妓们过起了"泼水节"。萧晓云穿着湿衣的样子在他脑子里跳了一夜,更不爽的是她身边还有自己的得力战将樊智超。

咬牙切齿地派人烧了萧晓云住的帐篷,宇文成都兴冲冲地等人来求助,等来的却是对方大手笔包下军妓的帐篷。这下不光他坐不住了,整个军营都炸了锅。宇文成都终于忍无可忍,大踏步进入自己最痛恨的粉红色帐篷中。

同样不舒服的,还有在中军坐镇等待消息的李密,因为所有的花销都递到他手里,让他埋单。

"萧晓云!"宇文成都踏入军妓营帐时一声大吼,像地震了一样,震得帐篷直打晃儿,吓得从帐篷里跳出来一堆人,却没有一个是他要找的人。

只见红色的帐篷里东一条西一件的挂着女人各色的纱衣,连打进来的阳光都变得朦朦胧胧的,角落里摆着一个小炉,滋滋的火焰上是一个红泥小锅,伴着水汽,往外吐着姜汁的辛辣,于是帐篷里浓郁的胭脂味中混杂着淡淡的姜味,让人感觉有一种难以言喻的不伦不类。

帐篷里的人跪了下去,露出他要找的人。萧晓云正双目紧闭的平躺在床上,黑色的长发松松地挽在胸前,额头上放着一块粉色的帕子,脸红得好像着了火。宇文成都紧走两步上前:"这是怎么了?"

"她昨夜淋了雨,今天上午又看见帐篷着了火,一着急就晕过去了。"齐武跪在地上回答。

"是风寒吗?"

"还不清楚,已经派人去镇上请大夫了。"

"军医呢?放着军医不看,去镇上请什么庸医?"

齐武张了张嘴,没有回答。宇文成都这才想起来自己已下了死命令要刁难他们,心里微一懊恼让跟着的下属去请军医,随即唬着脸出了门:他是不是做的太过分了?

昏迷中的人在脚步声消失后突然睁开眼睛,齐武立刻挥手让其他人退

84

下,坐在床边把她头上的帕子在清水里涮了涮,又重新放好:"军医一会儿就到。"

"我听到了。"萧晓云捂着脑袋上的手帕强撑着往起坐,"他表情什么样?"

"只是不高兴,没别的表情。"齐武把水杯递了过去,"你又有什么主意了?"

"没有……就是给自己偷得点空闲。"萧晓云一口气喝干了水又躺下了,"白天要应付他的那些花样,既要小心不被人抓住把柄,又不能让咱们的人受委屈,这就够劳心的了。晚上还睡不好……"她撇了撇嘴,"我都几天没睡好觉了,我也是人啊?"

齐武见她烧红了的脸上透出一丝委屈,急忙安抚说:"我也没说你什么,只是问问罢了。"

萧晓云哼了一声把身上的薄被往上拉了拉:"我知道你的意思,不过是认为我奸诈狡猾拿着自己生病做幌子又想变着法儿地折腾人罢了。"说着拿被子盖了头,转身不再理他。

齐武一时之间也不知道说什么好,认识萧晓云这么久,有点小风小雨她都能折腾出大风大浪,要说在这周身是敌的地方,萧晓云不借着生病惹出点事由,他还真觉得她转了性。可是被她这么一点破,自己似乎又有点对不住她。

齐武被她这么一说,脸上讪讪地不知如何是好。却又听到她闷闷地在被子里说:"其实你想的也没有错儿,我就是想借着生病做势。两方对敌攻心为上,我们比不过宇文成都的六万人马,也比不过他勇猛果敢,除了借着生病示弱让他放下戒心,我也没其他法子了。怎么说我都是个姑娘家,他把我逼生病了,面子上也不好看。"

齐武叹了一口气从她头上把被子拿下来,只见一张小脸早已憋得红彤彤的,细长的睫毛上沾了点点的水珠:"那你就装晕吗?刚才吓死我了。"

"我是真晕了。"萧晓云狠狠地瞪了他一眼,"我们总不能在军妓的帐篷里一直住下去吧,眼看二十多个人没吃没喝没地儿住,我又想不出办法,一着急脑袋就真晕了。"

"是是是。"齐武看她气得丹凤眼都圆了起来,只好低声认错,"是我错了,那你接下来想怎么办呢?宇文成都可不会因为你这点小病就放过你。"

萧晓云咬着嘴唇想了一会才说:"跟来的,不全是咱们的人。我记得有五个是主公派来的,拖后腿又喜欢打小报告的人我可不喜欢,扔了算了。"

齐武听了这话想都没想就表示反对:"你这会儿倒是下得了狠心,别最后又跟德云一样,把自己搭了进去。"

萧晓云脸色一黯,才低声说:"第一次肯定不舒服,第二次就习惯了。出来之前我就没指望能把他们全带回去。就算我自私吧,先保住咱们的人要紧。"

外面人通报军医前来诊治,齐武就把劝说的话收了回去。

这随军大夫给诊了脉,满嘴都是思虑过多,肝气郁结,火毒攻心,仿佛萧晓云已得了绝症,光调理的方子就开了三四个。随后宇文成都在自己帅帐一旁为萧晓云等人安排了住宿,他那前倨后恭的态度让人摸不清他心里到底想干什么。萧晓云琢磨了一宿也不明白宇文成都葫芦里卖的是什么药,只能嘱咐齐武小心行事。可是她的病也因此加重了几分,第二日变成了真正的卧床不起。

随后,能把天都说塌的军医又来了一次,同行的还有宇文成都。看病看到一半,忽然有下属冲了进来:"不好了!萧监军,钱拓在外面跟人打起来了!"

"什么?"萧晓云猛地从床上坐起来,脑子发晕几乎栽倒,急忙伸手抓住旁边的人,"到底是怎么回事?"

"好像是为了军妓。"跪着的人小心翼翼地回道,"具体情况我们也不清楚,队长已经带人去查看了,特别命小的前来报告。"

"混蛋!"萧晓云掀被子就要往床下跳,"把我的话都当耳旁风了不是?"齐武急忙把斗篷递给她披上。匆匆忙忙往外走时萧晓云压低了声音问:"速度也太快了,怎么不先告诉我?"

齐武转眼看到宇文成都正大踏步地追了出来,急忙使了个眼色:"我还什么都没做呢!"

这句话一出来萧晓云立刻停下脚步,赶上来的宇文成都一时没收住脚,低头看到撞在自己胸口的人眼睛瞪得大大的好似见了鬼似的:"怎么了?又不舒服吗?"

萧晓云听了他的声音激凌凌打了个哆嗦,急忙摇头否认,随着脑袋又是一阵眩晕,心思转了又转竟然猜不透这事儿是怎么出来的,脚下一个趔趄险些栽倒。宇文成都看她急得额头上全是汗,竟然有些不忍,止不住开口说:"想来也不是什么人事,要不你先回去休息休息?"

萧晓云这时神志已经有点理清,咬牙摇头说:"无妨,还是先处理了情况再说。"

赶到军妓所在的营帐,闹事的钱拓已经被绑了起来。嘴里仍不干不净地大声嚷嚷:"老子出钱包了这里,她就是我们的人。你们不拿钱还想脱裤子,天底下哪有这么便宜的事儿?"

"什么拿钱脱裤子?"两个太阳穴突突直跳,萧晓云只觉得口干舌燥脑仁生疼,"到底出了什么事?"

早有人上来回禀:"我们之前包了这里三天,因此钱拓带了弟兄们在这里喝酒。也不知道哪里来的人硬闯进来,要拉红姑去陪客,因此才起了争执……"

"好哇!"萧晓云弄清原委气得浑身发抖,"为个军妓就能打起来,钱拓你还真是长进了。红姑不过是看我们烧了帐篷无处安身,因此收了几个钱让我们借住。你不知感恩反而蹬鼻子上脸了。趁着我生病跑出来花天酒地……反了吗?"

"我不过是……"

"不过什么?"萧晓云怒极反笑,伸手从齐武腰间抽出宝剑扔在地上,

"拿我的军令当儿戏！念在初犯,留你一个全尸,自行了断吧！"

钱拓急忙大叫:"你不能！你不能,我可是主公的人……"

"齐武！"话音刚落一个人影从身边极速蹿出,手起剑落寒光一闪,只听"噗"的一声血光如飞虹般溅了出去,在地上洒下长长的弧线。旁边看热闹的人忍不住"啊"了一声纷纷往后退,躲避地上滚着的人头。

萧晓云在自己属下的脸上一一扫过,虽然喘着粗气眼神却比刀锋还凌厉:"还有哪个敢违抗军令？"

不光她带来的人,连骁果的士兵都低下了头,偌大的军营鸦雀无声。

低头看了一眼已经沾了血迹的下摆,萧晓云扯下斗篷抛在尸首上:"曝尸三天,以正军法！"

说罢不再看众人脸色,转头就走。

萧晓云躺在床上指天发誓说,她白天倒下去绝对不是故意的,可惜齐武对于这个解释只是懒懒一笑,顺便收走她手里的书册:"你倒下去的时候还睁着眼睛呢。"

"所以我说是栽倒而不是晕倒啊！"萧晓云努力向前伸还是拿不回自己的书,只好把爪子缩回来摆出苦命孩子没人疼的样子委委屈屈地说:"我气得脑袋发晕,脚下一绊就倒下了,额头都磕出了血。我虽然不是什么天姿国色,可是我也只有这一张脸,再使苦肉计也不敢拿它做赌注,好歹我也是个女孩子,总是要嫁人的。"

齐武看着她耷拉着眉毛额头正中贴了一块纱布,自己也忍不住笑了起来:"你早就嫁人了,难道还怕破相不成？"

萧晓云的柳叶眉顿时竖了起来,凶得好像一只被踩着尾巴的猫:"不许胡说！怎么说我都是天真善良活泼可爱漂漂亮亮的闺阁小姑娘,你要是四处乱说毁我的名誉,当心我告你诽谤罪啊！"

齐武很少见她这种街头小无赖的模样,笑得越发开心:"我哪里胡说了,你不是段家二少奶奶吗？"

笑容一敛,萧晓云恢复了常态:"早就不是了,偏就你们这些闲人还惦记着。"

齐武看她脸上淡淡的就知道对方不再想说下去,仗着自己是她的贴身侍卫又忍不住问:"上次二公子走的时候似乎很有精神,我以为你们谈妥了。"

"是谈妥了——各走各的路!他临走时没了负担,自然红光满面。"萧晓云也没了看书的心思,一头栽倒在床铺上,"我们俩儿现在一点关系都没有,所以我单身,明白?"

口气中连威胁都带了出来,齐武的脑子还没有糊涂到不明白其中的意思,于是不再追问。闭了嘴听萧晓云有一声没一声的哼曲子:

"还没为你把红豆,

熬成缠绵的伤口,

然后一起分享,

会更明白相思的哀愁……"

清凉的歌声在空旷的帐篷里回荡,初听时声音轻柔如羽毛,回味时高烧的沙哑沉沉地唱着,让人在心底刻上深深的印记。反反复复的四句,似有似无的低吟,听得心越来越酸:"这是什么曲子?"

"嗯?哦,《红豆》。"萧晓云展开握着的拳头,小小的豆子圆溜溜的在掌心旋转,"上午在红姑那里看到这颗红豆,她说没有用送我了。"轻轻将掌心的豆子拈起来,萧晓云幽幽地说,"玲珑骰子安红豆,入骨相思知不知?"

"好一个入骨相思!"有人掀帐帘进来,把里面的两人唬了一跳。齐武暗自惊疑宇文成都什么时候来到附近,扭头再看萧晓云脸色煞白:"字文……"她甚至有些结巴,"字文将军!"

"怎么这么生分了?"宇文成都笑得特别和蔼,拉了个凳子坐在旁边:"不是一直叫大哥吗?"

"大……大哥!"前几天分明还想着法子折腾她,怎么今天就阴转晴了?上午带大夫来看病,钱拓闹事居然没让他借题发挥,摔倒了,听说他还挺关心？下午离开不到两个时辰，居然又和颜悦色的过来，现在不是还没到吃晚饭的饭点儿吗？萧晓云不知道宇文成都葫芦里卖的什么药，只能硬着头皮问，"大哥今日怎么有空过来？"

"想着你生病，就派人做了些好吃的来。"他朝背后的多姆拍了拍手，有人抬了一个桌子进来放在床边，杯盘碗碟中全是山珍海味，"前几日军中杂务太多，不小心忽略了你，才让你受了风寒。"宇文成都甚至伸手摸了摸她的脑袋，吓得萧晓云窝在被子里一动都不敢动，"还好不是太严重，不然我真要愧疚死了。"

侍奉的人先盛了一碗汤放在一旁，躬身退了下去。宇文成都亲手端了过来，用镀金镶玉的勺子舀了一勺在嘴边吹凉递到嘴边："你叫的那些菜我让人停了，山野小村的厨师能做出什么好吃的来。这是我们从扬州带来的御厨特别为你熬的银耳燕窝粥，去火润肺，滋补身体，来，先张嘴尝尝。"

张嘴尝尝？萧晓云心说我又不是疯了傻了，就算这里面没有下毒，起码也有十斤八斤的巴豆吧，我现在还活蹦乱跳的，只要这碗汤下去，保不齐明天我就挂了。可是这话又说不出口，只能向后挪了挪扭头捂着嘴说："我胃还不舒服，不能吃东西，让大哥费心了。"

没有听到意料中砸碗摔筷子的声音，萧晓云转过头看到宇文成都笑得仍十分灿烂，"就是不舒服才要多吃一点啊，不然怎么养得好。"蓝色的眼睛中光芒微闪，"难道你怕里面有毒不成？"

的确如此！萧晓云心里这么想嘴里还要说，还没开口就见宇文成都已经自己先喝了那勺粥紧接着又舀了一勺递到她嘴边："你看，我都已经喝了，你还疑心什么呢？乖，先把粥喝了再吃饭。"

话都说到这份儿上了，萧晓云不喝也不成了，于是伸手去拿碗："难得大哥这么有心，我自己来吧。"

宇文成都却没有松手，稳稳地托着镶金白玉碗，嘴里说："你身子骨还没大好，别累着了，我喂你……"

比天上下红雨还怪！萧晓云几乎叫了出来，抬眼看到齐武杵在一旁早已吓呆，这样也就罢了，连多姆都是一副活见鬼的样子。不是事先安排好的？萧晓云心里郁闷，难道他下午被猪亲了？这么一想，居然让宇文成都把一碗粥都喂了下去。

柔软的丝帕在她嘴角擦了擦，宇文成都伸手把她鬓角上几丝跳出来的碎发捋到耳后："这才乖，多吃一点病才好得快，知道吗？"最后一个问句带着鲜卑族人说话时特有的鼻音，低沉的声音嗡嗡地从耳朵直蹿到脚底，弄得人浑身痒痒。萧晓云被这句话勾得抬头去看，正对上他深蓝色的眼睛，深邃的像要溺死人，配着异族人宽广的额头和高挺的鼻梁，宇文成都真的英俊得惊心动魄，让人挪不开视线。

他的手从脸颊扫过时带着微微的凉意，随着这样的接触，萧晓云脑子里立时轰的一声炸了锅，直顶上来的血液冲得她神经震了几震，萧晓云勉强别开视线低下了头，稳了稳心神才说："多谢大哥关心，我……知道了。"

"这才对。"宇文成都又夹了一筷子菜送到她嘴边，"多吃点养好了身子，事情才能进行顺利。"

"事情？"萧晓云嘴里含着刚送进来的茄子吐又不敢吐，咽又咽不下去，听了这话抬起头来，"什么事情？"

"喜事！"宇文成都又拿了块丝帕去擦她的嘴角，满脸都是爱怜的表情，"吃饭最大，别老是为杂事分心。一切有我呢。"

萧晓云生生吞下那口茄子时几乎没把自己噎死，灌了两杯茶才顺过气来。这期间宇文成都已经从凳子上挪到她的床边，扶着她的肩膀给她拍背顺气。萧晓云伏在他宽阔的胸前感受到他沉稳的心跳，耳朵里很不情愿地听到了这辈子听过的最性感、最温柔、分明是商量却又坚定得不容置疑的声音："云儿，我们成亲吧！"

第八章
虚与委蛇

萧晓云前世虽然算不上超级美女,现代的化妆修饰过的五官加上每周三次健身房锻炼出来的标准身材也足以吸引一定数量的回头率。如果一定要跟现在人的长相做比较,用"天上人间"来形容似乎有点夸张,但绝不过分。

而且! 而且?

比起男士的标准来,论长相、论出身、论能力、论金钱,宇文成都也绝对是单项拔尖、综合指标优。

难道说"帅哥配靓女"真的是千古不变的定律?

这个问题要放在前世,萧晓云绝对会为此兴奋地呼朋唤友出去喝酒,撒酒疯,可是现在,十七岁的萧晓云能做的只有目光呆滞地愣着,任由脑子里一两个不知是突破了极限的还是吓疯了神经的反复交替传递的消息——成亲啦,成亲啦……

宇文成都看着她呆呆的样子倒是很满意,索性再往里坐了坐将萧晓云抱到自己腿上,满面笑容的又夹了一筷子鸡汁茄子送到她嘴边:"高兴的傻了吧? 先吃点东西。"

别说是从来不吃的茄子,就算真的是毒药萧晓云都想毫不犹豫地吞下去。连着吃了好几口,萧晓云才找到自己的舌头:"大哥……大哥刚才说……

成亲？"

"是啊！"宇文成都搂在她腰上的胳膊紧了紧，以前看她穿衣服只觉得腰细，这么一搂还真是细得厉害，一只胳膊就能轻轻松松地箍在怀里，"怎么了？"

"我……我已经成亲了，从小就嫁给……"萧晓云一着急就搬了一个挺烂的借口。

"不是分开了么？"宇文成都低头去蹭她的脸颊，"在蒲州的时候我就想带你走，碍着你结了婚要顾忌名声只好作罢。可是刚才你说的话我都听到了，既然已经与姓段的没了关系，不如嫁与我为妻。"

他的脸蹭在萧晓云的脸上冰冰的，可是呼吸间喷出的气息却异常灼热。向来与人保持距离的萧晓云少与成年男子如此接近，冰火两重天的感觉让她忍不住向后缩了缩脖子，宇文成都却随着她的动作又逼近了一点，完全把她控制在自己的怀里："我知道你一向心高，我们宇文氏是北周皇族，历代为王侯贵族。论荣耀整个中原只比皇帝低，这样的夫家你可还满意？"

萧晓云此时整个人都在宇文成都的怀里，上看不到天，下够不着地，背后已经感受到他结实的胸肌，眼前是他越逼越近的俊脸，完全躲无可躲、退无可退。只能勉强抬手抓住对方的衣领，却没有力气推开。眼看两人间的距离越来越近，萧晓云在周围的空气消失殆尽前抓住了最后一根救命稻草："我的出身……原是……配不上的……"

宇文成都听了这话呵呵一笑，凑得越发地近，两人鼻尖都快碰在一起了轻轻地说："我说配得上，谁敢说一个不字？"

也许是离得太近，也许是从没想过宇文成都也会说情话，总之这十几个字就像重雷一般震得萧晓云分不清东南西北了，还没反应过来嘴唇上已经覆盖了些许的凉意，初时单薄的好似蜻蜓振起的透明翅膀，将离不离却又辗转反复，接着猛然加重，动作粗鲁的仿佛要把她吞下去一般。突如其来的疼痛让萧晓云的身体有了反应，一只手用力狠狠地推开身上的重压,另一只手掩着嘶嘶作痛的嘴唇。最后硕果仅存的几个脑细胞发出了一声惨叫,告诉她——接吻了!然后脑子彻底关机。

得了便宜的宇文成都非常满意地把满桌子美食都塞到怀中人的肚里了,摸了又抱,亲了又啃,吃足了豆腐后得意洋洋地离去。惊吓过度的萧晓云缓过神儿来时只看到齐武一脸担忧地蹲在她面前:"我好像做了一个很奇怪的梦……有人求婚……还吃了很多茄子……"

"阴谋!"齐武握攥紧了她的手企图让她理智一些,"晓云,这一定是个阴谋!"

"阴谋!"在宇文化及的行宫里,宇文承基跳起来大叫,"那个女人要嫁给你,这背后一定有阴谋!"

宇文成都冷冷地看着在屋里上窜下跳的大哥,哼了一声说:"是我要娶她!"

"你要娶她?"宇文承基怪叫起来,"那个女人要姿色没姿色,要身段没身段,你居然要娶她?"他在地上踱了几步,突然鬼鬼一笑,凑到宇文成都面前,"难道是那些侍妾服侍得你不舒服了?没关系,大哥跟你换,小桃红怎么样,那身子骨儿柔得……"

"承基!"宇文化及喝止住宇文承基,心里叹息自己的嫡长子怎么这么没出息,转头看着二儿子,"成都,萧晓云是瓦岗将领,虽说我们和瓦岗结了盟,可是李密那只老狐狸可不得不防啊!"

"孩儿清楚!"宇文成都也不再看自己的大哥,正色对自己的父亲说,"孩儿要娶她过门,也是为了试探瓦岗结盟的诚意。"

"哦?"宇文化及看着自己最得意的儿子,"此话怎讲?"

"父亲大人,如果瓦岗真有诚意结盟,一定会愿意用结亲的方式巩固双方的盟约;如果他们拒绝或者迟疑,说明此次结盟必定有诈,那我们就可以趁着这个机会先发制人,拿下瓦岗!"

"嗯,没错儿!"宇文化及将了将精心保养的三绺长髯,"可是成都啊,如果李密答应了这桩婚事,你真的要娶那个女人为妻吗?不要忘了,她可是嫁过人的哦!"

"嫁过人有什么关系!"宇文承基在一旁插嘴说,"这样的女人在床上才带劲啊,青涩的果子吃起来一点味道都没有,除了会哭就是……"他在自己父亲和弟弟的凌厉的目光下闭了嘴,不敢再说。

"父亲大人不必担心。"宇文成都听了他大哥的话心里特别地烦,勉强压了压火儿才回话,"萧晓云先侍唐公后投瓦岗,除了弓箭超群,更是以智谋闻名。这样文武双全的将领当世难得。只要能笼络过来,怎么算我们都不会吃亏。何况她虽然名义上只是一个监军,其实已经掌握了中军的大部分兵权,瓦岗其他队伍中也有好些将官甘愿为她驱使,如果掌握了她,虽然不能完全左右瓦岗,却也能给李密不小的压力。"

"她有这等厉害?"宇文化及仔细想了想只有一面之缘的人,依稀记得是个眉清目秀的书生,总是垂着眼睛,偶尔抿嘴笑一下,并没有多少过人之处。唉,原来自己真是老了,枉费在朝堂上摸爬滚打了一辈子,居然让这么厉害的人不动声色地从眼皮子下面溜掉,"成都啊,萧晓云若是真有这么厉害,又岂能轻易为我所用?"

"所以儿臣才要娶她。"宇文成都想起萧晓云目瞪口呆地坐在自己怀里的样子,忍不住笑了笑说,"她也不过是个女人,一旦嫁了过来,就算我们不说,她也要以我们宇文家的利益为先,择优考虑了。"

宇文化及看着儿子冷硬的面孔中突然冒出的笑容,全然不是以前的嘲弄敷衍,言词中竟然还隐隐带出一点温柔。当他把儿子嘴角的弧度与他记忆中那个女人的模样重叠在一起,他止不住心里一阵烦躁:"行了,这事你看着办吧!"

笑容一闪即逝,宇文成都躬身行了个礼退了出去。宇文承基也马马虎虎地鞠个躬跟着往外跑,刚一出门就搭住宇文成都的肩膀:"二弟啊!"他啧啧的把宇文成都上下打量了一番,"别太委屈自己了,那个女人你要是不喜欢,大哥舍身替你娶了如何?"

"说什么呢？"宇文成都肩膀一抖把他甩了下去，"你也配？"

"嘿！"宇文承基大叫一声，"要不是看在她还有点能力的分儿上，白给我我还不要呢！"说着话斜楞着眼睛鄙视地说，"看着就没什么意思，跟我……没法儿比……"

没法儿比？宇文成都想起她身上淡淡的茶香，以及嘴上似甜非甜的味道，在黑暗中默然一笑，本来只想随便亲一下，谁知舌尖尝到味道后居然让他欲罢不能，恨不得咬了吞到肚里去。还好她推开自己以后没有太大的反应，不然……不然……宇文成都想都不敢想不然如何，只要别坏了大事就好。

"咚……啪。"掀开帘子刚进来的人中了着，胸前被重重地砸了一下，长衫上哩哩啦啦染了一片，特意换上的白衣就这样糟蹋了，再看地上，碎成两半的茶盅滴溜溜直打转。

"你……"被砸的人个深吸了一口气，刚要发作，就听见里面一个娇嗔的声音说："进门连通报一声都不会！跟了我这么久倒忘了规矩？"

听着倒像个不俗的人儿，被砸的人伸长了脖子往里看，靠角落的床边缩了一个姑娘：身上盖着浅蓝色绸缎夏被，上身穿一件淡青色宽袖长衣，及腰的长发梳到侧面，软软的搭在肩膀上，在尾部松松的打了两个麻花结，用一根青色丝绳系着。从他的角度看去，刚好看到这个姑娘低头看书的侧面，姣好的面容在墨色长发的映衬下，颇显得风姿卓越，清丽动人。

"傻愣着干什么，还不帮我再沏一杯茶？"那声音里带着一点笑意，"方才我就是气闷随手扔了一下，你不会真生气吧？"

对方这么一说，反而弄得来人不好再发火。这人想了想刚要开口，就听到背后有人咳嗽："参见宇文将军！"

"大哥？"床上的人抬起头，斜挑到鬓边的眼睛眨了眨，将手里的书倒扣在一旁抚胸倾身，"原来是宇文将军，请恕萧晓云身体不适，无法亲自迎接。"

"哪里哪里。"对方急忙笑着说,"我今天来主要是看看弟妹,没有其他意思,萧姑娘不要客气。"

来的人也姓宇文,却是宇文成都的哥哥宇文承基。

这哥俩儿倒也有点像。摆着老远的太师椅不坐,却拖了一个矮脚凳坐在她床边。女孩子的闺房是这么随便坐的吗?萧晓云不动声色地往床里挪了挪身子吩咐齐武上茶。

"萧姑娘在这里住得可习惯?"

"还好!"

"吃的可还顺口?"

"不错。"

"若是有不满意的,尽管跟我提!"

"多谢将军挂心。"

眉头皱了起来,真是一刻都忍不住了。

这也怪不得萧晓云,跟宇文成都这样的人斗法真不是一件容易的事,淋雨、生病、斩杀下属、被人求婚……着了凉本来就不容易好,偏偏身边的动静接连不断,还一个比一个大。昨天晚上在齐武提示下认定求婚是一桩反间计,若是李密知道了自己要嫁给宇文成都,不仅认定了她会把瓦岗和谈的底细合盘告诉宇文父子,还可能认为她泄露军情临阵倒戈。所以这婚不仅结不得,更不能有任何消息传到李密耳朵里。因此两人趁夜商量对策,还要时不时地提防隔墙有耳。这样一来更是急火攻心,勉强定下计策之后萧晓云便在凌晨时分倒了下去,与其说是睡过去不如说是昏睡过去了。

等到天蒙蒙亮的时候被生物钟叫醒,萧晓云连砍人的心都有,这还是人过的日子吗?倒不如撂挑子走人!

这当然只是气话,要是为别人做事,兴许还能转身走人。可现在的一切不过是为了保命,真要什么都不管了,自己的下半辈子就只剩下水深火热了。因此她才挑了件清新淡雅的衣服,梳顺了长发专等宇文成都自

97

投罗网。

于是才有了扔茶盅砸人的事情，本来是想先坏了宇文成都的好心情，再进行后续的计划，谁知道正主儿没砸到，反而打了个无足轻重的偏主儿宇文承基。

面对眼前这个满脸酒色的男子，萧晓云的笑容虽然是习惯性的，却透着一个烦："宇文将军今日大驾光临，不知有何指教？"

这句话的潜台词是，没事儿赶快滚蛋。可惜宇文承基没有听出来，不仅没有离开，反而上上下下把萧晓云打量了一个够，这个女子虽然眉眼没有什么特殊，整个人却特别有味道。嘴角微勾在脸上带出淡淡的笑容，这笑容却如一叶浮萍，无根无痕。嘴里说话客气得体，可骨子里却透出五分高傲，三分睿智，二分不屑，亲切中流露出一种瞧不起，一种疏离。宇文承基各色美女看过无数，像她这样镜花水月的女子也不是没有，可是她那种高雅的，超然于群的气质，却是连皇家公主都没有。

宇文承基心里感叹，这等容貌与气质都能招人的女子，最适合带出去，也难怪二弟要娶她。他忽然想起昨夜手下清客的进言："若是这个萧晓云真有那么厉害，小王爷应当先将她娶过来才是。这样我们才能在军事上与二公子抗衡，增加夺取太子之位的筹码。"因此他今日才亲自来看看这个传奇的女子到底是什么模样。

"萧姑娘是山东人？"

"是。"

"敢问姑娘芳龄？"

"十七。"

"尚未婚配吗？"

"……"

"昨天夜里二弟突然跑来跟我说你要嫁入我宇文家，把父亲大人气的够呛，折腾了一夜，"宇文承基把身子往前凑了凑，"要我说，既然要嫁过来，不如嫁最好的。"

"晓云不懂,还请将军明示。"

"呵呵,萧姑娘这么聪明,岂有不懂之理。"宇文承基闻到她身上有淡淡涩涩的茶香,干脆起身凑的更近,"我才是父王的嫡长子,宇文氏的继承人。萧姑娘既然要嫁入宇文家,不如嫁我为妾吧!"

眼前的人听了这话挑了挑眉毛,漆黑的瞳孔中闪过一丝惊讶,忽然加深了笑容,诡异得让宇文承基心里发毛,等了等见对方没有开口的意思,刚想继续劝说,背后却传来阴侧侧的声音:"大哥这话,是什么意思?"

"二弟?"宇文承基急忙扭头,只见门口立着的人手里拎着头盔,披着的黄金甲散发着嗜血的气息,好似要冲上来将他撕碎一般,他哆嗦了一下才吞吞吐吐地说,"听说萧姑娘病了……我来……看看……"

"是吗?"宇文成都心里止不住地蹿火儿,"怎么我听了倒像是在提亲?"

"不是……没错儿!"宇文承基心想自己怎么都是长子,居然被自己弟弟吓成这样,于是鼓起勇气说,"我的确准备娶萧姑娘,怎么,你有意见吗?"

"晓云是我的妻子,昨夜我已经向父亲禀告过了。"

"哼,还未成亲,她怎么就是你的了?"宇文承基把头一扬,"如今我要娶她,长幼有序,你难道不懂吗?"

"你!"宇文成都大踏步走到他面前,压低了声音咬牙切齿地说:"不要以为你得了她,就能得到兵权!"

宇文承基吓得腿肚子直转,幸好还有一点当太子的信念支撑着他,于是声音颤抖地说:"我的事情不用你管,你也管……管不着。"

宇文成都没想到大哥在自己的气势下还能撑这么一小段时间,干脆伸手一把拽住他的领子,正准备拖出去说话,就听最里面有人说:"二位将军还真有信心,只是不知道我萧晓云,什么时候答应嫁人了?"

宇文两兄弟听了这话一起愣住,一起扭头只见床上的人不知何时已经站了起来,斜斜地靠着帐篷里的一根柱子,青衣乌发,双手抱胸,笑得冰冷又讥诮。

昨夜商量的方法不止一个，不留情面的拒绝却是最忌讳的一条。

　　齐武从尾随宇文承基进来，行礼上茶之后，就一直立在书桌旁等候吩咐，因此萧晓云的每一个眼神、每一个动作他都看得清清楚楚。等她呼的一下从床上跳下来，齐武就知道对方动了真气，心里叫了一声不好就要过去把她按回去。可惜要绕过帐篷中央的宇文兄弟而不让他们发觉耽搁了一些时间，他还没到萧晓云身边，就听到她冰冷的声音："只是不知道我萧晓云，什么时候答应嫁人了？"

　　完了！齐武听了这话，也不管自己动作会不会太大，冲到萧晓云面前就要把她往下按："烧得开始说胡话了，不是？赶快去床上躺好！"

　　这么明显的台阶，对方不但不接受，反而"啪"的一下把他的手甩开："阿武你别管，就算是病死了，也好过于在这里被人不明不白地欺负！"

　　伸手把床边的外罩拽过来披在身上，萧晓云先问宇文承基："大公子刚才口口声声说我要嫁入宇文家，听着倒像是很久以前就决定好了的事。我天性愚钝，时至今日尚且不知道这登门的喜事从何而来？若是大公子有诚意，不妨指点一下晓云，这么大的事情，到底是何人所订？又是何人所媒？"

　　宇文承基听了这话脸色瞬间变得难堪，在萧晓云冷冷的注视下好一会儿才找到自己的舌头："我父王都允了你的婚事，难道不算数吗？"

　　她边说话边往前走，速度极快，披着的外衣没能跟上，在她身后轻飘飘地落了下来。萧晓云也不回头，只顾看着宇文承基："那还真是我的荣幸！不过大公子，我自己的身分自己清楚，就算我现在在你们的地盘上做人质，却仍旧是瓦岗的将领。这背主求荣的事情我做不来，更不敢做！富可敌国的宇文家族的宇文大公子，封王拜相的宇文家继承人，这么高的枝儿我可攀不上，您还是另打主意吧。"

　　铁青的颜色布满了宇文承基肿胖的脸，本想拿起架子骂她不识抬举，可是三步开外的萧晓云眼神里的冰冷犹如寒霜一样压得他透不过气来。萧晓云看他嘴唇颤动却发不出任何声儿，冷笑了一声："自讨没趣的事儿，不适合大公子这种聪明人所为，以后还是少做为妙。齐武！"她扬声说："送大公子回去休息,别让这里的病气污了大公子的贵体!"

齐武暗自叹气,却只能听从她的命令上前给宇文承基鞠躬:"大公子,我们监军这几日病体违和,心情不佳难免礼数不周,还请您多多见谅。"伸手向旁边一引就想带他出去。也不知宇文承基是被萧晓云的气势吓着了还是仍有话说,僵硬着身体就是不动。

齐武求助的看了萧晓云一眼,对方早已将这边的情景抛之脑后,扭头对上了宇文成都,语气倒是平缓了一点:"道理相同,勿复言之。将军这么聪明的人应该不用我再多说了。"

宇文成都并不像他哥哥那样,脸上波澜不惊:"怎么?昨日答应了,今日就要反悔吗?"

"答应?"萧晓云偏头摆出一副仔细回想的样子,"昨日哪句话答应了?怎么我就不知道呢?只怕是将军自己臆测的吧!"

样子倒是活泼可爱,嘴里说出的话却噎死人。宇文成都一伸手抓住她的肩膀拖到眼前:"你诓我?"

"我诓你?"肩膀好像被钳子钳住一般,萧晓云挣了两下没挣开,索性由他握着,"提出成亲的是你,从头到尾我可曾说过一个好字?若不是你四处张扬,今日你大哥能跑来说这些混账话?昨夜我病成那样,你倒是懂得利用机会乘虚而入,占尽了便宜也就罢了,今天还指责我诓你?宇文成都,啊……"控诉的声音戛然而止,烧得通红的脸上一片煞白。

宇文成都握着她肩膀的手在用力,突出的关节显出点点青色:"你觉得我昨晚在占你便宜?"

豆大的汗珠扑簌簌的往下落,细密的牙齿咬住嘴唇,全力对抗疼痛的萧晓云没有力气再说话,只能勉强仰头瞪视他,然而眼里的倔强却给了他最有力的答复。

宇文成都盯着她的眼睛,眼里露出一抹狠毒:"你到底嫁还是不嫁?"

肩膀上是火烧般的疼,萧晓云努力稳住心神,斩钉截铁地说:"无媒无聘,无礼无证。不嫁!"

手上猛地用力,宇文成都满意的看着身下的人张大了嘴一口一口地吸气:"还不答应?"

在剧烈的疼痛冲击下,身体不可抑制的颤抖。萧晓云几乎可以听到自己肩膀处传来的"嘎嘣""嘎嘣"的声音:"屈居妾室,与人共事一夫,不嫁!"

忽然笑了一下,宇文成都俯下身,两人的脸庞几乎贴在一起:"最后一次机会,嫁还是不嫁?"

眩晕的脑袋已经感觉不到任何疼痛,耳边有人大声在说着什么,嗡嗡的听不真切;视线里满满的全是蓝色,杀意不带任何掩饰地从他的眼神中冲了出来,嚣张地将自己包围;身体的每一个细胞都在瑟缩,几乎迫不及待地想要对面前的人膜拜屈服。突然间,心底埋藏着的疼痛像闪电一样划破这片混沌:"失去自由,不嫁!"

肩膀上的力道轻了一下,身边刮过沉重的风,紧接着在背后传来巨大的声响。没了依靠的身体落到一半又被人重捞了起来,熟悉的危险再次将她包围。脑袋被卡着转向另一侧,力道大的让人无法反抗。

书桌不知道什么时候已经倒地,洁白宣纸在阳光中蝴蝶般轻盈的飞舞,分割的空间里是散乱的笔墨,最喜欢的那个澄泥小砚碎成两半,露出的新边缘反射着刺目的光芒。狼藉中有人正努力地从地上爬起来,蓝色的袍子上全是土。越来越清晰的视野中是沾了灰的发尾、沾了土的血沫以及挣扎的身影。

"你不嫁也好!"居高临下的声音从上面传来,仿佛众神在俯瞰他卑微的子民,"在这里所有瓦岗的人,包括你在内,凌迟处死,一个不留!"

一瞬间的怔忡!

一瞬间的清明!

一瞬间的了悟!

一瞬间忘记了呼吸!

一瞬间,她听到自己的声音说:"我嫁!"而且还嫌不够地补充着,"宇文成都,我答应你!"

"起来吧！"清凉的声音缓缓说，"劳烦你从清渠赶来。不过……这位大哥看着面生，不知隶属于哪个将军？"

"在下是罗副骠骑将军的下属。"跪着的那人又磕了个头才起来，低着头侍立在一旁。

"原来是罗士信啊……"修长的手指缠着一条粉色的丝带，下端系着一个拇指大小银质骰子，泛着冷冷的光，"你自己随意，我这里没那么多规矩。"

那人朝左右看了看，满屋子都是红色，红色的绸缎、红色的细纱、红色的长绫、红色的锦缎……不大的帐篷里面，铺天盖地的都是红色，他一个大老爷们儿站在这里，倒显得不伦不类。

"麻布质地太粗，换细一点的过来！"骰子轻轻巧巧的在凳子上敲了一下，斜斜搭在上面的布匹被这力道敲得向后倾，倒在地上，泛着光亮的水红布料滑了下去，露出黑色的凳面，"坐！"

有侍女上前把落在地上的布匹抱走，那人愣了一下才知道是吩咐自己，于是过来坐好。丝带轻轻颤动，骰子在空中划过一道银色的弧线回到自己主人的手中："主公可有吩咐？"

"是！"那人看了看周围的人有点迟疑，见萧晓云没有反应，只好低声回话，"主公听说萧姑娘要成亲非常高兴，特别赏了黄金百两、白银千两、玉如意六支……"

"行了行了！"骰子被牵引着在空中上上下下地跳动，丝带另一端的人很不耐烦地打断他："这些嫁妆拿去给宇文成都看就好，我也懒得听。"

有人在床上重重地咳嗽了几声，原本生气的人收了不耐烦的样子，侧着身子俯下去柔声说："还疼吗？要不要喝点水？或者我再叫大夫来看看？"

"不碍事……"床上的人挣扎着爬了起来，竟然是个男人的声音。地上的那人吃惊地看着萧晓云弯腰轻轻搀扶他，"动作慢点，大夫让这两天多注意呢。"说着话吩咐旁边的人，"把温着的那碗参汤端来。"

一阵布料的窸窸窣窣声音之后，青色的纱帐里露出半个人影，竟然是萧晓云的贴身侍卫齐武。那人越发的惊奇。有小丫环端了一个白瓷茶碗过来，萧晓云伸手接过去揭开盖子吹了吹，递到齐武手中："还有些烫，慢慢喝。"等对方把茶碗接过去喝了一口，才扭头重新看了看前来传令的人，"主公应该还有其他吩咐吧。"

"是。"就算是主公，也得不到萧晓云这样的关照，一个小小的侍卫怎么能……他的惊讶在萧晓云淡定的目光中不自觉地收敛，心里却想不通其中的关节，"主公请萧姑娘莫要忘了来前的约定。"

上位的人冷冷哼了一声："嫁妆都送来了，我马上就变成宇文家的人了，还跟他有什么约定可言？"袖子被人拽了拽，眼睛一瞥看到齐武担心的脸色，萧晓云收住怒气，"回去告诉主公，答应了的事我一刻都没有忘。"

那人低声答应了一声，眼睛忍不住跟着她手里的骰子转动，这才发现其中一个上面镶嵌了一颗红豆，在闪亮色的白银衬托下如鲜血般的红。而满屋子的红色，不知为什么，就这一处最扎眼。这么一走神，就漏过了对方的问话。被叫了几声之后才明白过来："哦，哦，还好。"

"还好？"萧晓云挑了挑眉毛，"中军一切都好？"缠绕在指尖的丝带一点一点的滑了下去，"罗士信，真没有吩咐你什么吗？我最讨厌的，就是别人对我说假话！"

犹豫了一会儿，那人突然跪在地上磕头："我知道什么都瞒不过您，可是这次事关重大，主公下了严令不许透露……"

"行了行了！"萧晓云打断他的话，"我只是要知道自己想知道的事儿，至于是谁说的根本不重要。从进来起你就不断地磕头，真要让我折寿么？"

那人听了这话一楞，抬眼看到萧晓云似笑非笑地看着他，眼睛里全是了然，一咬牙轻声说："段志亮已经因为顶撞主公下了天牢，王君廓和张青特因为擅自调动队伍也被免职。不仅如此，就连裴将军也因为治下不严被削了军权，勒令闭门反省。中军现在已经乱成一团，单将军昨夜从洛州赶来，今天一早就去了中军，我走的时候听说营里起了纷争，现在还不知道具体的情况呢。"

"嗯,"萧晓云点了点头,"谢映登呢?也跟来了吗?"

"是。"

"那都不是什么大事……"萧晓云沉吟了一下,"这里的情况你也看到了,这婚不结不行了,唯今之计,是要把中军的人心安定下来。"说到这里,她伸手摸了摸自己的右臂,"应该写一封亲笔信让你带回去,可是……这里脱臼了。"她苦笑了一下,"就麻烦你一下,传个口信回去吧!我不在的时候,所有事情由谢映登负责,以这个扳指为信!"

那人抬头一看,她的手里托着一枚紫色的扳指,正是随身携带用来勾弓弦的那个扳指。因为她对于这个扳指太珍视了,以至瓦岗众人都认为这就是让她不断取胜、带来好运的神物。这么贵重的物品……他迟疑了一下,萧晓云已经把扳指放到他的手中:"中军众人都认识这个,让谢映登拿去号令全军。目前最重要的是稳定军心,不要让歹人有机可趁。"

这时有人掀帐帘进来:"挑得怎么样了?"

声音异常洪亮,虽然是询问,口气却是命令的。几乎也在瞬间,站在他面前的萧晓云原本平易近人的气度消失得无影无踪,整个人散发出浓烈的距离感,好像平地起了一阵风,将她刮上九天之上的高台。更让他诧异的是这样冰冷的一个人脸上居然透出甜腻的笑容:"今天过来的倒是早。"

"没有什么事。"那人无视帐篷里跪了一地的人,几步走到萧晓云面前,胳膊一伸圈住她的腰带到自己眼前,"今天瓦岗派人来了?"

"嗯,旁边坐着呢!"萧晓云也不挣扎,顺着那个力道贴在他身上,微微搂住他的脖子,脑袋向旁边的扬了扬,"主公送我的那些嫁妆你都看到了?"

"没仔细看……"宇文成都把坐着的那人打量了一下,皱起眉头。眼睛盯在某个地方不再转移,一手揽着萧晓云的腰一手就要去摸那人的脸,对方扭头就要避开,却不敢有太大的动作。正着急的时候,斜刺里伸出一只修长的手将宇文成都的手拨开,"吃着碗里看着锅里吗?"萧晓云眉眼弯弯地对上宇文成都,"居然还有了龙阳之好?"

"胡说什么！"宇文成都手上用力，满意地看着怀里的人哼了一声，软软地趴在他胸前喘气，"看着眼熟而已。"他又仔细看了看那个人，"易容了吧。"

萧晓云忍着腰痛从他胸前撑起身体："偏偏就你聪明，非要点破这一层吗？"她也不回头，"好了，罗士信。既然这里的人都看出来了，就把你脸上那层皮擦了吧。谁给你画的？这么没水平，脸白的跟无常鬼一样，有人长成这样吗？"

被叫到名字的人吓了一跳，讪讪地接过旁边侍女递来的毛巾，在脸上抹了一把又一把，露出一张英气勃勃的面孔，嘴里却委委屈屈地叫："云姐姐！"

宇文成都仔细看了看，问萧晓云："是上次使红缨枪的那个罗士信吗？武功倒是不错。"他一下来了兴趣："不知道最近有没有进步，要不再比划一下？"

"不行！"萧晓云对着宇文成都笑了笑，"他要立刻赶回瓦岗，我吩咐了重要的事情让他办。你若想比试，下次再说。"蓝色的眼睛里还有些不甘，她笑得越发甜美，"不是答应今天让我骑你的赛龙五斑驹么？我可不要被你的属下看扁了，说我不配做这宇文夫人……唔……"

剩下的话霍然消失，宇文成都弯下腰堵住她的嘴，牙齿细细地啃噬着弯弯的嘴唇，罗士信瞪大了眼睛看着面前的情景。粉红色的纱衣覆盖在冷硬的黄金甲胄上，高大英俊的男人一手搂着怀中人的腰，一手托着她的后脑，旁若无人的亲吻；黑如墨光如丝如水的长发在他手里压得零乱地缠绕着，头发的主人腰身后倾，仰起头对那个深深的吻宛转相就。两人的鼻尖微微错开又贴合，光线沿着交错的脖颈镀上一层眩目的金色，美丽而且优雅。

这无边的春色将罗士信震惊的无以复加，被齐武拖出帐篷时只恍恍惚惚听到他的嘱咐："请罗将军在童山做好接应的准备，我们随时都会回去！"

第九章

陷身囹圄

杭州绸缎苏州绣,南海珍珠蓝田玉。

即使在行军途中,萧晓云和宇文成都的婚礼依然准备得一丝不苟,纳彩奉礼各个步骤一点不马虎,骁果仿佛又回到了当年跟在隋炀帝杨广身边的辉煌,日日花钱如流水,夜夜歌舞唱升平。

见惯了大场面的骁果士兵当然不在乎这些,恢复了当年的排场对于他们来说本就是理所应当的事。让人惊奇的是宇文成都——这个人世间的夜叉、战场上的修罗,居然对他的新婚妻子宠爱到言听计从、无以复加的地步。

最先发现这一情况是大公子宇文承基被人从帐篷里一脚踹了出来,有好事的人从掀开的帐帘中看到萧晓云在里面坐得稳稳当当,小心翼翼地弹了弹靴子上的土。正好过来找人的宇文成都目睹了整个过程,却在帐篷边上笑着招了招手,然后拥着满脸欣喜扑上来的萧晓云离开,而对地上嚎叫的大哥全然视若无睹。

没过几天宇文成都的如夫人——前兵部侍郎家的千金,被萧晓云身边那个沉默的侍卫拖了出去当众掌嘴。闻讯赶来的宇文成都只听见萧晓云说了一句"我没空陪你的那些女人矫情,让她们离我远点!"马上吩咐下面人将这位陈夫人家法处置,由妻降为妾。

萧晓云当时那种咬着嘴唇,跺着脚撒泼耍赖的样子,让围观的众人从她平日冷漠疏离的气质中着实惊艳了一把,可是面对源源不断送入那个帐篷的各式首饰以及萧晓云在赛龙五斑驹上肆意的欢笑还有两人在营地里旁若无人的亲昵时,骁果的士兵还是忍不住议论天宝大将军真的对这个女人宠爱过分了!

整个骁果都在谈论的人在马上打了个喷嚏,揉了揉鼻子:"谁又在说我坏话了?"

宇文成都看了她一眼只是微笑,旁边的樊智超接去了话头:"我的大夫人,谁敢说你的坏话啊!"

萧晓云嗯了一声转向他,满脸都是不怀好意的笑:"樊将军,你不会还因为昨天比箭输给我而怀恨在心吧。真可惜,我右胳膊脱臼了不敢太用力,不然以绝对优势赢了你,也就不用让你一直惦记着了,不好意思啊。"

樊智超听了这话脸都紫了,可是碍着自家主帅在旁边又不好反驳,只好气鼓鼓的"哼"了一声以示反对。萧晓云得意地笑了笑,偏头看向宇文成都换上楚楚可怜的表情:"张童儿不能来打猎,确实是我这队多了一个人。可是为什么偏偏不让我下猎场呢?"

"因为你右胳膊脱臼了!"樊智超抓住机会急忙嘲笑回去,"你要是输了一定拿这个当借口,我可不想被人说我胜得没本事。"

"切!"萧晓云柳眉倒竖刚要还嘴,宇文成都伸手搭住她的肩膀:"还是养伤要紧,再过三天就要举行大婚了,我可不想看见一个缠着绷带的新娘。"

萧晓云不好意思笑了笑低下头,妩媚得让樊智超在一旁直嚷嚷受不了。就在这时,远处传来迅疾的马蹄声,有一匹快马从后面赶了上来,萧晓云用手搭了个帘跟众人一起朝马蹄声传来的方向望去,然后一脸惊讶:"小猫?"

缰绳猛地一拉,黑色的马在这样的力道下被勒得在原地直打转,骑在上面的人急忙弯腰去安抚马匹,抬起头时满脸都是汗:"晓云,可算赶上了!"

"帮徐老道办事了?这么着急赶路?"萧晓云指着他沾满尘土的衣服,"瞧瞧,全身都是土。"

"你要结婚了?"孙白虎从马上跳下来拉住她的缰绳,"我才办事回来就听到这个消息,真的么?"

"是啊,三天以后就要结婚了,"萧晓云干脆也从马上跳下来,牵了他的手,"新郎你也认识的,是我们在蒲州结伴而行的同伴。"她指了指宇文成都,"还记得吗?宇文成都,当时我俩还拜过。"

孙白虎急忙躬身行礼:"见过宇文将军!"

宇文成都在马上点了点头,视线移到两人交握的双手上,哼了一声突然俯身把萧晓云拦腰抱起:"要结婚了,注意一点。"

突然的腾空让萧晓云短促地叫了一声,手腕翻倒一半强行止住,乖乖的被宇文成都抱在胸前坐稳,抬头伸手在他脸上蹭了蹭,笑着解释:"我们好久没见,一时有些忘形了。"

宇文成都点点头握住她逡巡在自己脸上的手,将她拢在胸前:"我知道,没有生气。"

萧晓云在他怀里朝孙白虎说:"你和小凤一直跟着我,也算是半个娘家人了。本来明天想派人去请你们来参加婚礼,谁知你今天就迫不及待自己找上门了。"她抿了抿嘴唇,"真是赶得早不如赶得巧,我们正好要打猎,你也一起玩玩吧!"说完仰头朝宇文成都笑道,"有小猫儿陪着,我不下场打猎倒也不寂寞了。"

宇文成都点点头:"也好,要让你乖乖地呆在一旁也困难,不如有人陪着更好。"接着嘱咐孙白虎:"她昨日跟人比箭受了伤,今天不能再挽弓了,你陪她说会儿话。"

孙白虎答应了一声,耳朵里听着萧晓云对着自己的侍卫队下令:"大家不要客气,平日有多少本事,今天都给我使出来。别让樊将军的人看低了!猎物最多的人,回去重重有赏!"

众人轰然答应，樊智超在一旁撇了撇嘴："有将军在，我们还能输给你？"呼啸一声带人当先冲了出去,齐武急忙号令手下人也跟了上去。一时间号角连连,马蹄阵阵,扬起漫天的尘土。萧晓云抱着宇文成都的腰抬头："宇文将军,今天我可是想吃猴头扒熊掌了,这两样要是缺一个,接下来三天你就别想见到我！"

宇文成都在她额头上轻轻一吻："这有什么难的,我先派人回去吩咐厨师一声！"说完把她放回马上,"乖乖在这里等着,不要乱跑！"

萧晓云点点头勒住自己马的缰绳,笑吟吟地说："早点回来啊,别让人等太久。"

孙白虎目瞪口呆地看着这两人亲亲热热的分开,宇文成都在山坳处转了个弯,身影刚消失不见,就听萧晓云发话："你怎么会来这里？"冰冷的声音里全是掩饰不住的怒气。

"嗯？啊……"孙白虎听了这个声音打了个哆嗦,急忙抬头看到萧晓云脸上冷得能刮下二两霜,"你和宇文成都,真的要成婚？"

"这个你别管,到底是什么急事,值得你亲自跑来找我？"

孙白虎定了定神："我来劝你离开这里！"

"离开？"萧晓云冷哼了一声,"我们要结婚了,你现在跑来跟我说让我离开？"

"不走不行！"孙白虎伸手抓住她的马缰,"郑铤叛变了,宇文成都马上就会得知结盟的内幕和你来这里的目的。若是再不走,你的命就要搭在……"

话音突然顿住,孙白虎不可置信地看着萧晓云,青色的斜影弓饱满地挽在她手中,两支白色的羽箭搭在上面,铁质的箭头正对着自己在阳光下泛着冷冷的光芒："晓……晓云！"他口吃得说不出一句完整的话,自己曾经擦拭过无数次的弓弦铮然响起,清脆的声音直达天际。

"那两个监视的人呢？"

"死了。"

"同时击杀？"

"嗯！"

"你怎么做到的,之前我们商量了很久都没有把握。"

"运气好而已,小猫儿在我前面做盾牌,争取了一点时间。"

齐武看了一眼站在她旁边的孙白虎,满脸都是佩服:"到底是跟了你多年的人,这么久没见还有如此深厚的默契。"

这话听着怎么都不对味儿,孙白虎站在萧晓云身边苦笑:"哪儿有什么默契,她忽然搭弓对着人,吓得我连话都说不出来了。"

萧晓云正弯弯腰努力收拾自己的曳地长裙好让自己的动作能够更加随意一些,反正也要离开骁果了,这副淑女的样子也不用再装下去了。手里忙着办事,嘴里却不闲着:"徐老道的香把你的脑子薰坏了呀?我怎么可能伤害你。当时你要躲开了,我就跟你绝交!"

孙白虎听了这话越发哭笑不得:"那只箭可是贴着我的耳朵过去的,要是你的手稍微一抖,我就见祖师爷去了,哪里还用得着你绝交。"

"我也没有办法。"萧晓云连着试了几个方案都不满意,干脆抽出袖口里的柳叶刀,在手里掂了掂,拉展了裙子直接划了下去,"监视的人有两个,用我自己的身体挡住一个人的视线,动作幅度就不能太大。这样会影响拉弓和瞄准的速度。所以只好用你做盾牌挡另一个人的视线——这箭就是不想贴着你都难。"裙子被她干脆利索地撕开,只余下歪歪斜斜的一半系在腰间,刚好到膝盖,露出修长的小腿。

旁边有侍卫"啊"的叫了一声,萧晓云抬腿做了个侧踢,感觉到不再受束缚后满意地点点头,对着齐武不动声色的表情:"就你没出声了,原来你跟我也挺有默契的!"

这下换成齐武苦笑,只好岔开话题:"不是准备明天晚上才走吗?怎么改变计划了?"

"情况有变,我们需要提前回清渠!"

"你疯了!"齐武脸上一僵,"前几天是谁跟我说这门亲事不答应不行,就算能逃回清渠也要被人装裹好了再送回来!"

"现在不一样了。"萧晓云蹲下去把袜带重新系紧,"白虎说有人叛变了。"

　　"是。"孙白虎点头在旁边解释,"郑铤很早以前就跟骁果的细作有来往,他的家眷已经在三天前以探亲的名义离开了瓦岗,今天早上他离开大营就没有再回去,极有可能是跑到这边来了。我一得到这个消息就赶来通知你们,现在的处境很危险。"

　　齐武仔细想了想才问:"若是他已经叛变,那我们来这里的目的早就暴露了,怎么还会安全地活到现在?"

　　"很简单!"萧晓云直起腰来检查自己的装扮,夹袄、短裙、牛皮靴,真是久违的现代感,"他以前接触的都是骁果派去的奸细,自然不会把知道的事情一古脑儿都说了出来。主公假意和谈也算是最高机密,这种消息,自然要亲自告诉宇文化及,才显得出他投靠过来是多么的重要。只是小猫儿。"她挑了挑眉毛,"这样的消息你怎么会知道?"

　　"是我从师父那儿偷听来的。"孙白虎放低了声音,"师父在瓦岗各将领身边都有人。"

　　"哦?"萧晓云停止了动作,"我这儿呢?"

　　"也有。"孙白虎迟疑了一下,说出一个名字,居然还是萧晓云这次带着的人。

　　齐武听了就是一愣:"真的吗?"

　　"恐怕是真的。"萧晓云翻身跨上马背,"除了那些神佛鬼怪,小猫儿很少说没有根据的话。"她扭头朝孙白虎作了个手势,"今天你来救我,徐老道定然不会放过你。你的房间一直空着,你的位置我也一直留着,与其被他满世界的追杀,不如回来帮我。"

　　孙白虎嗯了一声也上了马,耳朵里听着萧晓云柔柔的声音:"我知道你一直想要修道,在那边吃尽了苦头几次差点丢了性命才得到徐世绩的信任,眼看大功告成却因为我而放弃。对不起,是我连累了你。"

　　齐武听了这话心里一软,再看孙白虎扭向他这边的眼里泪珠直打转,心里顿时五味杂陈。一边为孙白虎感叹萧晓云对下属体贴入微的关怀，另一边却酸酸的不知是羡慕还是嫉妒。

萧晓云并没有给他俩留下胡思乱想的时间，放眼看了一下聚齐的人数，叹了一口气："怎么只赶过来四个？"

齐武在一旁小声请示："是，可是一盏茶的时间已经到了，还要再等吗？"

萧晓云愣了愣说："不能再等了，若是停留下去，只怕宇文成都就要发现我们的行踪了。"她脸色有点暗淡，"在骁果斩杀的一人，出来时留守在骁果的五人，加上没有按照暗号赶来的八个人。二十个人，能够回去的居然不到一半。我还真的很失败！"

清脆的马鞭声一响，大黄马率先冲了出去，齐武与孙白虎对视一眼，扬鞭催马跟上，四个侍卫紧随其后，一行七人的身影在马匹扬起的尘土中逐渐消失。

一顿饭的时间过后，宇文成都在山麓的亭子里接到他父亲从军营里传来的急报，震怒之下派人去找萧晓云，却只看到破损的衣料和路旁草丛中丢弃的金簪银钿翠石玉环。

"传令下去——封锁童山洛水，任何人不准出入！"蓝田玉石在他的手里被捏得粉碎，玉屑从指缝一点点渗出，随着山间的微风沾得他满身都是，"樊智超，立刻带人前往洛水，不能让她有机会逃回瓦岗。记住，要抓活的！"

"是！"樊智超带人先退了下去。

"将军，这些人……"地上跪着的八个瓦岗士兵被捆得结结实实，低着头瑟瑟发抖。

宝剑猛然出鞘，寒光闪动血光四溅，跪着的众人还来不及出声就"扑通""扑通"倒了下去，满地都是人头骨碌碌四下里乱滚。跟着来的猎狗闻到了腥味兴奋不已，未等主人发令早已扑了上去，有两只甚至为了抢肉嗑了起来。

"萧晓云！"宇文成都无视眼前血腥，咬牙切齿地念出那个人的名字，恨不得将她生吞活剥，"放着享福的生活你不过，无门的地狱你偏走，这次再由不得你放肆！"

快马赶回清渠的路上，一行七人一言不发，心情格外沉重。被抛在骁果的那些兄弟们，已是难逃一死。

突然间齐武叫了一声，萧晓云的马跑出一段距离后才反应过来，当她勒住缰绳时发现所有的人都脸色怪异地抬头望天，于是顺着大家的视线望了过去：依然是晴朗的天空和几朵白云，只是不远处的山头上，升起了滚滚的烽烟。

"已经被发现了？"萧晓云看着三股烽烟在高空纠缠然后弥漫，嘴角露出一丝自嘲，"三烟齐放，我有这么重要吗？"

孙白虎没有心思理会她的黑色幽默，低头想了想才说："从这里到清渠还有三个哨卡，我们要想过去恐怕没有那么容易，不如改道走水路。"

"水路不行！"萧晓云拧了眉毛摇头，"我们已经走了这么久，现在改道洛水一定会跟追击的人碰上，还是继续从童山走。"

"可是哨卡……"

"没有关系。"萧晓云朝齐武努了努嘴，"令牌带出来了么？"

齐武点了点头，从怀里摸出一块虎头金牌晃了晃，耀眼的阳光下，孙白虎依稀可以看到上面"天宝"二字："这个是……他的令牌？"

"假的！"萧晓云接过来掂了掂又交给齐武，眼里全是狡诈，"乍一看跟真的差不多，反正也没有多少人认识。"说着话往怀里一揣，夹马肚跑了出去，"我早打听过了，除了第二个哨卡的张童儿，其他人都是低级将官，完全可以糊弄过去。"

仿佛是为了验证她的话，齐武飞马跃过第一个哨卡的木门时从怀里"唰"的拿出那个令牌，气势惊人一气呵成，原本围着他们的士兵早被震得放下兵器跪倒行礼。萧晓云也不下马，朗声"传令"："发现细作潜入，从现在开始严格把守，上至副将主簿，下到平民百姓，禁止任何人出入。以往手令全部作废,除非将军亲至!"

把守的校官跪在地上答应了一声。萧晓云道了声"辛苦",说了一句还要赶往下个哨卡传令就大摇大摆地过了第一关。

孙白虎和齐武还好,后面跟着的四个侍卫简直不敢相信这么容易就能出来,眼珠子几乎没有瞪出来。萧晓云呵呵一笑:"成功了一半!只要宇文成都没有从这条路追来,我们就能安全回去。"

孙白虎看了她一眼:"你怎么知道他不会走这条路?"

"洛水那条路比这里近了十几里,逃亡或者追捕的人都会选最近的路线。"齐武一边赶路一边解释,"所以我和萧晓云决定反其道而行,绕远路回去。"

孙白虎点点头,心里却有些不安,也不知道为什么,他就是觉得萧晓云会从童山离开,希望宇文成都不要有跟自己一样的直觉才好。

十里地很快结束,隐约看到第二个哨卡时,萧晓云放缓了缰绳,借着跨下宝马小跑的机会稳了稳神儿,与齐武相互递了一个眼神:"先去请人通报!"

张童儿是出了名的谨慎,在战场上很少出现,曾经有人嘲笑他为"守营将军"。据说隋炀帝曾经就这个外号询问宇文成都是否要将其罢官,宇文成都这么回答:"臣帐下善战之人众多,然善守者唯张将军一人。"自此之后,这守营将军的名字算是传开了,却再没有了嘲笑的含义,张童儿对宇文成都这个少年将军越发地忠心。

萧晓云对着眼前一团和气的人打起十二分注意:"张将军有礼!"

"夫人折煞末将了。"张童儿温和的回礼,"夫人今日突然造访,末将未曾远迎,多有得罪,还请见谅。"

萧晓云急忙摇头:"将军千万不要这么说,我今日不过跑腿替宇文将军传个口信,是临时赶来。"

"哦?"张童儿眯着眼睛把她身后的人打量了一番,"未知天宝将军有何吩咐?"

"有细作潜入！"萧晓云在地上踱了两步，厉声说，"宇文将军口令，从现在开始严格把守，上至副将主簿，下到平民百姓，禁止任何人出入。以往手令全部作废，除非将军亲至！"

"末将遵令！"张童儿跪下行礼，萧晓云不着痕迹地偏开身子，"既然如此，将军请打开辕门，我还要赶去下一个哨卡。"

"怎么？"张童儿面带诧异地说，"夫人要出去？"

"是啊！"萧晓云点头，没有丝毫的不妥，"不是还有一个哨卡么？我还要赶去传令。"

"可是……"张童儿似乎很为难的样子，"刚才的口令，除非天宝将军亲自来，否则任何人都不能出入。夫人这不是让末将为难吗？"

萧晓云听了一愣："素来听闻张将军谨慎，上次在酒席上我还只道将军虚与委蛇才惹来这些流言，今日一看果然如此。"她眯了眯眼睛，"怎么？将军连传令之人都要扣下？若是出了事情，你去宇文成都帐前领罪么？"

"在下没有其它意思，请夫人不要生气。"张童儿眼睛本就不大，这么一笑眯得跟条缝似的，"可是夫人，天宝将军并不在这里，按照命令，末将是没有办法放你过哨卡的。"他的脸白白胖胖的完全不是武将该有的模样，"至于天宝将军的命令嘛，夫人也不用担心，我派手下去传一声就好。"

萧晓云哼了一声："张将军，示警的烽烟想必你也看到了，这次事情不比平常，不然也不可能一次燃起三股，更不可能派我亲自来传令！"

"是。"张童儿脸上的笑完全没有变化，"末将斗胆问一句，天宝将军身边将官众多，为什么会单单派夫人前来传令呢？"

"出事的时候我们在打猎。"萧晓云有点烦躁地说，"宇文成都和我都只带了贴身护卫出来，樊智超英勇护主受了伤，宇文成都要赶回大帐处理事情，转来转去传令的事情就落到了我头上了。你还有什么疑问吗？"

"不敢。"张童儿又看了看她带着的侍卫，"发生了这么严重的事，夫人只带这几个人出来天宝将军就放心吗？我记得大婚的日子是三天后吧。"

萧晓云眉毛一挑："多谢张将军提醒，幸好宇文成都对我手里这支斜影弓还有点信心,不然当时受伤的就不止樊智超一个人了。"

"当时情况紧急,夫人愿替天宝将军分忧解劳真是我军之幸,可是末将不能再让夫人在成亲前再遇到什么危险了。"张童儿托了一盏茶递到萧晓云眼前,"属下这就安排人前往下一个哨卡传令,夫人若是不放心,可以在这里品茗等待消息。"

萧晓云没有回话,只是低了头仔细打量眼前的白瓷茶盅,粒粗而颜色不匀,形状虽然没有差多少,比起骁果营内常见的圆润如水的茶盅差了不知道多少倍。沉静了一会儿,萧晓云慢慢说:"好。"

张童儿仿佛松了一口气,吩咐了人前去传令。自己陪着萧晓云在一旁说闲话唠嗑,专等下一个哨卡的人回信。

齐武看了一眼帐篷外满天的晚霞,红彤彤地烧了半个天空,连夕阳都只能在其中看到一个淡淡的影子——他们已经在这里呆了快一个时辰了,若是再不走,宇文成都就真的要追上来了。

萧晓云斜倚在椅子上,赶了这么远的路眼睛里全是疲倦,一边跟张童儿聊天一边喝水,一不小心竟喝掉了整整一壶。有亲兵上来把茶壶续满水,张童儿起身亲自倒了一杯茶,双手捧着送到萧晓云面前:"夫人辛苦了,请用茶。"

端着茶盅的手像它的主人一样胖嘟嘟的,微微翘起的的食指上却有着厚厚的茧子。萧晓云笑着起身去接,突然间袖口刀芒一闪,齐武闪了个神,就听得"啪啦"一声,杯子在地上砸了个粉碎,萧晓云一手箍了张童儿,另一只手中的柳叶刀已经逼住了他的脖子。

"叫你的人都退下!"柳叶刀的刀尖上抹了淡淡的一层红色,齐武定睛看时,发现张童儿垂在身侧的右手正顺着指尖滴血。不用吩咐,他和孙白虎带领剩下的四人抽出兵器将两人围在中间。

"你是怎么看出来?"萧晓云也不着急走,"刚才我就在想,我的破绽到底在哪里?可是想破了脑袋都想不出来。"

"夫人好手段,说话说得滴水不漏,就连发难都挑了末将最大意的时候。"张童儿被她挟持着，居然还能笑，"只是夫人的下属并没有你那样的定力，脸上难免带出些许惊慌。这事夫人计划了多时，破绽自然是没有的，末将不过是有两个小小的怀疑：一是夫人来的时间有点早，居然只比烽烟晚来了一小会儿；这第二嘛，请恕属下直言，天宝将军从未让夫人单独出来过。"

萧晓云听了哑然一笑："他的确把我看得很紧。"手里的柳叶刀在他的脖子上贴紧，"不过无所谓，有张将军送我一程，走的也踏实些。"

"夫人说笑了。"张童儿稳稳当当地说，"末将今日放夫人出了这个哨卡，晚上脑袋就摆在天宝将军的案前。既然这一刀早晚都免不了，还是由夫人下手吧，我还能留个好名声。"

萧晓云听了这话手腕微微用力，柳叶刀在他的脖子上划出一道血痕。这张童儿虽然长得没有什么英气，却不闪不躲不叫不抖，仿佛那道伤痕不是划在他的身上。不光齐武、孙白虎，就连萧晓云也惊诧不已。

踌躇了一会儿，萧晓云说了声抱歉让人拿了麻绳把他仔仔细细捆个结实，又摸了一块手帕塞住他的嘴，才笑着说："晓云佩服张将军临危不惧的气度。可我记得大隋朝的军令，主将阵亡，所有的士兵都要陪葬。"张童儿听了这话脸色大变，嘴里塞满了东西却只能呜呜地叫，什么都说不出来，"你刚才也说了，下属们未必有这样的气度。只要你在我们手里，这一关，应该还是可以过的吧。"

齐武听了这话恍然大悟，和孙白虎对视了一眼，一个拎了张童儿的领子，一个把宝剑架在他的脖子上，在四个侍卫的保护之下，跟着萧晓云往外走。此时哨卡中早已挤满了士兵，刀剑出鞘，寒光闪闪，在夕阳下格外的冷冽。可是就像萧晓云预料的那样，没有发布命令的张童儿同样能够发挥人质的作用——虽然贴着刀锋枪尖走过，可是没有人敢上来对他们下手。

七个人牵着马出了哨卡，萧晓云看着后面乌压压跟着的一群人，弯腰对张童儿说："张将军，真是不好意思，你的手下跟得太紧，还要麻烦你再送我们一程。"

齐武把张童儿抛上坐骑，自己一翻身先跳了上去打马离开。萧晓云带着孙白虎和其余四人护在后面,等了一会儿才打马离开。就在这时,哨卡营内忽然一阵喧哗,传来隐约的人喊马嘶声,萧晓云脸色一变,大喊一声:"快走!"

孙白虎反应快,先跟着跑了出去。一个侍卫愣了神,等他们都跑出七八丈才反应过来,慌张之下又勒缰绳又踹马肚子,弄得身下的坐骑原地直打转,不知该跑还是该停。这么一耽搁,心口就是一凉,低头只见胸前亮晃晃的剑尖在夕阳中散发着诡异的金黄,身子一晃从马上栽了下去。

赛龙五斑驹踩着轻盈的小碎步跳到他的身边,宇文成都伸手拔出抛来的宝剑,随手入鞘,盯着远处逐渐消失的黑点冷冷一笑,蓝色的眼睛已经因为杀意变的深邃幽暗:"追!"

齐武隔着大老远就听到萧晓云在背后叫他扔掉张童儿,虽然不明白为什么,他还是停下来把张童儿放到路边,正犹豫要不要解开绳索的时候,萧晓云已然冲到他背后,在马屁股上狠狠地抽了一鞭子:"快跑!"

"怎么了?"齐武任由马往前跑了两步,不明白萧晓云为什么这么惊慌。随后赶来的孙白虎也在他的马上加了一鞭,头也不回地说:"宇文成都追上来了!"

仿佛是为了印证他的话,在他们身后传来一声惊叫,然后是越来越近的惨呼。一匹马飞快的越过他们,留下一个鞍上无人、后腿带箭的背影,跑了一段路后扑通一声栽在地上口吐白沫。齐武跟着萧晓云纵马跳了过去,眼角的余光撇到马身下面的半只胳膊,那胳膊扭曲地露在外面——筋骨显然已经折断。在他们的背后的路上,多了一道歪歪斜斜的黑红色印迹,黏稠的混合着地上的黄土,时断时续。

已经没救了,齐武不停的抽打胯下的骏马,心里发凉。那人被惊马拖了那么长的路,再被马完全压倒,不管是谁,都会当场断气。

路旁的风景从眼角飞过,连成一道绿色的屏障。齐武专心策马狂奔,耳边的风声越来越响,送来背后越来越近的笑声。狂放、无忌、轻蔑、得意,伴随着的,还有时不时发出的痛呼,可是他不敢回头看,只要速度放慢一点,下一个痛呼的声音就会从他的嘴里传出。

比闪电还迅速的一道风从耳边刮过,夹杂着报复的快感扑向了前面的人。齐武还来不及出声提示,就见前面那个薄弱的身影在马上晃了两晃稳住身形。就在这一瞬间,又是一支长箭飞过钉在那人的背后,这下她终于没有坚持住,身子一歪从马上栽了下去。

齐武猛地拉缰绳跳了下来,孙白虎这时已经平平地从飞驰的马背上飘了下来,朝地上的萧晓云跑去。迅疾变化的景色一下安静了下来,齐武站在土地上只觉得脚下轻飘飘的,两眼无主地看着孙白虎咬牙折断她背后的两支箭,然后颤抖着双手将她翻过来。沾满尘土的脸颊上有撞出来的紫色淤肿,还有长长的一抹血迹,幸好眼睛还是明亮的,幸好她还会说:"别管我,快点走!"

可是,谁又能走呢?。

赛龙五斑驹在他们面前踏步,上面端坐的人青衣短打扮,身背长弓腰佩宝剑,高大的身形遮住了他们的所有天空。在他背后,夕阳的最后一缕光线痛苦地挣扎了两下终于消失。

黑夜,降临了!

第十章 虎口逃生

　　肩膀上是刻骨的疼,像发达的网络中嵌入了一颗大钮钉,每一个细小的动作都牵动压迫着敏感的神经,挤压着脆弱的血脉。

　　身上是拆散了的疼,骨头在重击下完全散了架,咯吱咯吱的响,怎么也找不到应该对位的地方。

　　脸上是肿胀的疼,脑袋里的血液轰的一声全部涌了上来,一股一股地结成一个个死结,互相挤压着彼此冲击。

　　手臂疼得根本动不了,勉强打出去的柳叶刀毫无威力地被人接住扔到一旁。

　　手刚碰到斜影弓就被对方握住连拽带拉,为什么弓弦周围这么多血?刚才那一声,是手掌骨折了么?

　　后踢的动作分明又准又狠,为什么会被抓住腰甩得这么远?

　　整个背着地时好疼,胸前的衣服又湿又粘,是两支箭已经穿透了吗?

　　疼,浑身上下仿佛没有一处是不疼的,真的好疼。

　　可是比疼痛更慑人心魄的,是恐惧,一种发自心底的恐惧。

　　谁钳住了脖子,周围全是绿色植物为什么氧气这么少?

　　谁拽住了领口,衣服撕裂的声音怎么这么刺耳?

　　妖魔般高大的男人,寒光闪闪的宝剑,铺天盖地的黑暗,逼入骨髓的杀气，还有，还有……残忍的，兴奋的，深蓝的眼珠……

"啊……"

"晓云！晓云！"有人捧着她的脸着急地叫："你没事了，真的，没事了！"

声音停了下来，涣散的视线过了一会儿才慢慢汇聚。素白的衣服，明艳的脸庞，疲惫的神色，焦急而泛着血丝的杏眼。"小凤？小凤。"她的手动了动，然后仿佛想起什么一样偏过头，"对不起，我又做噩梦了。"

"没有关系。"朱玉凤小心翼翼的扶着她的身子，摸了摸身上的衣服，"都被汗打湿了，换一件可好？"

萧晓云摇了摇头："不用了，反正还要打湿，一天七八套衣服换着挺烦的。"

"不麻烦。"朱玉凤解开她的衣带，拿起床头一整套青色衣服给她换上，动作轻如羽毛，仿佛在保护最贵重的珍宝。

萧晓云低头看着朱玉凤在自己腰间松松地打了一个蝴蝶结，沉默不语。倒是朱玉凤，摸了摸她的脸柔声说："我让人把这身衣服洗了，一会儿就回来？"说着话，逃也似的跑出门，临走前却不忘将门轻轻的掩住。

屋子安静的没有一丝生气，萧晓云眼珠一动不动地看着眼前的桌椅板凳药碗绷带，过了一会儿才叹了口气，慢慢从床上下来。

朱玉凤抱了衣服努力地往前跑，每次都是如此，分明是萧晓云受了重伤，可总能笑得与己无关。自己都已经心疼得眼泪直掉，萧晓云还能用缠满绷带的手安慰她，在这样的萧晓云面前，哭泣已经变成了一种罪过，于是她只好在眼泪夺眶而出的时候急忙跑开。

泪眼朦胧中根本分不清路，她就这么跟跟跄跄地撞上了人。"朱姑娘？"那人扶住她，"怎么慌慌张张的，晓云出事了吗？"

"裴……裴将军！"朱玉凤本来是要收了眼泪行礼，听到对方一提萧晓云，哭得越发的凶，"晓云她，她……再没有其他大夫了么？那些安神药根本不管用。"

"慢慢说。"裴行俨扶着她坐在长廊边上，"晓云还一直做噩梦？"

122

"是。"朱玉凤抽抽噎噎地说,"醒着的时候跟没事人一样,老老实实的吃饭吃药,也能说能笑,可不知怎么了,就是不能睡觉。一闭上眼睛就出冷汗打哆嗦,睡不了半个时辰就醒。"

裴行俨沉吟了一下:"回来都五天了,天天如此吗?"

"是。"朱玉凤抱着衣服的手紧了紧,"她一天睡六七次,可是眼里的血丝一天比一天重。刚才我看她实在撑不住闭着眼睛打了个盹,谁知还不到一炷香的时间就……"

裴行俨看她哽咽得说不出话来,只好拍了拍她的肩膀:"我先去看看情况,明天让人拿着我的帖子去请参军魏大人。"

朱玉凤用手帕捂着脸,低头行礼:"有劳裴将军费心。小凤今天失态了。"

裴行俨笑着摇摇头,等她离开以后才顺着曲折的长廊继续向前走。这间院子是清渠本地士族周家的外宅,栽满了芙蓉牡丹,艳丽的颜色大朵大朵的铺开,从前厅一直伸延到后院,土墙上爬满了不知名的藤蔓,在一片姹紫嫣红中绿得让人注目。

院子里有轻快的声音传了出来,手停在门上,迟疑间,裴行俨听到里面淡淡的声音说:"又翻墙进来,明天我就让人在墙角种一片仙人掌。"

"嘿嘿,"有人憨憨的笑道,"我离这边比较近啊,从正门进还要绕好远呢。"

"秦大哥不是让你安心养病吗?"萧晓云的声音里透着关心,"绷带还没拆就跑出来了,当心秦大哥回去揭了你的皮。"

"这算什么。"说话的人豪气千云,"我罗士信想做的事情,有人阻拦得了吗?"

"哦?方才我听小凤说秦老夫人今日要上街买些针线,可惜她没有时间。现在离酉时收市还有一炷香的时间,秦大哥这个大孝子也该赶回家去了吧。"

"唉呀,我想起一件急事,要立刻赶回去。"里面的人似乎着急起来,咚咚咚的脚步声之后听得萧晓云大声叫:"罗士信,不许再翻墙,当心你肩膀

123

的伤再撕开！"

裴行俨不再迟疑，伸手推开门扬声说："她骗你呢，今个儿主公留了秦琼有要事商量，晚饭都回不去了。"

院子里罗士信两只脚已经蹬在墙上，正一手抓住墙头准备努力往上蹿。听了这话趴在墙头上扭脸去看院子中央的人，满脸都是狡诘的笑意，还给裴行俨翻了一个白眼。

接着罗士信抓住墙头用力一推墙壁，在半空中轻轻巧巧地翻了个跟头，跳进了最浓密的花丛中，顿时打落花瓣无数，粉白红紫的扬了满天。不出所料，萧晓云在他身后大叫："罗士信，你个辣手摧花的猪头，这些牡丹跟你有仇吗？"

罗士信才不管这些，咧着大嘴从花丛中跳了出来，拍了拍身上的花瓣，眉眼间全是得意，脑袋后面扎着的小辫恨不得翘到天上去。顶着一头的花瓣，罗士信冲裴行俨拱手："裴大哥，你们慢慢聊啊，我回去了。"

礼还没有行完，他忽然一转身，手臂微伸五指成爪接住脑后飞来的"不明物体"，定睛一看立刻笑嘻嘻地说："唉呀，我最喜欢吃这种果子了，谢谢啊！"说着话，大口在红色的果子上啃了一口，乐呵呵的出了院门自去回家。

裴行俨看了看墙角惨不忍睹的残枝败花，再看看萧晓云佯怒的脸，忍不住笑了出来："这些都是他干的？"

"可不是？"萧晓云叹了口气，"你可见过这种不懂得怜香惜玉的人？"

裴行俨听了这话心里一动，想到那晚的情景，忍不住上上下下地打量着萧晓云。脸颊上的伤口已经结痂，红里透黑贴在脸上；顺滑如水的长发如今只留下短短的发茬，在脖子后面凌乱的散着；细细密密的绷带从肩膀一直缠到手腕上，左手的小臂用木片固定，用一根米白色的带子绑在胸前。由于这只胳膊断了，青色的长衫只能穿半边，贴身穿着的白色肚兜露出一大半，半遮半掩间可以看见上面绣的临水垂柳，绿色的枝叶随人体勾勒出贴合的曲线。裴行俨猛地移开目光，低头时看到长衫中露出的小腿，绑着的绷带隐藏不住诱人的弧线,包裹住纤细的脚腕……

萧晓云莫名其妙地看着裴行俨把她打量到一半突然脸色变了变,然后一语不发地进了屋子。心里惴惴的,不知自己犯了什么错儿,迟疑了一下忍着疼从石凳上慢慢站起来,却见裴行俨很快从屋子里出来:"坐下别动!"

嗯?萧晓云眼看他手里拎了双青缎面的锦靴,愣了一下慢慢坐了回去勉强抬了抬右手去接。裴行俨看了看她缠着的吊在胸前的左臂和缠满绷带的右臂,想了想没有把靴子递给她,反而弯下身去伸手扶住她光着的脚

灼人的疼痛隔着绷带顺着脚底嗖嗖往上窜,萧晓云只觉得脑袋里"轰"的一声,嘴里轻轻叫了一声,忍不住就要把脚往回缩。裴行俨感觉手心里的人颤了两颤,把她的脚握得更紧,低声说:"疼得厉害吗?忍一忍就好。是我疏忽了,养伤的时候本不应穿这种靴子,明天我让人做一双细软丝履送过来。"

萧晓云脸上滚烫,不用照镜子都知道红的很厉害,眼皮子下的黄木簪子格外的晃眼,她只能偏过头去望着被罗士信踩坏了的牡丹花渠,嘴里低低地说:"谢谢裴大哥。"

那一日从马上摔下来,先是眼前天旋地转的景物,然后整张脸埋在了土里。混杂着血腥的黄土味直窜入鼻,让人想呼吸都呼吸不了,想吐又吐不出来。身体被摔得散了架,脑子里却是清醒的,她知道,只要有一个人能回瓦岗带了队伍来,大家就都有救了。

所以才对孙白虎说:"别管我,快逃。"

恨只恨孙白虎这个笨蛋,下马折断了肩膀上的箭后,抱着她仍不肯松手,只让齐武先走;一向以大局为重在她犹豫时能逼她杀人的齐武也昏了头,他上来看了看她的伤势居然说了句:"你带她走。"随即长剑出鞘守在身边。

"两个笨蛋!"萧晓云挣扎着从孙白虎怀中站起来,"马上回去搬救兵!

不然就都死在这儿了！"

孙白虎手忙脚乱地给她当支撑，小心翼翼地避开她的伤口："齐护卫你不要逞强，快回去搬救兵！"

"你带她走！"齐武盯着逼近的宇文成都，头都没回："我的武功比你好，还能拖上一阵子。你骑了马带她走，再走两里就能过哨卡了。到了我们的地界就安全了。"

说话间宇文成都已经来到了眼前，坐在马上居高临下地看着他们三个："萧晓云，你真养了两条好狗——自身难保了还这么护着你。"随之轻蔑一笑，蓝色的眼睛里透出一丝残忍："只可惜了，你们谁都逃不掉。"

的确逃不掉了，十八人的护卫队如今只剩下一个人，还被对方的随从扭着胳膊做俘虏。除了艰难的喘息，大口地吐血，他已经无法再有任何的反抗，可抵三千精兵的宇文成都，想要他们三个人性命简直易如反掌，何况背后还有二十骑骁果护卫

萧晓云苦笑了一下："到了这个时候，横竖都是死。"她的眼里已经没有了刚才的气恼和慌张，反而恢复了从容，"一人负责一边吧！杀死一个不亏本，杀死两个就算赚了，要是能伤着宇文成都一分一毫，也算是入宝山不空手！"

齐武笑了起来，脚尖一点从地上踢起一把长剑接住递到她手里："斜影弓你是不能用了，不如用这个防身！"

孙白虎也平静下来，伸手抽出腰间的龙渊宝剑摆出剑势，锋芒直指宇文成都。

三人同心，其利断金！

"三人同心，其利断金。"裴行俨帮萧晓云穿好靴子在她身边坐下，"这话是你当时说的？"

"是。"萧晓云觉得脸上滚烫，头抬到一半又垂了下去，"是我太意气用事了。"

裴行俨一愣:"此话怎讲?"

萧晓云一直低着头,没有看到他脸上诧异的神色,因此只照着自己的思路解释:"要是我当时能够冷静一点,留下来拖住宇文成都,白虎和齐武也不致伤成那样。至少……至少也会有一个能够安然无恙的回来。"

在宇文成都面前,这样的三个人根本不堪一击。

第一个冲上去的孙白虎被宇文成都侧身闪了过去,对方反手握剑轻轻一挥,也没见什么花俏的动作,孙白虎的长剑就掉了地,握剑的胳膊血流如注,垂下的手指上一滴滴地往下掉血珠子。

相比而言,自幼习武的齐武倒是跟宇文成都比划了两招,"铮铮铮"几声清脆的剑响之后宇文成都哼了一声,当空绽开三朵剑花,虚实难辨。齐武犹豫了一下,立时肩膀中剑,栽倒在地。

不过眨眼之间,三人已有两人被俘。

萧晓云手里的长剑是用来支撑身体的,根本不能对战。宇文成都走到她面前,只用宝剑在上面轻轻一敲,她的身体就晃晃悠悠地倒下了。宇文成都冷笑一声伸手去捞她的腰,眼前忽然寒光闪动,一道青芒夹着腥风扑向他的眼睛。

目标准确,气势狠毒。唯一可惜的,是速度不够快。若换了别人,就算不被射瞎眼睛,也会有所损伤。可是对付宇文成都就不一样了:只见他伸向萧晓云腰部的手轻轻一变,中指一缠一按,金丝拉着的柳叶刀立刻失了力道,从半空中猛然坠落。

"这点小把戏……"宇文成都似是说给她听,又似乎在自言自语,拽着萧晓云的领子把她拉到眼前,"能伤到了我?"

一声闷响,萧晓云捂着肚子倒在地上,弯成虾形的身体不自觉地颤抖着,疼得满脸都是汗。

"很能忍啊。"宇文成都又把她拉了起来,另一只手抓住她的头,强迫两人面对面,"居然一声不吭,嗯?"说话间,又是一记铁拳直袭她的肚子。闷闷的声音从耳朵直传到心脏,胃部的痛嗖然传遍全身,铁锈味随着神经一股脑儿地往上涌,还未等她明白过来,一口鲜血已然喷出。

宇文成都今日穿的是明黄便服, 被萧晓云这一吐,立刻变成红黑色。可是他居然不气不恼,抓着萧晓云的领子说:"这副样子了,你还能逃到哪儿去?"

血吐出来后,原本压在胃里的疼痛感居然少了许多。萧晓云被宇文成都拽着头发,大口大口地喘气,嘴角微笑如常:"大不了一死,当我怕了吗?"

宇文成都听了这话一愣,萧晓云抓住这个机会将他猛地一推,落地后转头就跑。宇文成都身随影动,三步并作两步跟在她后面,嘴里冷笑:"看你还能跑多远!"话音未落,前面的人突然脚尖点地跳上半空,一条腿高高抬起,脚腕用力从上而下劈了过来。

这是跆拳道里面的后踢,也是当年她练得最熟的一着,就连裴行俨在比划拳脚的时候都曾输在这一招下。萧晓云眼看这招就要得手, 心中暗喜。谁知宇文成都身子向旁边一闪,平时看来坚硬如钢的胳膊突然变得柔韧异常,弯了两弯绕过攻击竟然抓住了她的腰带。惊骇之下萧晓云只听得耳边风声呼呼作响,等明白过来已经被甩出老远,摔在地上。

这次是后背着地,身上传来"噗噗"两声。骨头整个散了架,肩膀上钻心的疼痛,整个右手失去了知觉。萧晓云再忍不住了,不由呻吟了两声,低头看时,月白的贴身夹袄上汩汩往外渗血,渐渐绽放出血色的花朵,在沾满尘土的衣服上格外炫目。

一阵风从庭院里刮过,已经有了初秋的凉意。只着一件外衫的萧晓云不禁打了个哆嗦,裴行俨见状,说:"不如回去休息吧。"

萧晓云很快摇了摇头,沉默了一下又说:"好。"

裴行俨见她脸色灰暗,想了一想才说:"也罢,这五天一直在屋里躺着,想必也憋闷了。还是在外面坐会儿,我进屋拿件袍子出来。"

萧晓云看着他进了房间,又很快出来,手里是一件浅青色的战袍。身体不自觉地向后退了退,却被裴行俨扶住:"先披上御御寒,你的身体受不起风。"

　　胳膊无法行动,萧晓云只能任由裴行俨帮她系上带子。与朱玉凤的手不同,裴行俨的手很大,很厚实,指头短而粗,突出的指节看起来很笨拙,却能灵巧地在她眼前打出一个漂亮结。他把手缩回去的时候,不小心碰到了她低下去的下巴,感觉到上面厚厚的茧子。

　　温和的触感将充斥在心里的痛苦和孤独逼退了一些,萧晓云几乎能够听到自己的灵魂在压抑和痛苦减轻时的舒张,不由身体向前倾了一下,靠在对面的温暖中:"对不起!"

　　突然投入自己怀中,裴行俨一时有点手足无措。正犹豫时,听到自己怀中传来闷闷的声音:"我一向按照自己的标准行事, 连累了你们并不是我的本意,对不起。"

　　"我一向按照自己的标准行事!"面对宇文成都的怒气,倒在地上的她是这么回答的。

　　"你的标准?"宇文成都走了几步,弯下腰由上而下俯视着她,"背叛结义之情,伤我侍卫,与我兵刃相见、骗婚逃跑还绑了我的将军……"他的蓝眼睛里深深的全是风暴,"这就是你的标准?"

　　握紧了身上唯一的武器斜影弓,萧晓云一脸无畏地看着他的眼睛:"你错了,宇文成都。我们从来就不是一个阵营的人,这才是我的标准!"

　　胳膊猛地被钳住,宇文成都英俊的脸上是从未有过的扭曲:"你再说一遍!"

　　"再说一百遍也是一样!"萧晓云在疼痛中同样失去了理智,"宇文成都,告诉你,我们两个是敌对的两个人,从一开始就是。"眼里闪过愤恨,"到死,也还是!"

　　"嘎嘣!"握着斜影弓的胳膊传来清脆的响声。也许是之前的疼痛太重了,萧晓云盯着折成两节的小臂半天没有反应过来。

　　"敌对的?"宇文成都看着她竟然笑了起来,"如你所愿,我就让你享受一下的敌对的待遇！"

斜影弓的弓弦猛地绕过她的手腕,钻心的疼痛中,她看到了被暴打的孙白虎与齐武,正被十多个人围倒在地上,在暴风雨般的拳脚下,连招架的能力也没了,更别提还手了。斜影弓的弓弦在她的胳膊上越绕越多,越勒越紧,她的心也像被这弓弦绞割了一般,疼得几乎心跳都停止了。

满身的伤痛,全身的血迹,身边的人的被打压,黑暗中看不到生路……难道,这就是自己一直追求的？这就是自己的标准的代价？

零散的短发下是小麦色的颈子,直没入青色的战袍中。裴行俨感觉到她不断的颤抖,想起朱玉凤哭诉的事情,指头伸了又伸,终于摸了摸她的头:"不要多想了。"她的头发仍如丝的顺滑,还带点微微的潮意。可惜这样的感觉没持续多久,顺着发丝移动的手很快便落了空,一个念头一闪而过——也许,她更适合长发。

这样的念头,也只是一带而过,快得让他仅仅捕捉到又不明白为什么。"晓云。"他的手没有从对方的头上移开,另一只手反而轻轻地扶上了她的肩膀,"即使白虎和齐武受了重伤,即使罗士信被削职反省,即使我和谢映登被关了禁闭,我们都没有怪你,不要因为这样而内疚。"萧晓云肩膀上的伤痛通过手掌传入心里,钝钝地扎在他的心底,"不管是谁,都不曾后悔过,这就足够了。"

没有听到回答,可是裴行俨却感觉到她的心情好多了。"休息一下吧。"他用自己都没有察觉的温柔说,"噩梦已经过去,从今以后,有我保护你。"

朱玉凤擦干了眼泪洗了把脸把自己收拾得没有哭过的痕迹后才回来,进门时却愣住了:裴行俨在夕阳下的身影格外高大,半弯曲的胳膊笼住怀里人的肩膀,笔直的身形让人相信他的坚强。萧晓云微微侧头靠在他的身上,呼吸缓慢已然睡着了。也许噩梦未曾全部褪去,眉头还会微微皱起,却没有再尖叫地惊醒过来。

面对裴行俨有点尴尬的目光,朱玉凤遥遥行了个礼将院门虚掩退了出去。靠在墙角长舒了一口气,也许,裴将军可以拯救她的噩梦。

朱玉凤想的没有错,虽然一闭眼仍然是血腥与暴力,虽然宇文成都蓝色的眼睛像幽灵一样在萧晓云的睡梦中不断出现,可是不知道为什么,危急关头,总有一道金色的圆弧出现在她的四周,把她从绝望的山谷中救了出来——就好像那天一样。

那一日,宇文成都用恶毒的言语刺激着她的神经,用弓弦一寸寸地绞割她已然断了的左臂,享受着她的疼痛,欣赏着她的扭曲。并不宽阔的山路上到处布满了他们三人的鲜血,那真是求生不得求死不能的绝地。

被弓弦勒得翻出来的嫩肉,泼墨画一样洒在黄土上的鲜血,呻吟和叫喊,模糊了又被迫清醒的意识。就算下了地狱,也不会身陷比这更残忍的折磨,尝试比这更难忍的痛苦。看着身上深深浅浅层层叠叠的带着鲜血的伤口,她自嘲地想,不管是千年之前还是千年之后,我似乎命中注定了要不得好死。不过幸运的是,失血过多总好过被车撞死。

就在她放弃了挣扎,放松了心态等待生命的流逝时,残害自己的人忽然躲闪开,接着一支白羽无棱箭落在她的身边。朦胧的视野中是上下翻飞的红色,随即身子腾空落入一个温暖的怀抱,久违了的声音在耳边响起:"晓云。"

得救了吗?

脸上的土和血被人轻轻拭掉,视野里虚幻的脸渐渐变得真实,焦急和心疼布满了那张面孔,却让她开心得几乎雀跃,然后有人把她接了过去。接下来看到的事情比做梦还要虚幻,却是如此的真实:紫金锤在空中划出华丽的曲线,闪耀着光芒逼得宇文成都不断后退。胜负已分,大局将定之时,她想起了那句被传得烂俗的告白:总有一天,会有一个披着黄金盔甲的天神来救我……

"单将军好!"

"嗯!嗯?"单雄信看着擦肩而过的人皱起眉头,"罗士信!"他大吼一声,"你怎么在这儿?"

"我来看六哥啊!"罗士信眼睛骨碌碌转了两转,绑着绷带的肩膀夸张地耸了耸,看得单雄信顿时头疼不已:"这个时候你还敢四处乱跑?主公不是削了你的副骠骑,让你反省吗?"

"是啊。"罗士信满脸无辜,"主公是给我削了职让我反省,但没说不让我出来走动。你也知道,小凤姐姐去照顾云姐姐了,就我一个人呆在秦大哥家,很闷的……"

"那你跑到我这儿来干什么?"

"找六哥啊!"罗士信摆出一副我刚才不是说过的表情,"六哥关在家里一定比我还闷,我来陪陪他。"眼看单雄信要破口大骂了,他急忙补了一句,"顺便交流一下反省的心得。"

"你!"单雄信刚激起的怒火生生被压住,顿了一下,他实在是没有心思再跟他纠缠——这两天跟宇文军的战斗几乎耗尽了他的心力。"算了,小六这几天也闷得很,你去陪他吧。"他摆了摆手,"不过你们两个可不许再惹事,不然我让秦琼也把你关起来。听到不?"

"是!"罗士信撒腿就往里面跑,边跑边嘀咕,"单将军真啰嗦,比秦大哥还烦人!"

单雄信在他背后哭笑不得,这个罗士信,现在皮得很,恐怕只有萧晓云能管得住他。想到萧晓云,他的眉头马上皱了起来,自从萧晓云受了重伤被救回来,宇文成都就没有停止过挑衅。裴行俨、谢映登、罗士信这三员猛将因为擅自调动军队被李密处罚。只剩下他与程咬金、秦琼强撑着,他们三人虽然功夫都不错,排兵布阵却不像裴行俨、徐世绩那么严密,五天之内连败七场,面对骁果的攻击,瓦岗现在是只有招架之力,全无反手之功。他按了按发疼的太阳穴,听说裴行俨与萧晓云都曾与宇文成都打过平手,这个时候应该找他们来两个合计合计,可是主公那边还在生气……唉,烦啊,真烦!

罗士信才不像单雄信这样烦,用萧晓云的话说——乘着机会享受一下生活,这才是反省的目的!何况他身上的伤还没好,不能上战场也没办法跟人比武,放眼整个瓦岗,除了刚才见到的萧晓云,只剩下一个人能够陪他——被关起来的谢映登。

说是关起来,其实只是一个禁足令。救了萧晓云回来之后,李密因为三人的行动破坏了整个的布局勃然大怒,幸亏孙白虎说出了郑铤叛变的事实,再加上一干武将极力讲情,这三人才免去了杀身之罪。然而死罪可免活罪难逃,罚俸、削职、禁足一样不少。其中最可怜的就是谢映登,身为中军主帅,未经禀告就擅自动用军队,罪名最大;再加上对阵宇文成都时,他的主要职责是压住阵脚保护好萧晓云,外加放冷箭,所以身上未受一点伤。事后,谢映登被单雄信拧着耳朵扔进厢房,一阵痛骂后给软禁起来了,除非主公发话,否则不许踏出院门一步。

萧晓云醒来听到罗士信的抱怨,只淡淡地说了一句:"他不让出来,并不代表我们不能进去。"

后来的情况应验了这句话的可行性。诸葛德威带着弓箭队众人天天上门去讨教,有时候还带些水酒之类的上门"感谢谢将军指点射术",把院子里弄得比集市还热闹。单雄信整天忙于军务对此睁一只眼闭一只眼,于是谢映登这关禁闭的日子倒也过得舒畅。

罗士信窜进院子时,谢映登正跟诸葛德威一群人大侃特侃射箭的门道,见他进来也不管自己说到哪里了,迎上来就问:"外面情况怎么样了?"

"还能怎样!"罗士信找了个位置落座,冲着诸葛德威一抱拳,嘴里说,"还不是天天输。"

谢映登听了这话坐回座位,叹了口气不再说话。诸葛德威趁着这个空档起身告辞,谢映登连头都没抬,还是罗士信把他们送到门口,再转身回来的时候脸上已经没了刚才的轻松:"不是我灭咱们的威风,想在咱们瓦岗里面找一个能打赢宇文成都的,比登天还难。"

"我知道!"谢映登点点头,"那天我们三个一起上阵,也不过勉强打了个平手。"

罗士信从骁果军营回来后,把齐武的吩咐记在心里,每日带着人在童山一带巡逻勘查,就等萧晓云归来。眼看婚期越来越近,骁果那边仍没有任何消息传来,弄得罗士信越来越心焦。

这一日下午,他带人巡查时看到了骁果方向突然燃起了烽火,而且还是三烟齐放,显然情况万分紧急,赶忙回去与驻扎在前锋的谢映登商量。当时单雄信陪主公去了附近的镇子,想破了脑袋的两人只好拿这事儿去问在家反省的裴行俨。跟这两个整天练武极少动脑子的人相比,裴行俨的逻辑推理能力要强很多,他把前因后果串起来稍一思索就觉得这事八成跟萧晓云有关,立刻决定发兵攻打骁果;至于剩下的二成,反正萧晓云也不会嫁给宇文成都,提前三五天进攻也误不了什么。

等三人带着一万精兵杀过骁果的哨卡后,看到的情况让罗士信和谢映登在李密发怒要斩杀二人时,都不曾对擅自出兵的决定有丝毫的后悔。若是晚到一步,只怕萧晓云已经命丧黄泉了。

后面的事情是:谢映登当即开弓,五箭齐发逼得宇文成都放开了萧晓云;紧接着,罗士信拍马紧跟其上,丈八的长枪当胸直扑,迅如闪电狡如灵蛇,枪头抢圆了开出万朵梅花,把宇文成都逼得连连倒退了几步,裴行俨这才抢上前去救下萧晓云。

罗士信在郑州城外与宇文成都交手时吃过一次败仗,这次倚仗了谢映登的箭法高明,又抢得先机才将宇文成都逼退了几步。等对方稳住心神再抽宝剑杀回来时,胜负之数已然扭转:眼看对方宝剑微挑身形一晃,顺着枪尖的缝隙杀了进来,寒光凌厉直袭罗士信的心脏。罗士信大惊之下抡出手中的长枪急速撤身,但肩膀仍被刺中。

裴行俨见状转身将萧晓云交给谢映登,取下紫金锤拨马上前与宇文成都战在一处。罗士信捂了肩膀去捡脱手的长枪,反身再想杀回去时就是一愣:比起他的枪法,这紫金锤的速度着实慢了很多,但左砸右抡前架后压,一招一式看的十分分明,偏偏宇文成都就是攻不进去,只见他手中剑光漫天铺开遮天闭日马前马后不露一点缝隙,但却只能在外围游走,近不得裴行俨身前半分。

裴行俨的招式简洁有力变化极少,明明是极普通的招式,却让人生出一种不可抵挡的力量,而宇文成都也一改往日的霸气,脸上的表情凝重,手里的宝剑也越发轻灵,不敢有丝毫懈怠。

谢映登张大了嘴巴,看着两人间的缠斗发愣,过了好一会儿才发觉衣袖被人拽着,恋恋不舍地把目光收回才发现萧晓云正努力睁开眼睛:"先救白虎和齐武。"她的嘴唇上满是血污,"宇文成都还有援军……"

谢映登猛地反应过来,立刻派人前去救人。罗士信虽然无法与宇文成都抗衡,对付他手下的侍卫却是绰绰有余,三两下救出了孙白虎和齐武。刚一归队,就听得背后喊杀连天,一队人马杀了过来,当中旗子上写着斗大的一个"张"字,正是守将张童儿。

孤军深入敌腹犯了兵家大忌,罗士信深吸一口气,正要派兵布阵准备迎敌,只听当的一声脆响,缠斗的两人已经分开,一截断剑砸入土中,宇文成都手里的剑断成两半。

裴行俨看了看越逼越近的骁果军队,微微思索知道双方都已无胜算,于是勒马向后举手示意:"撤!"

带来的士兵立刻后队改前队,由弓箭手殿后慢慢退去。宇文成都虽然咬牙切齿,怒火中烧,面对裴家军井然有序的撤退也毫无办法,只好收兵。

第十一章

高情厚意

义宁二年(唐武德元年)六月二十六,李密假意和谈的计划泄漏,瓦岗与骁果的战争再次掀起。

这天夜里,喝多了酒留宿在谢映登的小院的罗士信模模糊糊地问:"如果宇文成都拿的是他的凤翅镏金镋,你说裴将军还能赢吗?"

谢映登沉默了半晌没有回话,摇了摇头拎起酒坛一顿猛灌。罗士信呆呆地看了他一会,终于哈哈一笑醉倒过去。

从下午就睡过去的萧晓云一直没醒,裴行俨将其抱入房间之后发现自己的衣角被她攥得死死的。床上的人满脸的安宁,月光给微微翘起的嘴角勾出好看的形状,然后透过浓密的睫毛在脸上洒下淡淡的灰色。裴行俨对着她随呼吸而微微起伏的身体发了一会儿愣,苦笑一下终于没有将衣角抽出。

李密在行宫里对着地图皱眉,没想到宇文化及在缺粮少饷的情况下还能让瓦岗连吃七场败仗,他真是低估了骁果的实力。李密他在地上踱了几步,看看跪着的单雄信、秦琼、程咬金:"凭我瓦岗人才辈出,难道还能奈何不了一个宇文成都?"他狠狠一咬牙,"传令下去,明日辰时造饭,已时拔营。在童山与宇文老贼决一死战！”

清晨的阳光透过窗棂洒进屋子,在地上画出一个个小格子。参天的白杨在早秋的风中沙沙作响，繁茂的枝叶带着轻盈的影子在这些格子中跳舞,变换着各种图形。躺在床上的人儿被杨树深处传来的鸟鸣扰了睡眠,嘴里嘟囔了两句抓起被子蒙在头上就要翻身，却被斜刺里伸出的一只手扶住阻了动作。

“我要睡觉……”乌黑的发丝散乱在脖颈周围，衬得躺着的人一脸苍白,脸上的淤青越发明显,“小凤,去让那些鸟住嘴……”

守在一旁的裴行俨听了这话就是一愣,躺在床上的人抽了抽小巧的鼻翼,睫毛翕动了几下依旧闭着眼睛,脸颊两边鼓了起来,好似塞了两个包子,嘴唇保持着不变的弧度却微微噘着:“凤为百鸟之王,所以你可要管好自己的下属……”还未完全清醒的语调里浓浓的满是调皮,手指也慢慢地抚上了扶在她身侧的手,“要快点哦,我还要睡觉。”

撒娇的口气毫不掩饰,带着黎明前的暗哑和清晨露珠的清冷在裴行俨心底荡起一片涟漪,恍神间自己的手就被修长的手指灵巧的缠绕了,他忍不住低头垂目去看那低于自己温度的手：与他所见过的任何一个女人不同,这双手因为长年日晒而显现出早秋麦子的浅黄色。但在自己粗糙的手里,她的皮肤仍有着女子特有的细腻,在阳光中泛出淡淡的金色。与手背上的细腻相对应的是她指肚上粗厚的茧子,随着指间的摩挲,他可以明明白白地意识到这些茧子背后所代表的艰苦——一个女子数年来在战场上辗转求生的见证。

距离两人第一次相见,已经五年。

五年前,他见她的时候,她还是养在深闺里的少夫人,站在雪地里被严寒冻得瑟瑟发抖等待丈夫归来;

五年前,他和她相处时,她的智慧背后还有着孩子般的童真,她会巧妙的转走话题背着众人调皮的吐吐舌头;

五年前,她对着他的时候,眼里满满的都是崇拜,被段志玄拉扯得东倒西歪,然后将笑意洒满整个庭院；

五年,整整五年。

段志亮敬重的忍辱负重的二嫂；

秦琼赞叹的冰雪聪明的段家少夫人；

程咬金口中心计颇深的结拜义弟；

罗士信崇拜的为人直爽的兄长；

齐武护卫着的可以掌控人心、分兵布阵的人；

以及突然名满天下又快速消失沉寂人间的"银月弓"段志岚！

他也曾努力将众人口碑中的她与记忆中的那个女孩相对比,却无论如何难以将两者重合。直到两人再次见面,简陋的房间里只有一支蜡烛燃烧出苍白的火焰,穿着半旧的淡青色长衫的她在其中长身而立,或轻蔑或郑重,或微笑或恼怒,脸上是生动的不加修饰的表情,藏在内心深处的却是根深蒂固的执着。就在这个站在他面前的人几乎让他已完全忘却了的时候,倔强却像五年前一样再次从她灿若星辰的眼中显现了出来：更加傲爽,更加坚定,如同展开翅膀的雏鹰,带着眩目的美丽昏暗中散发出只属于她的光芒。

五年之后,她的天空已不再局限于临淄那个区区小镇,即或让人闻之变色的武将或是秉国执政的臣子,她都能从容面对；

五年之后,她已经善于把握大局,遇到事端不再犹豫或逃避,更多的是迎刃而上,坦然面对；

五年之后,除了覆盖在表面的微笑,她的眼里深邃的难以再读出任何感情！

让李密提防但又不得不重用的萧晓云；

让瓦岗将军们赞叹为义薄云天的萧晓云；

让军士们佩服为之效命的萧晓云；

……

她淡定地站在众人面前,将自己想要展现的一面展现出来了,却将其他的方面深深地埋在心底。

就好像人人都知道"玉影青弓"的威名,却不知道她不论酷暑或寒冬,每天要拉弓射箭三个时辰。

就好像人人都知道她饱览群书博学多才,却没有人注意到她房间里每日三更后才熄灯。

就好像人人都知道她用兵如神机智百出,却没有人知道每一场战争前她都要排出十几数种阵法以供抉择。

就好像她总用自己的坚定鼓舞着全军的士气,却没有人注意到她未泯的童心和不经意露出的娇柔。

无意中转动的目光再接触到脸上的淤青和身上的绷带,裴行俨的心底一动,竟然有了丝丝的抽痛:"这些年真是太辛苦你了……"

指间倏然掠过一阵寒风,一只手抽出了他的掌心,莫名的空虚随着那阵风扩散开来,将他整个人浸没,只剩下面前闪动的透亮的一双眼睛,里面全是不加掩饰的戒备,黑漆漆的深不见底。

"少将军光临,有失远迎,还请恕罪!"

早秋的暑意随着传出的话语如潮水般退去,留下一室的冰凉。

一向自信的眼底在冰冷中画上了失落的感伤,敦厚的脸上露出被疏离的惊讶,这似曾相识的表情也让萧晓云心里一怔,同样是一种淡淡的苦涩涌入她的心底。

她不自觉地低下了头,视野里慢慢的都是蓝色,薄薄的寝被团出不同的深浅,无规律地伸向床边。头顶上有人舒了一口气说:"是我逾距了,先到外面等候。"声音依旧温和,却多了一份冷漠。

就好像自己刚才说话的口气一样,让人觉得……很不舒服。

苦楚的味道越来浓重,萧晓云张了张嘴刚要说话,左臂猛地一阵刺痛,像要被拉开一样,几乎可以听到肌肉撕裂的声音,忍不住大叫一声跌倒在床上。

裴行俨本来站起来刚要往外走,听到这声痛苦的叫喊,还未扭头就见房门咚的一声响,一个白影从他身旁瞬间飘过,直扑向床上的人:"晓云,你被他欺负了么?"

　　来的正是朱玉凤。

　　裴行俨这下越发尴尬,站在床边走也不是,停也不是。只得讷讷地低了头。只见萧晓云脸色煞白,额头上豆大的汗珠扑簌簌地往下落,嘴唇早已没了血色,即使被牙齿死命地咬住,依然在微微哆嗦。她的右手正捧着左臂,抓得太紧以至于手背上暴出根根青筋,原来是左臂受了伤。裴行俨有点奇怪,只是躺在床上,怎么就疼成这样?

　　再仔细一打量,竟然发现她的左手中露出一点黄色,软软的并没有随着床脚垂下去,而是向上延伸——原来是被她握了一夜的衣角。

　　显然朱玉凤也看到了这些,杏眼瞪得圆了死死盯着那片衣角,扶着萧晓云的胳膊劈手把那片衣角往外抽,嘴里却不饶裴行俨:"虽说她这次没能完成任务的确该罚,可是少将军这个惩罚也太重了吧。这只胳膊已然断了,还要拉断了筋……"

　　"小凤,"萧晓云在床上虚弱地打断她的话,"并不是裴大哥的错,是我自己疏忽了。"

　　"你闭嘴!"朱玉凤狠狠地瞪了她一眼:"你以为自己是铁打铜铸的吗?今天断一次,明天折一下,隔不了几天就浑身是血的回来。你?你!"她看到萧晓云忽然弯了眉毛,细长的眼睛眯成一条缝,失去血色的脸居然笑得很开心,气得连话都说不完整,"你笑什么?"

　　"小凤……"萧晓云放柔了声音,刚才疼得满眼流泪,泪光波波潾潾地在狭长的眼眶中闪灼,"我那天只是被吓倒了才会有一点晕血,其实你也不必总穿白衣啊……"

　　站在一旁的裴行俨这才明白朱玉凤这几天总以素色的衣服示人的原由,不过被萧晓云这么一打岔,原本的尴尬也少了几分,再看她眉毛一挑给朱玉凤抛了个媚眼,虽然足够魅惑,不过配上那张青一块紫一块的脸却有着说不出的滑稽，撑不住也笑了笑，心里的烦恼霎时去了大半。

萧晓云本就想要为刚才的事情道歉，可看着裴行俨不温不火的样子又不知如何开口。这时见他脸上不似刚才那样僵硬，急忙抓着机会说："裴大哥，刚才我……"

"咚"的一声巨响打断了她的话，杂乱的脚步声在院子里响起，听声音竟像是一群人冲了进来。萧晓云只得咽下已经到了嘴边的话，朱玉凤不用吩咐，早已起身出去查看。裴行俨收了笑容坐直了身体，想了一想又站起来，踱了两步坐到旁边的一张椅子上。再抬头时只见萧晓云已经从床上起身，拿了个垫子倚在腰后坐直了身体，脸上挂着一贯从容的微笑注视着门口的动静。

裴行俨略略看了她一眼，也把视线转向门外，只是不知道为什么，竟然会觉得萧晓云那招牌的笑容已黯淡了许多。

这个发现并不足以让他有太多的联想，裴行俨很快地把理由归结为伤痛未愈，何况在罗士信一脸焦急冲进来的时候，裴行俨已将自己的想法抛之脑后了。

"出大事了！"罗士信一进门礼还未行完，嘴里已经自顾自地说，"有探子报，主公现在不敌宇文贼子的攻击，正节节败退！"

"败退？"裴行俨听了这消息惊得从椅子上跳了起来，"这到底是怎么回事？"萧晓云也脸色微变："主公今天带了哪几支队伍上的战场？排了什么阵形？"

"单大哥的左军和骠骑军。哦，还有王君廓将军的一万人。阵法……阵法是……"罗士信开始头大，他一向都是听着上面的指挥厮杀，要解释阵法这种东西，对他来说比登天还难。

听到自己的队伍并没有被拉上战场，萧晓云内心倒是平静下来，放松了神色打断他的话："算了。今个儿上阵的将军们个个武艺高强，又极烦排兵布阵这种虚事。不用说，定然是一字排开集体上阵往上冲。"

裴行俨并没有如萧晓云一样轻松，反而更加着急，站起来一把拉住罗士信的胳膊："现如今谁在留守大营？"

"程大哥！"罗士信急忙回答说，"情况紧急，大哥召集所有将官正商讨对策！"

萧晓云想都不想就摇头："宇文成都只不过是勇猛点，这种优势在用兵如神的主公面前也就能保持个一时半刻罢了，没有什么大不了。上次我们几个擅离职守，已经惹得主公不高兴，这次在反省期间若再闹上一回，就算天神下凡也救不了咱们。"

罗士信听了她的话顿时手足无措，再一扭头看裴行俨已经坐回椅子上一脸沉思，眨了眨眼睛略带置疑地说："真有这么严重吗……"

"天威难测！"萧晓云点了点头打断他的话，"不说其他，就是程大哥这么做也有些欠思考。虽说一心护主诚意可嘉，可是召集我们去讨论对策，分明是跟主公之前的决定唱反调。要是被那些文官们抓住了再做点文章，就不仅仅是逾距这么简单了。"

"那……万一主公那里真的不敌呢？"罗士信有点为难地说，"探子报来的消息我也看了，似乎真的很糟……"

"罗士信！"萧晓云轻轻呵斥了一声，"主公的能力是不能够怀疑的，你忘了前主公的护卫队都是怎么死的吗？"

散布谣言，动摇军心，随意诽谤上位者——翟让从起义时就带领的十八护卫就是被这个理由斩首示众的。秦琼曾经以此教导他谨言慎行，不过萧晓云也告诉过他，这些人最大的过错就是议论了李密打了败仗并借此怀念翟让。自那次事件之后，瓦岗人很少再提起翟让，可是李密从此也尽量少领兵出征。

罗士信被秦琼派来跟了萧晓云多日，也模模糊糊知道了一些带兵打仗之外的东西，今天被提醒之后又激凌凌打了个寒战，想了一会儿才小声说："可是这么呆着也不是办法呀。"

"不如再耐心等等。"萧晓云看了裴行俨一眼，斟酌着说，"毕竟主公带了八万人出去，就算被宇文成都占了上风，也不会这么快就收兵，不如再耐心等等,若是情况真的紧急了,程大哥应该还会再派人。"

裴行俨也点了点头:"这样也好,我们看看情况再做决定。"话虽然是说给罗士信,眼睛却看着萧晓云。

罗士信听了这话也不再四处乱跑,乖乖地呆在萧晓云这里等待消息,谁知消息没等着,倒是等来了一位意料之外的客人。

"我就知道你们都聚在这里。"来人穿了一件天蓝色道袍,头上却顶着青色的儒生方巾,一身似道非道、似儒非儒的打扮虽然有些不伦不类,却如同萧晓云的青衫斜影弓一样是瓦岗军中人所共知的招牌穿着。"好香的茶……"对方倚着门框嗅了嗅鼻子,"常听人说萧姑娘这里吃的茶与众不同,不知道我今天有没有这个口福?"

"魏大人?"萧晓云虽然表面上不动声色,心里却忍不住嘀咕,"真是稀客。"

"没想到吧?"魏征吊着膀子进了屋里,一屁股坐在床边毫不避嫌,抓住她的手腕微微一笑,"萧姑娘看起来很惊讶,这才让我觉得奇怪。"

这个动作大胆至极,看得罗士信傻了眼,就连向来不觉得男女有别的萧晓云都忍不住向后挪了挪地方。裴行俨对着魏征的侧影眼睛闪了闪,手指不自觉地弯了弯抓住椅子扶手却没有下一步动作——抓着萧晓云的手指微微弯曲翘起,魏征已经敛容收神开始号脉。

"寸口脉涩而强,气旺而血亏。"对方闭着眼睛喃喃自语,"表浮里沉,已无大碍,用心调养即可。"他睁开眼睛又把萧晓云仔细打量了一番,"萧姑娘的气色比我上次看到时好了很多,前几日那安神的药倒是可以停了,我再开个调理的方子慢慢吃着便好。"

"是。"萧晓云微微欠身在床上表示感谢,"劳烦先生专门跑来,晓云深感惭愧。"

"不来不行啊!"魏征起身往旁边的桌子走去,朱玉凤急忙跑来摆开文房四宝,恭恭敬敬地站在一旁磨墨。只见魏征伸手挑了一支小号狼毫,在指尖转了转说:"光昨天就有五六个人来问你的情况,我如何能不来呢?"

萧晓云听了这话一愣，旁边罗士信已经插进嘴来："既然魏大人这么说，那云姐姐什么时候能好？"听声音倒像是巴不得萧晓云当场就能跳下床来蹦跳给他看。魏征听了这话哈哈大笑："伤筋动骨一百天，萧姑娘的小臂折断，要想完全恢复，怎么也得百日之后。"他见罗士信脸上带出一点不悦，继续补充道，"你可别怪我不干事，要是养不好留下病根，今后可有她受的。所以这时间一点都不能短。"

"先生说的是。"萧晓云在床头微笑点头，眼角有意无意地从裴行俨手上扫过，萧晓云沉吟了一下才说，"先生向来事务繁忙，今日能拨冗前来诊脉，晓云感激不尽。若是先生不嫌弃我这里水薄茶简，不妨稍坐片刻尝一口再走。我这个屋子虽然简陋，可是偶尔闲坐听落花，也是别有一番滋味的。"

魏征听了这话连连点头："好个闲坐听落花，难得萧姑娘还有如此雅兴。"低头刷刷几笔将方子写好交给朱玉凤，"既然如此，那我就打扰了。"

萧晓云谦虚地说了几句不胜感激，转头吩咐罗士信跟着朱玉凤去从这几日得来的的瓜果点心中挑些自己爱吃的拣来，等两人出了门才扭头笑吟吟地对魏征说："听说先生如今也被关了起来？"

"真是惭愧！"魏征嘴里虽然这么说，脸上却显出一副严肃的神色，"萧姑娘消息倒是灵通。"

"先生多心了！"萧晓云低头看了看吊在胸前的胳膊，"断臂之仇，焉能不报？只要跟那边有关的消息，我都不会放过。"她的嘴角又上扬了五度，"就算是捕风捉影的消息，晓云都喜欢听，也愿意听。"

声音依旧清冷平和，如珠落玉盘般清脆悦耳，魏征听在耳里却失了神，手里的狼毫不觉僵硬了几分，几乎掉下去。幸好裴行俨及时插进了话："魏参军别理她，小孩子受了委屈难免想讨回来。晓云！"他断声喝道，"这次吃的苦还不够吗？你那些糊涂的想法还是早点了断干净！"

魏征见裴行俨神色凝重，萧晓云却靠在一旁撇了撇嘴，笑容越发清冷，来之前就埋在心里的疑惑越来越大，于是试探着问："那么二位将军以为本次童山之战……"

裴行俨淡定自若地说:"宇文成都天生勇悍,他手下的骁果也都是全国比武挑选出来的勇士。主公要胜此战,多费些力气就是了。"

萧晓云低着头看不到表情,过了一会儿才说:"我们在这里猜测有什么用,安心等人来报不就好了。"

仿佛在印证她的话一般,院门外传来罗士信的声音:"咦?怎么把战报送到这里来了?"

裴行俨听了这话先是惊讶了一下,立刻明白过来,魏征忍不住咳嗽了两声,等罗士信进来才清了清嗓子说:"我来看脉,无法分身在大营里参事。所以让程将军接到报告后送到这里一份。你打开看看上面说了什么?"话虽说得冠冕堂皇,却忍不住拿眼睛去瞟屋子里其他人的动静。裴行俨并未追究这话里的真伪,只是一脸焦急地看着罗士信拆信,萧晓云抬头朝他笑笑说了声:"先生费心了。"接着低下头,再一次将表情掩盖。

其实瓦岗这一战本来是可以避免的,敌方的粮草被烧了两次后本就没剩下多少了,又因为萧晓云与宇文成都的婚事,骁果军内部更是每日大摆筵席,花钱如流水。等萧晓云回来之后,他们不过只留下十余天的粮草了,因此宇文成都每日猛攻瓦岗,虽然打着被骗婚报仇的旗号,实质上还是为了能突围出去解决粮草的问题。因此魏征与一些谋士是反对出兵的,认为只要守过这剩下的三五天,骁果必然不战而败,这样不费一兵一卒就可以缴获全国最精锐的队伍。可惜"天下第一大将军"的称号实在诱人,宇文成都派人扛着这面旗子整日在战场上招摇叫骂,众位武将终于没能忍得这份诱惑,就连李密也动了心,中了宇文成都的激将之计,决定要用"更加正大光明"的方法赢得"天下第一"这个称号,调动营中绝大部分兵马,在童山与宇文成都决一死战。

魏征看着萧晓云的样子心里有点发凉,把手缩回道袍捏了捏袖子里那封来自徐世绩的密信,上面说得很清楚,若是主公真的迎战宇文成都,能够扭转败局的只有面前的这两个人。当时他觉得这封信来得蹊跷,现如今看来果真如此。留守在大营的将官虽是程咬金,可队伍却是裴家军的。裴行俨家世代为将,治军严谨,令行禁止。萧晓云在这基础上对将官们爱护有加,严明法纪收买人心,可以说,这俩人虽然都被关押着,可是瓦岗大营已经落入他们的掌控。万一主公遭遇不测,只要他俩不发话,他们连一万人的援军都派不出。

罗士信这时正拆开信认认真真地念:"贼军来势甚猛,王伯当将军的右翼损失较重,后撤二里。"

裴行俨听了这个消息只问了问主公所在的部队不再发话,萧晓云身上伤口太多,不能久坐,早已被朱玉凤搂在怀里,除了裴行俨问话时睁开眼睛看看他的脸色,其他时候都闭着眼睛,乖乖的样子仿佛趴在窗台上享受温暖阳光的猫。

在陷入安静的屋子里,连呼吸都清晰可闻。

从魏征的角度看去,萧晓云侧面的曲线因为缓慢的呼吸而有节奏的起伏,清秀的面庞散发着与现实格格不入的平静,自成一体笼罩在周围,就连撒在她身上的阳光都显得比四周明亮。他开始后悔自己没有听徐世绩的话,将这个女孩看的太轻。能够在这乱世闯出一片天地的人,并不一定如外表所体现的那样天真;能够始终挂着笑容的人,的确容易让人接近却不一定可以折服。他算计萧晓云会以受处罚不得外出而避免参与这次战争,却错估了导致这一切的原因。也许从一开始,她就已经知道自己前来诊脉看病只不过是借口,真实的目的是让他们再次指挥军队,在关键时刻保住主公,保住瓦岗。

院子外面传来一阵马嘶,魏征从深思中突然惊醒,与裴行俨对视了一眼。罗士信已经跑了出去,不多时便听到他急急忙忙地在外面大叫:"王伯当将军受了伤,被抢了回来正送往大营。主公派了王君廓将军接管右翼军队。"

"什么?"裴行俨和魏征两人几乎同时站起来,魏征与王伯当关系极好,因此先抢先从罗士信手里拿过信纸查看,裴行俨就着他的手看到上面的内容,立刻向罗士信下令:"去传我的命令,裴家军全体集合,厉兵秣马,随时待命！"

罗士信得令跑了出去,魏征和裴行俨定了定神才又回到原位坐好。萧晓云只是睁开眼睛看了看他俩,并未发表任何评论。倒是朱玉凤有点担心,低声问她情况是否严重。

"这要看怎么说了。"萧晓云虽然放低了声音,可是在这屋子里,魏征与裴行俨依然听得清清楚楚,"右翼主帅受伤,主公临阵换将,单从这一点上,的确很严重。可如果主公是以右翼为诱饵,牵制了宇文成都主力,趁机形成包围态势,那么出现这样的情况只能说明宇文已经中计,纵然现在看来是骁果占了上风,其实宇文成都已经离失败不远了。"她对着朱玉凤微微一笑,"当然这只是其中的一两个可能,在没有看到整个战局之前,我也不能擅自评断。"

裴行俨在一旁摇头:"主公带了近七万人上战场,骁果号称十万,从江都一路北上,现在至少也有八九万人。宇文成都如今急着突围补充粮草,带出来打仗的人必然也有六七万。双方兵力其实差不了许多,这诱敌聚歼的计策,怕是很难实现。"他叹了口气说,"如今只能猜测宇文成都亲自指挥队伍攻我右翼,所以王伯当将军才会先败下阵来。刚才魏参军说了主公在中军指挥,只能说目前还没有太大的危险。"

"晓云受教。"萧晓云低头恭敬地说,"是我考虑得太乐观,不够周全。"偏着头想了想,她仿佛不经意的对朱玉凤说:"前些天得的茶还在吗？我记得谢映登将军极喜欢这些,派人去看看,若是他没有去程大哥那里,就请他过来尝尝。"

朱玉凤点头,起身走了两步又回来请示:"白虎、诸葛他们最近也风雅了不少,不如连他们几个也叫来,屋子里冷清了这么久,也该热闹一下添点人气了。"

萧晓云听了这话眉开眼笑地答应了说好,裴行俨也没有表示反对,魏征这才长出了一口气放松下来。看这两人的态度,分明是将这件事扛了下来,虽然萧晓云并没有裴行俨表现的那么热心,可是自己也总算不负徐世绩的嘱托。

随着前线的军报一封接一封的传来，并不宽敞的房子里人越来越多。桌子上的文房四宝古玩玉器早已被堆到角落处，取而代之的是一张巨大的地图。魏征惊讶地看着朱玉凤与孙白虎二人熟练地用黑白双色围棋在上面重现前线的战争，将双方的兵力布阵进退之策描述得清清楚楚。再看看聚集来的将官，校尉级以上的人竟然有三分之二，心里不禁冒出阵阵寒气，忍不住就往萧晓云那边望去。

这边萧晓云虽然放了心思听自己手下争论战争的下一步走势，却也注意着魏征的表情。两人的目光在半空中打了个照面，就见萧晓云朝他遥遥点头，嘴角微勾在唇边描出一个笑容，虽然是谦卑地打招呼，却隐藏不住其间的得意。

魏征猛然明白她叫了如此多的人过来的含义：一来必定是依仗"法不责众"，不管李密如何恼怒，总不能把在场的十几个人都罚了；二来在场众人代表了瓦岗半数军队的人心所向，她如此大胆地昭示自己的实力，其实也是要借自己之口告诉李密，对她与裴行俨的事情指手画脚前要先掂量一下形势。

徐世绩曾评论萧晓云是"虽有经天纬地之才，却少墨守成规；又好随心行事，乃乱之源矣"。自己当时还不以为然，以为他危言耸听，直到今日对方毫不掩饰地亮出了自己的底牌，他才知道自己太轻看了这个小姑娘。想到这里，魏征忍不住苦笑，如今瓦岗表面上看着风光无限，其实众人已不再像刚成立之时目标一致奋勇杀敌，别说萧晓云只是示威警告，即使她做出更大胆的事，彼此猜忌结党营私的瓦岗也难给她以任何实质性的惩罚。可是，他有点奇怪，自己虽然能够经常见到主公不过是凭着手里的一点医道，真正的政事其实是参与不进去的，那为什么萧晓云要单单将这一副姿态做给自己看呢？

魏征的思绪转了又转，不小心就转过了午时吃饭。直到屋子里静了很久才反应过来："怎么？"他抬头看了看众人，"出什么事了？"

裴行俨看了看他,沉声说:"已经很长时间没有送来军报了。"

魏征听了这话心里一惊,正要开口听得外面鼓号齐响,接着有人前来传令:"主公为流矢所伤,身陷敌营。程将军有令,众将上马,即刻前往营救!"

裴行俨听了这话把手一挥:"各位兄弟,立刻带领本队人马,在辕门外集合!"震天的一声答应之后,众人井然有序地退了出去。

魏征在突然空下来的房间里长出了一口气,听得萧晓云在另一侧轻声对裴行俨说:"看样子程大哥也要上战场。反正我这个样子也去不了,不如呆在这里留守大营的好。"他直觉觉得这么做似乎不妥,可又说不出反对的理由。只好眼睁睁地看着裴行俨答应了萧晓云的请求,又留下她麾下的三万人护卫营盘之后快速离开。

在朱玉凤的帮助下,萧晓云披了一件青色的斗篷,将受伤的胳膊和身体裹得严严实实,转头看了看眼神涣散思绪杂乱的魏征,抿了抿嘴唇一笑:"魏参军若是还有时间,不如跟我一起去中军大帐等主公的好消息,如何?"

弯弯的眉毛下眼睛笑成一轮美丽的月牙,小巧的鼻子随着生动的表情翘了起来,毫不在意地露出两排洁白的牙齿。魏征被这充满孩子气的天真笑容感染,一时忘了刚才的担忧和烦恼,忍不住也笑着点头:"在下不敢,萧姑娘先请!"

第十二章

背盟败约

　　走在空荡荡的军营中，魏征突然觉得一阵空旷。容纳十二万人的军营，这是何等的声势，现在却走得只剩下三万多人，其中一大半还是伤病。虽然明明知道太阳落山时这些人还会再回来，这些被风吹得瑟瑟作响的帐篷里还会像以前一样人头攒动，可他就是止不住地感觉凄凉。

　　"突然萧条了。"萧晓云顺着他的视线扫了一眼空荡荡的帐篷边走边说，"魏大人觉得前线战事如何？"

　　"不敢妄言。"魏征收回目光扭头看自己身边的人，在这片空旷中，身边唯一的一个人就显得特别真实，"主公向有奇计……"

　　"魏大人！"萧晓云停下脚步打断他的话，脸上一副似笑非笑的神情，"这话听着真不像您说出来的！"

　　魏征被她说得低头苦笑，若是以前，他也不相信自己会说这样的话。从少时读书起，他就认定了为人臣者当以忠心报主，不可因个人私利而有所保留，因此一向以此为目标律己甚严。可是结果呢？在武阳郡担任书记时，他直言官场贪污腐化，却被郡丞元宝藏打入大牢，若不是李密攻打武阳郡，只怕那冰冷漆黑的牢狱便是他的终老之地；等到李密将自己从大牢中接了出来，他以为自己适逢明主，谁知李密懂得礼贤下士却没有容人之志，何况自己屡次进言指出决策的失误，得到的不过是越来越敌对的冷脸。幸好在李密看重声名再加上徐世绩从中斡旋，这才避免了牢狱之灾。魏征想想自己这十多年官场生涯，当真是用失败和失意铸成的一部血泪史，如今竟然将棱角磨得只会说一些套话了。看着萧晓云脸上的表情，魏征明知道其中痛惜大于嘲笑，想想刚才在寓所时萧晓云所表现的张狂，再想想自己出仕之时的雄心，不免惨然一笑："萧姑娘仍是犀利非常。"

萧晓云见他笑得勉强，扭头看向另一侧："直言敢谏，刚正不阿难道不是魏大人的风采吗？幼时我曾多次听过大人的事迹，大人一向仗义直言，彰善瘅恶，所以大人成为一个不断保持公正的人，能够不谄媚，不畏惧始终如一的人。这样意志坚定的良臣于随波逐流的我来说，实在是高山仰止般的崇拜。"

魏征听了这话就是一愣，忍不住打量身边的人。只见萧晓云的脸上全是向往，连青紫的伤口上都笼罩着浓浓的钦佩，仿佛真的看到了她嘴里所说的那个人；然而眼帘却低垂着，又仿佛在这个虚幻的人面前不自觉的谦恭。看着她不加掩饰的表情又将那番话在心里细细品味，魏征只觉得对方已然说到了自己的理想，可是与之相比又更加高远。一时觉得身边的人凌云壮志不可小窥，一时又感慨人生难逢知己，然而更多的却是生不逢时的叹息，心底的苦涩越发浓重："萧姑娘真是说笑，万事并不如想象中容易，即使良禽也需择良木，忠臣也要靠明主。"

话音未落，就见萧晓云已经扭头看他，一扫刚才的表情，清秀的脸上全是严肃："魏大人，"她难得的收起脸上的笑容，"既生此世，不求俯仰天地，但为无愧于心！"

声音不大，却斩钉截铁，冰雪决然之意从其中倾覆而出，听得魏征心里凛然，屏息而立，半晌说不出话来。过了许久整衣理冠，拱手高举，对着萧晓云长揖行礼："萧姑娘言之有理，玄成今日受益匪浅。"

东风融雪水明沙，又是一年春。

朱玉凤听了萧晓云的命令与孙白虎前往辕门布防，提防宇文成都派人偷袭,心里却惦记着萧晓云的伤势,再加上对魏征有救命之恩的徐世绩与萧晓云总是较劲,因此等队伍安排得差不多,把剩下的事情丢给孙白虎后,急忙前来接应。隔着老远就看到萧晓云与魏征靠得极近,两人宽大的儒生袍袖被风吹得彼此掩映在一起,青蓝相接,煞是好看。

"这是怎么回事?"朱玉凤走进了才看到是魏征扶着萧晓云,"怎么这么久都没有到中军大帐?"

"崴了脚了。"萧晓云把自己的胳膊从魏征的搀扶中抽了出来,撇了撇嘴伸向朱玉凤,"走到一半儿,不小心把脚给扭了。"

朱玉凤看她浑身上下缠着绷带,眼里却闪着点点狡诘,顿时觉得头又大了一圈。只得赶上两步接住步履蹒跚的人,对魏征说:"中军不能没人坐镇,请魏大人先去大帐,我扶着她随后就到。"

魏征知道如今形势紧急,也不再寒暄,点了点头当先离去。朱玉凤眯着眼睛瞅着萧晓云裹得好似粽子一样的脚腕,并不去查看伤处,冷不防把自己的手抽回来:"你这又是在玩儿什么?"

萧晓云本来是靠在朱玉凤身上,正舒舒服服地放松了自己,享受美人的关顾,谁知对方一侧身,让她连保持平衡的机会都没有,当即一屁股蹲到地上,撞在还未大好的伤口上,顿时疼得龇牙咧嘴,倒吸了几口冷气才勉强开口:"你谋杀啊!"

朱玉凤见她脸色苍白,疼得额头上连汗珠都渗了出来,急忙跪下去将她扶住,嘴里语无伦次地解释:"你总是戏弄人……我以为你又装……唉,别动,我看看伤口有没有裂开……"

萧晓云知道她刚才并非故意如此,又见她满脸的悔色,拦住她四处检查的双手,扯了个笑容安抚她,嘴里却不正经地叫:"救命啊,耍流……"

朱玉凤听了这话狠狠地剜了她一眼,也发现自己刚才担心过度,停下动作慢慢扶着她起来:"怎么走个路都能把脚给崴了?"

萧晓云借着她的力慢慢起身,苦笑了一下说:"魏大人突然长揖行礼,我没有思想准备,躲开的时候踩到了旁边的石子。"

朱玉凤听了这话忍不住给她一个白眼："人家给你行礼，你都能把自己……真是越来越有出息了！现在还疼吗？"

"好多了。"萧晓云抬起脚蹬了几下，低头看了看说，"扭伤了脚不过就疼一会儿，没什么大问题，只不过样子还是要做足的。"

朱玉凤这才放下心来，思索了一下才问："晓云，为什么魏大人要给你行礼？"

"那个啊……"萧晓云歪了歪头，笑得高深莫测，"你说呢？"

萧晓云常借着这些事情考她和孙白虎，所以朱玉凤很认真地想了很久，终于摇摇头说："听说魏大人很有才华，只是一直不得志，所以有些人难免说他刻薄。说实在话，你的文才不足以胜过他，武功他又看不起。就算手里有一两队兵马，可是在主公面前也说不上什么话。"她皱了皱眉头说，"我实在想不出你做了什么，居然让魏大人行如此大礼。"

"不过给他一点信心罢了。"萧晓云对朱玉凤的分析连连点头，"我只是表达了一下对他的敬仰，顺便说了说军队对他支持的话。"抬手抚了抚对方纠结着的眉头，她笑着说，"高处不胜寒，像魏大人这种有能力又坚持信仰的人，是很容易感觉孤独的。"

朱玉凤听了这话，眼睛瞪得圆溜溜的，脸上堆得满满都是怀疑："就这么简单？"

"就这么简单。"萧晓云叹了口气，"说起来，我也很敬佩他的为人，所以说那些话并非一点没有真诚，只是他的举动却大大出乎我的意料。这么看来，徐世绩对他有救命之恩，却不是倾心相交的朋友。"

朱玉凤看她仿佛并不是特别高兴，犹豫了一下才说："我记得魏大人当年是铭心镂骨地感谢徐老道的救命之恩，如今对你却不过是拱手长揖以谢知己之情。相比较而言，他似乎并不偏向于我们这边。"

"无妨。"萧晓云微微一笑，"魏大人志远才高犹如鸿鹄，可是能让他展翅翱翔的空间并不多。就算他说的精妙绝伦字字珠玑，上位者不听也没办法。别的不说，单看他儒袍道冠行走于世，大家只以为怪异却没人去思量，就看出他的话在瓦岗其实没有什么分量。"

"接近他不在乎是否有用，笼络他也不在乎是非敌友。"朱玉凤奇怪地说，"那你花了这么大的力气，究竟想要做什么？"

萧晓云顿时被问得张口结舌，过了好一会儿才慢慢说："大概是想要得到他的认同吧，毕竟能被魏征这样的人赞同，是一种至高的荣耀。"她有些困惑地自嘲，"好像是在满足自己小小的虚荣心呐，不过……今后应该还是有用的。"

"今后有用？"朱玉凤被她遮遮掩掩的话弄得越发糊涂，可是看她脸上的表情仿佛小孩子做错了事情被人抓住一样有点窘迫，于是不再追问，"反正你觉得对就好。"她扶着萧晓云朝中军大帐走去："现在还是先去看看我和白虎布下的阵法如何，检查一下我们两人这几个月修行的成果，然后安心等他们收兵回营吧。"

朱玉凤与萧晓云两个人在军营里等得悠闲自在，前方战场上的李密却早已吓得魂飞魄散，看着如潮水般涌来的骁果士兵，再看看身边仅有的数十名贴身护卫，他忍不住长叹："我李密一世英雄，难道今日真要葬身于此吗？"

守在身边的秦琼将双铜舞得密不透风，正极力抵挡敌人的进攻，因此只能断断续续地安慰他："属下定会竭尽全力保护主公，请您安心养伤。"

双铜抡圆了在空中划过一道弧线，随即砸在一个士兵的头上，那人连声音都没来得及出，就满脸是血栽在地上。李密不再说话，低头盯着自己的腿，也不知是哪个兔崽子，居然在乱军之中暗放冷箭，害得他中了流矢栽下马摔晕过去。等醒来时发现周围的情势已经完全超过自己的控制，身边除了秦琼带着几十人拼死护卫，那五六万的大军居然如石沉大海，在混乱的战场中找不到了。

"混蛋！"李密咬牙折断了小腿上的箭杆，用宝剑支撑着身体勉强起身朝四面张望，攒动的人群头上裹着各色的头巾，彼此混杂着随便乱打，已经分不清敌我了。他咬着牙想了想，从腰间摸出一个烟火点着，一声尖厉的哨响从他的手中直冲云霄,在半空爆出一阵红色的烟雾。

"主公!"秦琼在他身后惊呼,"宇文成都现在并没有发现我们的位置,所以咱们兄弟还能抵挡一阵子。您这一暴露,只怕……"

李密苦笑着摇了摇头:"迟早都是要被发现的,不如我们先通知其他人来救驾。"在他的头顶,红色的烟雾缭绕幻化,仿佛"龙气"罩在他的头顶,持久不散。这是徐世绩贡来的"潜龙出渊",放出之后红烟笼聚,色彩明亮,意在指明领袖的位置,要求各将官不论情况如何都要向此处聚拢。这本是翟让的御用之物,李密成了瓦岗的新领袖之后,便将此物收为己有,只是今日才第一次用到。

事头果然如秦琼担心的那样糟糕,不仅是骁果的士兵们朝这边攻了过来,连宇文成都的帅旗都转了方向,丈八高的帅旗从半空中一点一点地挤了过来,前面的赛龙五斑驹上,宇文成都手里的凤翅镏金镗在阳光下格外亮眼,看得秦琼口干舌燥:"所有人都回来!"他握紧了手里的金锏大声下令,"排成圆阵保护主公!"

然而就在宇文成都离他们还有十多步远的时候,杂乱的人群外忽然响起平整的鼓声,混杂着响亮的喊杀声,无数骑兵挟着雷霆之势从战场旁的山上如猛虎般直扑而下。当先一员大将,手里的紫金锤抡圆了上敲下打左突右撞,如急雨般罩在马边,周身三尺之内更无一个活人,胯下的没角癫麒麟四蹄飞起,足不沾地直插进来;紧跟在他身后的人手持丈二长的马槊,毫不费力地将那些在紫金锤下逃生的残余敌军挑到一旁,这二人配合得无隙可乘,在混乱中杀出一条血路,瞬间插入秦琼和宇文成都的中间。

"裴将军!"秦琼看清为首的人大吃一惊,他不是还被勒令在家反省吗?

裴行俨只是对他点了点头,手里的紫金锤当胸一挥摆开姿势:"宇文成都!"沉稳洪亮的声音在战场上空盘旋,"骁果败局已定,若是早早投降,主公或许可以饶你不死!"与此同时,他身后令旗挥舞,众骑兵队伍整齐地向四面散开,将李密、秦琼等人围在中间,众将齐声大喝将刀枪对准外部的敌人,摆开绝杀的阵势。

秦琼这才觉得放松下来的胳膊生疼，收起双铜转身到李密面前跪下："请主公放心，裴将军的救兵已经到了，这场战争无疑必胜。"

魏征手里拿着新送来的军报微笑："裴将军果然厉害，不但在乱军之中救了主公，而且又一次杀退了宇文成都。这次论功行赏，裴将军理当名列榜首。"

朱玉凤早就跳过来拿了军报去看："什么啊，又让宇文成都跑了？"

萧晓云听了这话扭过头就着她的手看了看上面的内容："无妨，反正宇文成都没有粮草了。今天他拼死一搏都没能取得胜利，不出三天，骁果必然解散，到时候我们只等接受降军就是了。"

孙白虎也来了精神："上次见的那个张童儿将军胆大细心，如果他投降了，用来守营倒是挺让人放心。"

朱玉凤杏眼瞪圆了鄙视地看了孙白虎一眼："真是小猫儿没见识。要是我，就把那个号称'小后羿'的樊智超收到麾下，据说他带领的长射营擅长强弓长弩，倒是可以用来补充诸葛德威的弓兵队。"

魏征有些目瞪口呆地看着这三人如何瓜分宇文成都手下众将讨论得这么热火朝天，心里暗自同情裴行俨：这个萧晓云虽然聪明过人，可是胡闹的能力也属一流。咦，怎么这么久都没听见裴将军一句半句的怨言，当真是修成正果了。

义宁二年(唐武德元年)七月初三，李密与宇文成都在瓦岗决战，李密为流矢所创坠马受伤，幸得秦琼英勇救主。裴行俨随后率兵增援，力挽狂澜，双方战平。

义宁二年(唐武德元年)七月初五，骁果粮尽，自行瓦解。张童儿、樊智超等数十员战将在徐世绩的偷袭下投降，宇文父子带领两万残兵放弃童山逃奔魏县，从此丧失争夺天下的能力。

鹅黄的中军大帐内是这几个月来不曾有过的热闹，熟悉的不熟悉的面孔转来转去,个个都是"恭喜将军";真笑的假笑的表情晃来晃去,看得心里生烦,秦琼一路拱手作揖谦虚了无数次才从人堆里脱身,刚找了个清静的地方长出一口气,就听得背后有人扬声大叫:"秦将军英勇救主!"

声音冷冷的带着一点促狭,随后男声女声混杂着整齐划一地嚷:"恭喜将军!贺喜将军!"

秦琼听了这话脸上不自觉地挂上敷衍的笑容,一边暗自揣测一边僵着脖子回头,却见老槐树下或站或坐凑了一堆人,个个笑得东倒西歪,没有一点正形。

"你们这帮家伙……"秦琼故作生气地走了过去,拎住其中一个人的脖领,"罗士信,你胆子真是越来越大了,连我都敢嘲弄了。"

"这可不怪我。"罗士信乖乖地任由他拎起来,把屁股下面的石凳让了出去,"头一句可是云姐姐叫的。"

萧晓云从桌上挑了个大红苹果递过去,笑嘻嘻地说:"我也没说错啊。"她指了指周围一大帮子人:"其他人恭喜得了,我们就恭喜不了吗?"

秦琼顺着她细长的指头把在场的人一一看了过去,顿时觉得头大如注。罗士信、谢映登、孙白虎、朱玉凤、齐武、段志亮……单独挑出来个个都是独当一面的人物,跟着萧晓云凑在一起更是一群上山下海唯恐天下不乱的混世魔王。刚才被这些人在嘴上占了便宜自然也讨不回来了。话虽如此,秦琼还是很不服气地对着苹果狠狠咬了一大口,挑了个软柿子捏:"段志亮,你不在大帐里呆着,怎么跑到这儿来了?当心裴将军抓你个正着,揭了你的皮!"

"裴大哥自己都顾不过来了,怎么会来抓我?"段志亮的阳光面孔笑得温柔,却透着大大的狡猾,手里拿一把十二根青竹纸扇轻轻地挥了挥,白色长衫在树荫下泛着一点点阴影,越发显得英俊有为:"我不过是奉命照顾晓云的伤势。认真算起来,裴大哥应该奖励我才是。"

"唉,大哥啊!"罗士信没大没小地趴在秦琼肩膀上叹气,"你别看他一副老实书生的样子,嘴巴可厉害着呢。这个柿子你可挑错了……"

秦琼一伸手抓住他的鼻子,往前轻轻一拉:"没关系,这次你算让我挑对了……"

随着罗士信"哎哟哎哟……"的讨饶声,众人笑成一团,起哄中折扇、长弓、拂尘趁机招呼上罗士信的脑袋,不等秦琼再说话,罗士信已经抱着脑袋和剩下几个人打成一团了。

"真是一群活宝!"秦琼看旁边的萧晓云笑得眉眼弯弯,忍不住摇了摇头,"难怪单将军说不能让你们几个聚在一起呢。"

"跟我没关系啊!"萧晓云一边撇清,一边去推身边的齐武,"唉,这么好玩的事你也不搀和上一脚?"

齐武只是看着那些人笑,一边摇头一边指着桌上摆着的药碗:"喝药吧!放了这么久都快冷了。"

秦琼看着萧晓云撇了撇嘴拿起药碗一饮而尽,笑着说:"你们几个怎么聚在这里不进去?"

萧晓云从怀里掏出手帕擦了擦留在嘴角的药汁,使了个眼色站起来:"这个时候,我们还是不露面为好。"

秦琼跟着起身,两人慢慢往外走:"这话怎讲?"

"你看看我们这些人!"萧晓云扬了扬下巴,"都是戴罪之身,不是没有完成任务的,就是违抗军令的。随便哪个到主公面前一晃,就能被当成正主儿揪出一大串罪过来。虽说这次宇文成都败走魏县,可是主公也受了惊吓九死一生,这个时候,我们还是安分一点的好。"她自嘲地笑了笑,"幸好都受了伤,多少总还有点借口。"

秦琼自从上次英勇救主后已经成了李密眼前的大红人,对上面的心思自然知道得一清二楚。现在队伍里各将官急着争功邀宠,整日闹得不可开交。莫说还没有从被围的惊吓中恢复的李密看着生气,就连自己面对那些走关系套交情的人都觉得烦不胜烦。他点了点头:"你存着这份儿心思也好。放心,虽然你们几个犯了错儿,可是主公也知道赏罚分明,上次救驾有功,一定不会亏待你们。"

"我倒是不求那些。"萧晓云走出树荫,眯着眼睛仰头看头顶的太阳。"若是主公还记得那点微薄的功劳,就将功补过,让我们安安稳稳地过了这一关吧。"她转身看着秦琼,一脸诚恳,"这次跟宇文成都对阵,裴家军从上到下损失惨重,如果能够让大家休养生息安心养病,这就是最大的恩赐了。"她想了想又补充道,"当然,这也是裴大哥的意思。"

秦琼侧过脸看到她噙着笑的嘴角,郑重地说:"放心!"

老槐树下罗士信被欺负得大喊"秦大哥救命",齐武看着秦琼跑向那边的背影轻声问:"这么多人的功劳,被你一句话就弄得不要了?"

萧晓云并没有看他,盯着槐树下的众人笑着说:"你还没看出来吗,齐武?这牌……马上就要重洗了!"

因为李密的受伤,瓦岗这次的封赏进行得比平时特别缓慢。就在众臣子将官将这次封赏的底限琢磨得快烂了的时候,功居首位的裴行俨首先被追究违抗君命擅自调动队伍之罪。在众人的求情中,裴行俨将功赎罪免去杖法之刑,责令带兵回老贯庄留守自省。而裴家军校尉以上的将领由于无人求情全部受罚,被罚的俸禄从三个月至五个月不等。

其后左军单雄信上书,鉴于副将谢映登身受重伤,因此愿以自己的全部功劳为其抵罪,只求免去他鞭仗之苦。李密阅后大怒,将单雄信叫去狠狠责备了一通,最后还是在秦琼、程咬金等人的劝解下,又怜惜谢映登箭术不凡,终于只是罚了半年的俸禄。左武侯单雄信却因此官降一级,勒令在家反省。

裴行俨与单雄信的处罚一下来,瓦岗安静了许多。可是相形之下,刚从黎阳粮仓带兵回来的徐世绩的家门口却一下热闹起来,驿馆外每日车水马龙,人来人往,直到半夜都不得消停。

"这也难怪!"萧晓云听了朱玉凤的报告微微一笑:"三军之中,没有犯错儿的只有徐世绩,何况宇文成都也是在他的偷袭下才逃跑败走魏县的。不管怎么说,徐世绩是有功无过,升官发财自然是板上钉钉的事了。"

朱玉凤很不服气："他在黎阳缩了那么久，打仗的时候不见露面。等宇文成都被我们打得只剩下一口气了，才来捡剩下的便宜，这算什么英雄好汉。"

"所以说他是识时务的俊杰！"孙白虎端起茶杯呷了一口慢慢说，"要知道，这个便宜也不是什么人都能捡的！"

"哼！"朱玉凤瞪了他一眼，"我都忘了他是你师父，如果他升官你也有……"

"小凤！"萧晓云断然喝止，终于还是晚了。只见孙白虎脸上突然一阵苍白，嘴唇直打哆嗦，手里的茶杯磕着茶盘"当当"直响："你们怀疑我！"

"没有！"萧晓云急忙握住他的手，"小猫儿，没有人怀疑你，你不要多想。"手里的温度冰凉，萧晓云用尽了力气想要制止他的颤抖，力气大得连她自己的手腕都开始发疼："小凤，道歉！"

"我，我……"朱玉凤这时已经开始后悔，正犹豫间，只见孙白虎猛地往起一站，带着萧晓云身体向前一扑，闷哼一声撞在桌角："好！"孙白虎显然没有注意到这些，"那我就去升个官给你看看！"

"小猫儿！"萧晓云脸色苍白，竭力劝阻，"你不要做傻事！"

齐武这时也过来了，一手扶住萧晓云一手去拉孙白虎："你是大家过命的兄弟，谁会怀疑你？别乱想了！"

孙白虎听了这话顿了顿，扭头看到朱玉凤略显迟疑的面孔，哼了一声，也不说话，拔脚仍往门口走。萧晓云这时拽着他的手，再不肯松开，侧着身子跟着往外跌跌撞撞。朱玉凤眼睛一错看到她肩膀上的一点血红，终于忍不住大叫起来："不要走！不要走！我错了！"

她的声音因为突然发出而有一点尖利，其中充满了恐惧，让孙白虎听着忍不住停下了脚步。还未回头，就有人撞上了他的后背："不要走！"朱玉凤靠在他的背后哭道，"我并没有怀疑你，我只是讨厌徐世绩……他把我们拆开，让我们变得陌生，他……"

后背的衣服慢慢变湿，肌肤仿佛吸水一样，让他的心也跟着湿润起来。

孙白虎微微挺直了身体,再扭头看到萧晓云还抓着自己的手不放,细长的眼睛一眨不眨地盯着自己:"她没有恶意,你知道……"

是的,我知道。孙白虎慢慢平静下来,抽出一只手将朱玉凤从他身后拉了出来:"对不起,我本来应该知道……"

"对不起,对不起。"朱玉凤整个人埋在孙白虎的怀里,哭得越发厉害。萧晓云慢慢松开手,看着两人拥在一起,向后退了两步,却看到齐武有些谴责地看着她。"怎么?"她跟着他的目光看向自己的肩膀,恍然大悟地解释,"刚才太着急,竟然没有注意。"

齐武摇了摇头,去孙白虎怀里将朱玉凤抓了出来:"先别忙着哭,给她换药要紧。"

朱玉凤抹了一把眼泪扶着萧晓云往内室走,关门前还扭头叮嘱孙白虎:"小猫儿,不要走啊,一定不要走!"

门在孙白虎点头之后"咔嗒"一声带上,齐武扭头看到孙白虎眼睛里也湿湿的,不无羡慕地说:"在那边很难吧。"

孙白虎转身回到自己的位置上,两手交握放在自己膝盖上:"其实还好。"他想了想又补充道,"比起我第一个师父,至少还学到了一些东西。"

齐武挑眉看了看他埋下去的头,那次跟宇文成都交手的时候已经看到了他身上的伤口,新伤加旧伤,竟然不比自己少,一看就知道他以前吃了很多苦:"不管怎样,回来就好!"

"是啊!"孙白虎抬头看了看将内室和主厅分开的那道门,"虽然没有全部学会,不过能回来就比什么都好。"

齐武也跟着望向那扇门,安心地笑了笑,不再说话。屋子里一片安静,内室里传来隐隐约约的声音,他几乎可以想到萧晓云皱着眉毛撒娇地看着朱玉凤的样子,又仿佛可以想象朱玉凤边哭边包扎伤口,时不时再吸吸鼻头的样子。这样沉默了一会儿再看孙白虎,只见他已经没有了刚才的愤怒,脸上也是一副了然和温柔,于是两个男人相视而笑,一切尽在不言中。

这时有人敲门,守在门外的士兵前来报告:"樊智超樊将军求见萧主簿。"

樊智超？齐武和孙白虎一愣："他来做什么？"

"樊将军说，有东西要带给萧主簿！"

齐武想了想，与孙白虎交换了一个眼色："现在大家在一个阵营里，谅他也弄不出什么事来，还是见一见的好。"

孙白虎点点头，去敲门向萧晓云禀告，齐武自去门外带了人进来。

"樊将军！"萧晓云从椅子上起身，抢先一步上前扶住樊智超的胳膊，"樊将军官居二品，比晓云不知高出多少，这个礼可受不得。"

樊智超朝两旁看了看，除了朱玉凤大眼睛一翻表示不屑之外，孙白虎和齐武也都冷着一张脸不置一辞。他看了看开着的房门，笑着说："萧主簿快不要提了，败军之将，何来品级之说？"

萧晓云也不多说，挽了他的手引到上座："樊将军深夜来访，想必是有要事商量？"

"要事算不上。"樊智超看了一眼站在旁边的三人，萧晓云立刻会意，想了想朝孙白虎做了个手势，看着他将门关好，才笑着说，"樊将军也知道，他们三个与我关系甚好。我们之间，没有什么事情可以隐瞒。"

樊智超想了想，点了点头说："齐护卫我是知道的，孙道长在童山也曾有过一面之缘。不知这位姑娘怎么称呼？"

"奴家姓朱，小名玉凤。"朱玉凤恭恭敬敬地行了个屈膝礼退到萧晓云背后，心里却将樊智超狠狠地骂了一顿：放眼整个瓦岗，有人会知道萧晓云而不知道她身边的"火凤凰"朱玉凤吗？这个家伙不是明知故问吗。

萧晓云自然明白朱玉凤心里的心思，侧了侧身子让三人坐下："他们都是过命的朋友，樊将军不必担心。"

樊智超眼看这三人不但弄不走还大摇大摆地坐到了一旁，于是心下一横，起身撩衣襟拜倒："其实我也是受人之托，将一个重要物件带给夫人。"

重要物件？旁边三人瞪大了眼睛，一眨不眨地盯着跪在地上的人。萧晓云却觉得浑身发冷，忍不住向后坐了坐，稳住心神慢慢地说："你诈降？"

樊智超抬头咧嘴一笑："夫人果然如少王爷说的那么聪慧过人，不过小将并非诈降,而是少王爷派来保护夫人的。"

萧晓云那句问话已然提醒了三人,樊智超话音未落,就听"叮叮当当"一阵响,三人的兵器一齐出鞘,压在樊智超的脖子上。萧晓云也不说话,皱着眉头看着地上跪着的人。虽然脖子上架着刀剑,背后又被朱玉凤的峨嵋刺顶着,可是脸上却毫无惧意,眼底深处甚至还闪着兴奋的光芒。她低头沉思了一下,挥了挥手:"放开吧,若是他想动手,不会等到现在。"

齐武三人想了想将兵器收回,眼睛却盯着樊智超不放。萧晓云也默默无言地看着地上跪着的人,过了许久才问:"宇文成都……他让你带了什么?"

樊智超傲然一笑,从怀中捧出一尺多长的黄杨木盒子,外面用五色彩线系着,丝线下压着一块白色的丝绸,用青色丝缎锁边,叠得整整齐齐,最上方端端正正绣着一个"云"字。朱玉凤认出那是萧晓云常用的丝帕,抬头刚想发问,却发现萧晓云瞪着那个盒子的样子仿佛见了鬼一般,去接盒子的指头竟然微微发抖。

齐武一伸手拦住萧晓云,面色不善地说:"不要拿。"

樊智超却将手里的东西往上又递了递,笑得轻蔑又鄙视:"夫人难道连自己的东西都不认识了么?"

萧晓云定了定神,长出了一口气,伸手将盒子接了过来在手里掂了掂,慢慢解开丝线,将叠着的丝帕打开。只是一眼,她的脸色立变,仿佛手里的东西会咬人一样猛地扔了出去,丝帕展开了轻飘飘落到地下,有一大半朝上露了出来,里面潦草的写着八个字"如违此誓,天诛地灭"。

齐武终于忍不住夺了她手里的盒子,费尽全身的力气往地下一砸,大声说:"这个不算!"

朱玉凤和孙白虎不明所以,上前捡了起来。孙白虎拿着那块丝帕仔细看了看,字迹已经变成红褐色,在白色的映衬下显得诡异无比。他狐疑地拿起来闻了闻,皱着眉头说:"血书?"

朱玉凤这时已经拣起那个盒子,从里面抽出一封纸函,展开看时,见上

163

面用正楷仔仔细细地写着"有女萧晓云,四德无闻,未闲礼则;承贤宇文成都,顾存姻好,不敢敬违。"字体劲瘦有力,正是萧晓云的笔迹。也是微微一怔:"这是婚书……"

"为什么不算?"樊智超站了起来大声说,"婚仪六礼我们没有安排吗?纳采、问名、纳吉、纳徵,哪一个步骤我们没有认真准备了?我朝律例:诸许嫁女,已报婚书及有私约。如今婚书在此,怎么就说不算了。"

"这……"朱玉凤拿着纸函回到萧晓云面前,"是他假冒的,对不对!"

萧晓云再也忍不住,一头扑到朱玉凤身上,将她抱得紧紧的不说话。樊志超在旁边冷笑道:"假冒?哼,你去问问她自己,这婚书是她当着众人的面亲自签上去的,又不是我们硬拽着她的手写上去。谁敢说是假冒?"

朱玉凤听了这话惊讶得不得了,把埋在自己怀里发抖的人使劲推了出来:"难道他说的都是真的,你……你真的嫁给宇文成都了?"

齐武在旁边大声分辩:"就算有了婚书,可是他们一没有迎亲,二没行周公之礼,谁说她就成了宇文成都的人了?"话虽如此,在场众人却都看到一滴泪水从萧晓云细长的眼眶里中滚出,清澈圆润的顺着脸颊慢慢滑过,留下一道浅浅的水痕,然后很轻很轻地从下巴上掉落。

那一滴泪珠,仿佛有着千斤的重量,狠狠地砸在大家的心底,荡起沉闷的回响,久久不曾散去。

第十三章

兔死狗烹

"她怎么说？"

"什么都没有说,不过把婚书留下了。"

"是吗？总算完成任务了……你看那是什么表情？"

"没有……只是……刚才看到她哭了。"

"哭？她不是从来都不哭吗？难道嫁给少王爷还辱没了她不成？"

"好像不是……唉！我也说不清,可是看总是笑着的人那样了,即使是敌人,也觉得有些不忍。"

"你就是容易心软,算了,别想了。少王爷不过也是让我们把婚书交给她而已,至于以后的事情,我们可管不了,也不能管。"

"我知道,不过我还是很奇怪,少王爷都已经走了,婚书给她又有什么用呢？"

"少王爷的心思,我们怎么能揣测的了。赶快回去休息吧!"

　　樊智超看着那个青色的影子止不住发呆,金黄色的麦子在两旁随风摇曳,有人牵着一匹马从中间缓缓而过,淡淡的人影随着垄上弯曲的地势忽隐忽现,如同神仙下凡。直到这人走得近了,他才看清那飞扬的眉,细长的眼,娇翘的鼻子和微微翘起的嘴唇。樊智超就这么愣愣地看着对方越走越近,连摆动的耳坠上的纹路都看得清清楚楚时才回过神儿来,张了张嘴没能发出声音,终于把头一低,闪在路旁。

"樊将军!"对方倒是先打招呼,"没想到在这里碰到你。"

"萧主簿。"樊智超抬头看了看她没有什么血色的脸,很明显比那夜见面时清瘦了很多,"听说您这几天不舒服。"

"只是休息不太好,小凤有些小题大做了。"萧晓云看了看日头,"樊将军若是有空,不如一起走走吧,今天的天气很适合慢慢走回去。"

樊智超推托不得,只得牵了自己的马跟了上去,走了几步没话找话:"这匹马看着不错。"

"是裴大哥新送的。"萧晓云伸手去摸马头,没想到这匹马转脑袋躲开了,还狠狠地喷了一口气。萧晓云站住脚,从怀里掏出包着的手帕,挑了一块糖送到它嘴边,"不过我还没有驯服它,让樊将军见笑了。"

"哪里,哪里。"樊智超看她低着眉耐心地等马把糖吃进去,擦了擦手之后又去摸马头。这次马愉快地嚼着嘴里的糖块,并没有躲开,反而还在她的手心里蹭了蹭。樊智超看着她嘴角勾了勾笑得有些天真,突然想起来她的上一匹坐骑已经被宇文成都射死,心里不忍,一晃神就又把这几天脑子里的疑问说了出来:"那个婚书……"

对方的身体僵了僵,嘴角的弧度虽然没有变,却没了刚才的感觉。樊智超后悔得直想给自己一个嘴巴,听得萧晓云轻声问:"宇文成都他……还说了什么?"

"也没有什么,"樊智超低头用脚在地上踹了又踹,"少王爷只说,属于他的,他一定会回来取。"

"他的想法没人改变得了。"萧晓云拉着马继续往前走,"既然主动权不在我手里,我怎么想又有什么关系呢?"

樊智超看她说得轻松,自己也不知道该说什么。只好默不做声地跟在旁边。两人这么默默地走了一会儿,萧晓云突然想起什么:"郑铤好像是在我离开的那天投入骁果的?"

“是！”

“那他现在人呢？”

“右武侯袭击的时候阵亡了。”

“这样啊……”萧晓云扭头看着他：“听说郑铤跟右武侯关系很好，他在骁果的时候可曾提起过？”

“这个……”樊智超努力想了想，然后才说，“我不是很清楚。”

“是吗？”萧晓云盯着他看了看，“听说郑铤是为了诋毁我们两边的协议而前去骁果挑拨离间的，可是我当时已经离开了，他的消息也没有用了。但是为什么还能一直留着呢？依照宇文成都的脾气，这等没用的小人应该早就斩首才对。”

“是大公子保了他。”樊智超低声说，“原因我也不知道，您也清楚那个时候的局势，少王爷的心思并不在他身上……”

“哦？”萧晓云看着远处闪现的几个人影，笑了笑说，“其实郑铤是个聪明人，投降或者倒戈，最怕的就是被利用了之后杀掉。他能够握着巨大的机密，直到最后一刻都让人觉得自己有用，甚至可以从宇文成都的剑下逃生，也算是成功了。即使我鄙视他的人品，可我还是不得不承认，他有他的独到之处。”

樊智超听了这话想不出该怎么回答，只好含含糊糊地点头称是。萧晓云在一旁轻轻地笑出了声：“我知道将军不是特明白，听说张童儿张将军思虑缜密，您不妨去向他请教一下。”她长出了一口气，转身向樊智超行礼，“再过三日，我就要随裴将军回老贯庄了，单将军也要回自己的驻地。这里就是你们和右武侯的地方了，万事小心！”

樊智超急忙回礼，这才发现有一队人骑马过来，当先一人穿着黄色的戎装，骑着一匹灰色的马，马身上有一块一块的白斑，四蹄上长着黑色的长毛。那人的眼神凌厉得让自己不敢对视，可是看到萧晓云时却柔和了许多：“怎么自己一个人跑出来了，小凤为了找你把我的院子都翻了个底儿朝天。”

“所以你也躲出来了吗？”萧晓云走了两步迎上去，握住他伸出的手，脚尖点地借着对方放在腰间的胳膊一使力,侧坐到他的马前,"裴大将军为一个小女子赶了过来,这可是会被人笑话的。"

"若不是你逃了出来,我怎么会落得这样……"裴行俨朝樊智超点了点头放马小跑起来,渐渐远去的没角癫麒麟上传来两人断断续续的说笑。

"哎,我的超级玛莉……"

"齐文牵着呢!怎么给马取了这么一个怪名字。"

"本来是准备叫马克思的,呵呵……"

青马还在津津有味地吃着自己的糖块,齐文捞起他的缰绳时瞪了樊智超一眼,就是这个家伙害得他后半宿没睡觉,还让朱玉凤闹着跑去找魏征!这时他脸上的愤怒渐渐变成奇怪,盯着对方脸上的表情看了一会儿忽然恍然大悟,翻身上马急追前面的人,空留下樊智超一个人满脸落寞地在麦田边上站了很久……

自从受伤之后,李密的心思越来越无法捉摸。前几天刚惩罚了裴行俨、单雄信,随后又把徐世绩狠狠训斥了一顿。若说中军和左军是因为违抗命令被罚,那对于徐世绩的惩罚就一点道理都没有,就连徐世绩自己都一头雾水,不知道到底犯了什么错儿。

然后众人盼望已久的封赏终于公布出来,听着上谕众人个个更是丈二的和尚摸不着头脑,秦琼、程咬金救驾有功排在第一位自然无可厚非;可是从骁果过来的樊智超、张童儿等一干降将都位列其中就匪夷所思了。更过分的是,打败宇文成都的徐世绩不过得了些金银赏赐,那些降将却个个都在原有官品上连升三级,光一品大员就有两个!瓦岗众人没等宣读完毕就炸了窝,最后议论的声音越来越大,终于招来李密的注意。

"有什么意见就大声说出来!"李密倚着黄袱软垫瞪着下面的人,"怎么?刚才不是还说得挺有劲吗?现在让你们说,怎么又没声儿了?"

萧晓云站在裴行俨背后,跟着众人低下了头。心里却十分明白,李密不过是杀鸡给猴看,那只鸡的最佳人选是徐世绩手下的人,与自己无关。

果然,李密扫了两眼噤若寒蝉的众臣先揪了一只出来:"李显海! 刚才就数你声音最大,这会儿怎么不吭声了?"

被点了名的人扑通一声跪在地上,哆哆嗦嗦不敢吭声。李密并没想就此罢休:"你不敢说?赵知义,刚才我也听到你的声音了,要不你也来说说?"

扑通一声又跪下一个人,依然是哆哆嗦嗦地不说话。于是就像打地老鼠一样,李密叫一个,地上跪一个,也不知是有意还是无心,下面跪着的人都是右武侯的得力干将。萧晓云从睫毛的缝隙里瞟了一眼徐世绩,对着那张明显不自在的脸笑了笑,打狗看主人。

像是感觉到她的目光,徐世绩眼睛一转两人的视线碰了个正着,萧晓云拉大嘴角的弧度,与徐世绩对视良久直等对方扭回头才收起笑容,随后将脑袋埋得更低一点专心听他抑扬顿挫的话语中深埋着的丝丝缕缕的怒怨:"臣徐世绩有话要说!"

李密一愣,只觉得这话既在情理之中,又在意料之外。可他毕竟是瓦岗领袖,立刻镇定了下来,点了点头允许徐世绩继续说下去。

"此次与宇文老贼在童山决战,众将士不惧生死,无不争先向前奋勇杀敌。主公的赏赐向来丰厚,臣感激不尽,然而除了钱财这些身外之物,臣等更愿意得到主公的信任,为主公定国安邦,开拓疆土。"他看李密脸色稍霁微微点头,大着胆子说,"众将士从瓦岗起义之时就跟随主公征战沙场,如今眼看外人在此横行,难免心有戚戚,请主公明察。"

萧晓云听了这话暗暗叫好,难怪徐世绩向来被人信任,这话不指责李密偏袒骁果降将,只说樊智超等人横行,一边给李密戴高帽子,一边将这些人往下打,撇开了两者的关系。这时就算李密要樊智超等人的脑袋,也不过是正军法,严军纪。

"臣张童儿也有话说。"在萧晓云侧面有人跪下,"臣乃一介武夫,这话里套话的功夫臣没有,臣又是瓦岗新人,说话唐突了,还请主公见谅。"

李密在上位点了点头:"张将军有话但说无妨。"

"臣弃暗投明带两万士兵来到瓦岗,为的是主公爱民如子的胸怀和赏罚分明的气度,并非贪图所谓荣华富贵权势地位。刚才右武侯的一番话听得臣忍不住心里打鼓,要说'外人'似乎也只有我们几个新人以及带来的两万兄弟。张童儿一个降将绝对不敢与众英雄争功,然而'横行'二字的评语却是万万不敢当。"他磕了一个头说,"臣感谢主公知遇之恩,还请主公看在臣的一片忠心上,收回赏赐,让臣做个太平闲人。"

自从裴行俨与单雄信被罚之后,李密就觉得自己苦心经营的平衡已被打破,别的不说,单是关于进出右武侯驿馆的众将名单就看得他眼花缭乱,血往上冲。也不知怎的,大家对于徐世绩奇袭宇文成都夸奖得越厉害,他就越觉得自己腿上的箭伤是一种耻辱。他临危不惧全力抗敌的事儿在众人的缄默中化为乌有;而徐世绩趁乱拣了个便宜的事儿却被津津乐道,捧上了天。李密直觉得自己仿佛处在了当年翟让的位置上。翟让被杀之前,不就是诱敌的首选吗?这么想着,李密越发觉得应该扶持一股能够与徐世绩抗拒的力量,于是张童儿、樊智超便成了首选。

正因为如此,李密绝对不会收回成命,于是和颜悦色地说:"张将军多虑了。将军能够来我瓦岗,李密恨不能跣足而迎,又怎么会听信他人之言,对将军有所猜忌呢?"他扭头看了看徐世绩,"相信右武侯也是这么想的。"

若在平时,徐世绩定然不再说话,可是这次他却觉得不能就此罢休。李密对自己态度变化是在张童儿与其密谈之后,何况自己安排在李密身边的人都无缘无故地失了踪。如今裴行俨、单雄信已经失了势,如果自己再退让,瓦岗老臣从此再无立足之地。因此磕头说:"臣并无他意,可是听说萧主簿前几天旧伤复发,似乎是在樊将军深夜造访之后。"

萧晓云本是坐山观虎斗,听了这话把脸一沉,瞪眼去看徐世绩,却见对方脸上带着隐隐的得色,心念一转明白对方以为自己也在为裴家军遭斥而恼怒,与他的立场协同。于是维持着脸上表情不变,听着李密语气明逼暗迫地问:"晓云哪,可有此事?"

"谢主公关心。"萧晓云上前一步跪倒回话,"臣的确在樊将军造访后请魏参军来看过。"徐世绩脸上的得意忍不住透了出来,这个萧晓云聪明异常又在瓦岗的人缘极好,她若是出来指责那些降将,必然说得滴水不漏又能激起众人的不平。他们二人联手,扳倒樊智超简直轻而易举,同坐一条船的张童儿也别想咸鱼翻身。

"樊将军只是把臣离开骁果之后的一些旧事说了出来。"萧晓云斟酌了一下说,"臣一时无法承受,所以才旧伤复发。"

"哦?"李密高声问,"什么旧事居然能让萧主簿如此,不妨说来听听。"

"这……"萧晓云犹豫了一会恳求,"不过是些私事,已然过去,请主公不必再问。"

"哼!"李密哼了一声说,"你不说就当我不知道吗?是郑铤投敌背叛之事吧。"

萧晓云也不答话,只低下头做哑巴。李密却突然发了脾气:"你不说就当我不知道吗?若不是郑铤这个逆贼,上好的计策怎么会半途夭折,我瓦岗的五千儿郎又怎会血染沙场!"李密从椅子上一跃而起,"萧晓云,你还知道些什么?"

萧晓云摇了摇头低声说:"此事牵扯甚广,况且我们已经取胜。主公不必再追究了。"

李密盯着她墨黑的头发,冷笑说:"有我给你做主,有什么好怕的?"他看萧晓云低着头不肯说话,哼了一声说,"连宇文成都都敢面对的萧晓云,怎么这个时候反而害怕起来。"他扫了一眼众人惊疑不定的表情,最后锁定在徐世绩身上,"徐世绩,我来问你——郑铤与你,到底是什么关系?"

火并翟让之后,李密再次展示了他对全局的掌控力,只是几个晚上,瓦岗就发生了翻天覆地的变化。先是徐世绩与之前背叛的郑铤私下勾结的事被发现,因此落入大狱;随之而来的证据也把为徐世绩担保的单雄信牵扯进去;紧接着裴行俨因为言辞不敬被叱下朝堂……等一切闹剧演完之后,左中右三位武侯虽然没有受什么皮肉之苦,可是全部被削职罢免,单雄信和裴行俨因为罪责较轻允许回原驻守地,事先看好的最大功臣徐世绩则被发配黎阳，"无诏不得擅离"。反观骁果的两大降将——张童儿依然驻守童山，守在徐世绩回瓦岗的必经之路上；樊智超则成了中军的监军，不仅权力在裴行俨之上，还对裴行俨的行动有了先斩后奏权。

明月轩里，萧晓云托着腮看朱玉凤和孙白虎斗嘴，喝了一口手里的茶，嘴角挂上了温柔的笑容。齐武坐在她对面，一边思量这两人没营养的吵架为什么如此频繁，一边盯着萧晓云时不时闪出光芒的眼睛叹气，就是她的纵容才导致这两个人对这种游戏乐此不疲。

这一次齐武的叹息并没有持续多久，就像被人拧住脖子一样，朱玉凤和孙白虎猛地住了嘴，齐齐盯着他的背后，连萧晓云也收起那副懒洋洋的样子，放下茶杯站了起来："真是稀客。"萧晓云对着他身后说，"没想到临走之前还能见到徐道长。"

齐武急忙起身，只见门口不知何时站了一个道人。二十五六岁上下，身高八尺有余，头顶上一丝不苟地挽着道髻，连一点碎发都没有露出来，浓眉大眼，鼻梁高隆，丰厚的嘴唇周围长满了胡须，长髯服服帖帖的束成一束垂了下来。身上穿着暗黄色的宽大道袍，腰间别了一把三尺多长的宝剑，手里拿着拂尘，站在门口挺拔如松，一派仙风道骨。

"徐道长！"齐武与朱玉凤急忙跟着萧晓云行礼，孙白虎却退了半步，嘴里呐呐地说："师父……"

徐世绩瞟了一眼孙白虎，还未开口就听着萧晓云说："难得道长今日雅兴，居然出现在瑞福楼这种世俗之地。若不嫌弃，不如由晓云做东，请道长赏光品一坛水酒如何？"她不等对方回话，就吩咐了下去："小凤出去跟掌柜的说一声，让他拣几样爽口的素菜送来，齐武去挑一坛上好的菊花酿，别让他们掺了水。白虎，还不快搬凳子请你师父落座？"

那两人答应了出去，孙白虎急忙把椅子放正，在上面加了两层软垫，才恭恭敬敬地请徐世绩落座。徐世绩也不客气，在收拾好的座位上坐好，对跟着自己的八名弟子摆了摆手："你们出去吧，这里有白虎就够了。"

萧晓云眯着眼看那几个人行礼离开,微微一笑:"白虎也坐吧,刚才都没见你吃东西。趁着小凤离开了先填填肚子,你师父有我照顾着呢。"

孙白虎犹豫了一下,听话地坐到萧晓云另一侧,却没有动筷子。低了头眼观鼻,鼻观嘴,嘴观心,摆出静心打坐的样子。耳边听着萧晓云客客气气地说:"少将军昨日还说要去向徐道长告辞,看来他今日运气不好扑了个空,运气倒是眷顾了我,居然在这里碰到道长。"

徐世绩也不客气:"倒不是命运眷顾,我是专程来找萧姑娘的。"

"哦?"萧晓云露出惊讶的表情,传入孙白虎耳朵里的声音却稳重如常,"道长可是算出了什么,因此前来晓喻晓云吗?"

"小道儿不过稍懂道术,要说算得先机,还是萧姑娘技高一筹。"徐世绩看到孙白虎的眉毛微微抖了一下,又把视线放到萧晓云身上,"仅洛阳城外一战,就声达圣听,天下皆知。"

"徐道长真是谦虚了。"萧晓云朝他眨了眨眼睛,"皇泰主陛下登基那日,道长也曾带人去凑过热闹,若是晓云没有记错,主公还赏了万两黄金以示嘉奖呢。"

徐世绩面上没有表现出得意之色,嘴里只说:"我不过是懂些兵法而已,哪里像萧姑娘即使是利人街与谢映登一场小小的比试,都透着聪明,轻轻松松拿了瓦岗第一。"

"哪里?"萧晓云摇了摇手,脸色也郑重了起来,"我这么拼命最终也比不上道长一句话,毫不费力就带走了我身边的人。"

徐世绩抓住了这话尾:"所以萧姑娘便由着骁果那些投降之人随意诽谤,动我瓦岗根本,而不站出来说句实话吗?"

萧晓云冷冷一笑:"道长这个帽子扣大了,萧晓云那日在朝堂上说的句句都是实话。道长难道是暗示瓦岗的根基是建立在假话之上吗?"

徐世绩狠狠地瞪住她,忽而一笑:"我倒是忘了,萧姑娘是宇文成都未过门的妻子,那些人投过来倒是你的下属。"

"那场婚事是主公神机妙算定下的,原本要借着婚礼趁乱攻下敌人,谁知被郑铤这个狗贼坏了事。"萧晓云正色看着徐世绩，"徐道长忽然用这种口气提起婚事，看来的确是对主公的安排不满了。这倒是解释了郑铤为什么突然长了胆子，居然敢跑去告密。"

徐世绩被这话噎住，刚要开口，萧晓云已经逼了上来："徐道长，我知你立功心切，可是这功劳人人都想得，你却为了自己一人的荣华富贵不顾兄弟情谊把我们推倒危险的边缘，这心思也未免有点歹毒了吧。"

徐世绩一张脸皮被气得由白到青，由青到紫："血口喷人！"

"哼！"萧晓云冷冷看着他，"徐世绩，你做上右武侯已经是一人之下，万人之上了，可你对单大哥、裴大哥四处打压，生怕他们立了一点点功劳抢了你的风头。郑铤表面上是主公派到我们这里的耳目，暗地里却拿着你的钱将中军与主公之间的摩擦争执悉数向你汇报，回报给你。若是你们两个背地里不勾结，又怎么会被人抓到了证据；若不是你在主公身边派的奸细被人抓住了，主公又怎么会对你起疑心？"孙白虎听她声音凌厉，"你做了的事情被揭露出来，尚不知悔改却想着怎样把我们再拖进去，这里血口喷人的是你！"

"啪啦"的一声，萧晓云握着的茶碗狠狠地砸在桌子上，放久了的茶水从碗底流出来，将白色的桌布染成一片一片的黄褐色。孙白虎很少见她这等气势，惊得跳了起来，再没敢落座，站到萧晓云背后。

今天徐世绩被人如此厉声指责，居然不怒反笑："萧姑娘对其中的关系了解得如此一清二楚，小道以前倒是小看了你。"

萧晓云不置一辞，只是不动声色地打量着他，徐世绩一笑后，脸上反透出一股和善："当时围攻宇文成都的时候，我还在想裴行俨什么时候改了稳重的性子，专走偷袭放火骚扰、乱人心智的偏路，如今看来那一大半的计谋应该是来自萧姑娘吧。"

萧晓云瞅着他的表情，倒像是长辈对小辈说话，威严之下不失慈善，心里有些打鼓，不知道他骨子里又打的什么主意，因此把嘴闭紧，静听下文。徐世绩也不介意，笑得毫不在意，"不但如此，上次主公突然责罚我攻打洛阳不力，停了我两个月的俸禄。而且，如果我没猜错的话，宇文成都半途改

174

道夺取黎阳粮仓,萧姑娘在其中应该也起了不小的作用吧?"

萧晓云在徐世绩说话的时候,只盯着他的眼睛,提醒自己谨慎对待面前说话的人;徐世绩此时站了起来:"这半年我只觉得事事不顺,原以为裴行俨手下有了可用之人因此做事也少了几分顾忌,没料到竟是看错了人。不过萧姑娘深明韬光养晦之精髓,倒是比传说中要厉害许多。当然了,看清了对手的真面目,今日的探访也不虚此行。"

孙白虎听到此处身体一震,抬头看到萧晓云表面上坐得稳稳当当,耳朵下的盘龙衔玉的耳坠却兀自荡个不停,然后徐世绩的眼光越过她投到自己身上:"白虎,外面玩儿了这么久,还不随为师回去吗?"

孙白虎张了张嘴刚想说话,眼前一化被青色的人影挡住:"道长也许弄错了,白虎家在这里。"

徐世绩并不看对方有些苍白的脸,顺了顺手里的拂尘,语气轻蔑地说:"师恩如父,我的话难道他都敢不听?萧姑娘,前几日我打量着你身体不好,因此留了他在你身边。如今你欢蹦乱跳的连茶杯都砸碎了,也该让他回去尽尽孝心了吧。"

"道长这话说得在理。"萧晓云也冷冷一笑,语气比徐世绩还轻蔑了三分,"您那如父的恩师说不定也在呼唤您前去尽孝呢!"

徐世绩自小在道观中受尽打骂,最后不堪忍受逃了出来加入翟让的队伍,与自己的师父感情自然不好。听了这话脸色一变,狠狠地说:"用不着你多嘴!孙白虎,你到底要忤逆我到什么时候?"

孙白虎"扑通"一声跪了下去,磕着头嘴里却说:"师父对徒儿有授业之情,晓云却有救命之恩,请师父不要再逼徒儿。"

萧晓云看他脑袋磕得当当响,也顾不得许多,急忙蹲下去要挽他起来。孙白虎却拗住性子跪在那里磕头。徐世绩见此情景,知道孙白虎终是不会再回去,再看他们二人拉拉扯扯的着实恼怒,恨声说:"被猪油蒙了心窍的坯子!一门心思地从我那儿学的本事都给了这狐媚子!"

话音未落,就见眼前青芒一闪,急忙偏头去躲仍是晚了一步,脸颊上又冷又辣,伸手一摸手指上见了红,竟然破了一块。萧晓云手腕一翻将带着血滴的柳叶刀收了回去,眼里的目光恨恨的,仿佛要杀了他:"知道你为什么会失败吗?因为你只懂得以利压人,却忘了这世上,有些人比你更高洁,在他们眼里,尊重和信任才是最重要的!"

徐世绩用手帕捂在脸颊的伤口上,过了许久确认不再流血后才抬起头来:"受教!"他盯着萧晓云说,"萧姑娘也请就此小心,以前的疏忽我不会再犯!告辞!"

"无妨!"萧晓云竟然对徐世绩拱了拱手,"右武侯的一举一动我都十分小心,不送!"

朱玉凤和齐武在门口目送着徐世绩带了他那八个弟子怒气冲冲地离开后才进了包厢。正看到萧晓云拿着丝帕擦孙白虎脸上的尘土。"磕头也不至于这么不要命吧?"

孙白虎有点不好意思,从她手里接过丝帕自己动手:"他毕竟是我师父,对我也很……"

话音未落,朱玉凤已经欢呼一声扑了过来:"太好了,小猫儿!以后就可以一直跟我们在一起了,不用担心再离开了。"

齐武眼看孙白虎龇牙咧嘴要从朱玉凤的怀中挣脱,拉了萧晓云到一旁担心地问:"跟右武侯闹翻了?这下是不是麻烦大了!"

"没有关系。"萧晓云对他露出一个安抚的笑容,"明天我们就回老贯庄了,他要从黎阳粮仓跑来害我们,中间隔着张童儿和李密呢,没有那么容易。"眼睛转了转,她又低声吩咐道:"这件事不要告诉大哥,不然又要说我胡闹了。要是押着我去给那个死道士赔礼道歉,那我就真的麻烦大了。"

齐武苦笑着点点头,心说我的姑奶奶,我都替你瞒了多少麻烦了。今后少爷若是知道,我也没有好果子吃啊!刚走了一下神,孙白虎与朱玉凤两人又开始斗嘴打闹到一块,齐武看着旁边萧晓云一副跃跃欲试准备加入的表情,脑袋顿时大了不少,可是心里又暖暖的。等回了老贯庄,一切会变好的!他想。

第十四章

儿女情长

　　"头一次见你穿这种紫色的衣服,看着还真不习惯。"裴行俨听得身后有人笑嘻嘻地说话,满满的是压不住的笑意,抽空扭头去看。高高的门槛上站了一个人,小小的脸庞,笼烟眉微微挑动,细长的眼角斜斜挑起,歪了头半掩着嘴正在笑,齐肩的头发修得整整齐齐,乌黑的发尾在半旧的青色领口上有些卷曲,显得俏丽异常,一只胳膊吊在胸前,拇指上戴着一个紫色的扳指,给清清冷冷的人影中增加了一点暖意。

　　"站在那里做什么?"裴行俨冲他招手,可怜旁边的裁缝正查看那只袖子,急得踮起脚尖去够,"门口风大,进来说话!"

　　"这里才看得清楚啊。"来人把着门槛当成了秋千,垫着脚尖前后晃悠,笑吟吟地说,"这身衣服都折腾多久了?还没做好?"

　　"小凤肯定没跟来,不然你敢这么调皮?"裴行俨大步往前走了几步,探头往外看了看,果然齐武在院子里一副想说没敢说的样子,作势去拉她,"进来吧,再着了凉,阿武回去也不好跟小凤交代。"

　　他本是做个样子,没想到对方真的把手伸了过来,冰凉的指头滑入掌心,激得他微微一颤,已经被人反手握住:"不过是去洛阳走一遭而已,还这么大张旗鼓的!"

　　裴行俨本想收了手,奈何被对方握着,又怜惜手里的温度的确有些低,心底挣扎了一下也就没松开,带着她到一旁坐下,又亲自倒了一杯茶放到她手边:"这可不一样,这次是去洛阳受封,受圣上亲自接见,服饰礼仪上容不得半点马虎。"他心里一动,还没明白自己在想什么,嘴里已经问了出来,"你当初在长安的时候应该也见过那些王公贵族吧,怎么还觉得这身衣服怪怪的?"

话一出口,不知怎地就想起了段志玄,裴行俨一边懊悔着恨不得给自己两个嘴巴,一边担心地看向椅子上的人。萧晓云显然没想那么多,贪恋着茶杯外面的热度,把指头一下一下地贴在杯子外面,嘴里慢悠悠地说:"我那个时候病得都快死了……保命都来不及……这水好烫好烫……哪里还有闲工夫看那些乱七八糟的东西。"

裴行俨见她摸了摸茶杯又吹了吹手指,撅着嘴的样子十分可爱,忍不住笑出声来,刚才那一点点不舒服立刻烟消云散,回身让裁缝继续量自己的尺寸。萧晓云过了好一阵子才把手里那杯茶喝了下去,吐了吐舌头问:"什么时候去洛阳啊?"

"快了,后天。"裴行俨看她拿起茶壶又给自己续了杯水,重复着刚才的小花样玩得不亦乐乎,于是提醒道,"我陪主公去洛阳的这段日子,这里还要麻烦你照看着。"

"知道,知道!"萧晓云摆了摆吊在胸前的那只手,整个的人晃来晃去,带着撒娇的语气,"我就知道自己是高玉宝的命,病没好又给押上去推磨了!"

裴行俨好笑地看着她白里透红的脸蛋:"每天在屋里除了吃就是睡,都胖了好几圈了,还整天埋怨我?"眼看萧晓云眉毛一挑就要反驳,他急忙打住,"说吧,又有什么要求?"

"也没什么,"萧晓云朝向他嘿嘿一笑,缩了缩脖子,"我送小凤的镯子上还缺一块黄石头……"

"好好好。"裴行俨点点头说,"我这次去洛阳,找一块上好的琥珀来给你就是了。"他盯着她素得不能再素的衣服摇头:"你又不喜欢这些,整天四处连蒙带骗地找人要。谢映登前几天还来找我诉苦,说你把他的黑耀石骗走了。"

"小凤喜欢啊!"萧晓云很得意地站起来,"多谢裴将军啦,小女子无以为报,不如,不如……"她眼睛骨碌碌地转个不停,裴行俨不知怎地突然屏住了呼吸,却听得萧晓云说:"啊!王世充那个狗贼对于我们进洛阳一定不满得很,我的贴身侍卫队最近也闲着,就借给少将军用两天吧。"她单手拎了刚才那个茶杯递过去,"怎么样,我够意思吧。前几天谢映登跑来问我借两个人我都没答应,如今可是分文不收主动上门要派到你身边呢。"

裴行俨接过杯子一笑:"那上好的琥珀就不值钱了吗?"饮了一口茶,目送萧晓云释释然然出了大门,带着齐武潇洒离去。一回头见裁缝正对着官服上挂着的金鱼袋发愣,咳嗽了一下沉声问道,"还有什么事儿?"

"没,没有!"裁缝急急忙忙低下头去查看下摆,心里忍不住嘀咕,这两人关系好得都可以共用一个茶杯了……看来那些人私下对他们关系的传说倒有一大半儿是真的了。

虽然裴行俨和萧晓云军纪严明,但关于这两位主帅的热闻仍然沸沸扬扬地在众人口中传播。且不说裴行俨数次违反命令在危急时刻救了萧晓云,也不说萧晓云那聪明高贵的脑袋只有裴行俨才能时不时敲上几下,单是这两人每日在一张桌子上吃饭谈笑风生的样子就足以带给众人无尽的遐想。只可惜萧晓云面对流言仅仅对大家丰富的想像力提出高度的赞美,裴行俨则看着萧晓云如往常一般将前来劝谏的人气得跳脚时也只是笑了一笑,两人都没有对这些谣言表示一点不满和禁阻。这样的态度使得这类小道消息传得越发越嚣张,最后竟连驻守在其他地方的单雄信、秦琼等人都写信前来询问,当真变成了全瓦岗人关注的一等大事。

齐武摸了摸有些冰凉的手指尖,抬头看了看东边,太阳还没有升起,灰暗的天幕中星星还没有退去。齐武思量了一下说:"少爷现在还没起来,你这么早站在门口等,被那些好事的人看了去,不知又要编出多少话来,不如等早饭之后再过来吧。"

萧晓云拉了拉身上墨绿色的斗篷,看着院门也不回头:"都跟你说了多少次了——谣言止于智者,不必在意。我是有紧急情况要通报,若不是他还没起,我早就进去了,何必等在这里受冷?"

齐武刚想继续劝阻,只听院门"吱呀"一声,裴行俨身上松垮垮地披着一件战袍赶了出来,抢上几步来到他们面前:"怎么这么早就过来了,军营里出了什么大事?"

"队伍一切正常。"萧晓云伸手帮他正了正战袍的带子,这个动作使她几乎贴上了对方的胸膛,压低了声音说,"洛阳有变故。"

裴行俨听后呆了一下,手不自觉地伸前去握住她的肩膀,将两人的距离拉得更近:"什么变故?"

"进去慢慢说。"萧晓云低头往前走,裴行俨急忙跟了进去。这两人只顾贴近彼此低声交谈,在旁人眼里态度亲昵得好像在互诉衷肠,尤其是两人进院门的时候裴行俨并没有将手放下来,倒像是他搂着萧晓云进到了房间。齐武眼看拐角处一队巡逻经过的士兵惊讶得连嘴都合不上,心里连连叹气。少爷向来谨慎,怎么这次这么不小心,居然只穿着贴身里衣就跑了出来,这下队伍里又要有数不清的闲言碎语了。

"刚收到的消息。"萧晓云熟门熟路地进了裴行俨房间,立刻带住门,"王世充昨夜发动了兵变,'七贵'之中,除了段达,其他五人都被砍了头。今天早上他已经控制了皇宫,皇泰主被囚禁了。"

裴行俨仿佛遭了重大打击一样跌坐在椅子上,半晌才说:"这消息是否属实?你又如何得知?"

萧晓云看他满脸疑惑不可置信,急忙回答:"消息是埋伏在洛阳城里的线人传出来的,刚开始的时候我也觉得蹊跷,不过白虎随后截获了送给徐世绩的战报,内容竟然大同小异,应该是错不了了。"

萧晓云一向比其他将官更重视信息的搜集,有时甚至偏执到了一种疯狂的地步。何况她虽然在裴行俨面前态度随便,公事上却从不半点马虎,因此这消息一经从她嘴中说出,必然与事实相差无几。裴行俨听到萧晓云的通报时已相信了七八分,他倒不是怀疑萧晓云消息的准确性,更多的是被王世充毫无预兆地做出如此大胆犯上的事而震撼。眼见萧晓云眼里不加掩饰地露出被人怀疑后的着急,裴行俨心下后悔:"晓云,我不是不信你,只是王世充为臣数十年,一夜之间突然犯上谋逆,实属出乎意料。"

萧晓云听了这话倒是放了心,定了定神也开始后悔自己刚才心急失态居然连孙白虎的行踪说了出来,因此接下来便格外注意:"王世充与我们打了一年多的仗,屡战屡败,十万大军只剩下三万残将,这次主公要进洛阳辅政,他心里肯定不悦;加上新帝即位不过三个月,根基未稳;元文都那帮人只会一些笔头功夫,并不执掌兵权。因此他发动洛阳兵变,既在情理之外,也在意料之中。"

裴行俨皱着眉头在地上踱步,转了一圈又一圈,却不说话。萧晓云不知他在考虑什么,也不敢说话,只能立在一旁等候命令。

等到屋内蜡尽油枯,屋外日上三杆,裴行俨才出了声:"我知道了,你先回去吧。"

"大哥难道没有应对之策吗?"萧晓云眼角压不住惊讶,低低地呼了一声,"如今王世充掌了权,明日定然设下陷阱诱捕主公。如果我们将计就计,趁这个机会进去反客为主,造成里应外合之势,就能不费一兵一卒夺取洛阳。到时候即使废杨侗而自立……"

"晓云!"裴行俨厉声喝道,"圣上的名讳岂是你能随口说的吗!"

裴行俨对她向来是爱护有加,即使偶尔责备,也不曾说过一句重话。如此严厉的态度还是第一次,这声呵斥如同惊雷一般炸得萧晓云心神涣散,再一看对方脸色黑沉沉有如锅底。"大丈夫存于世间,当以苍天为证,忠心报国,虽粉身碎骨死而无怨。王世充今日狼子野心,他日必定不得善终。你怎么可以与他一样,为了这些蝇头小利忘了做人的根本!"

这话如针刺一般钻入耳膜,听得萧晓云委曲万分只觉得如千万只蚂蚁啃噬着自己的心,眼眶一酸忍不住低下了头。裴行俨慢慢坐在离她最远的椅子上:"我知你求胜心切,可是主公的安全更加重要。以主公的性命作为诱饵,这等事情我是万万做不出来的。"他向后靠了靠说,"这件事我会禀报主公,你就不要再管了。"

萧晓云见他闭了眼睛挥了挥手,知道多说也无用了。其实以她现在的心境,即使开口也说不出什么了,于是咬了咬嘴唇也不行礼,直接摔门而去。

齐武站在院子里一边接受少将军府里众人眼光的洗礼,一边在心里嘀咕,这两人都谈了半个多时辰了怎么还没说完。正这么想着,就听得房门"咣当"一声,萧晓云冲了出来,招呼也不打,低着头就往外走,速度之快只见青影闪动人已出了院门。齐武一愣神赶了出去,只看到她的衣角在街角处露了个边,再追过去已经没了她的踪迹。

这一日,瓦岗的平静被洛阳城内传来的消息彻底打破了,李密大怒之下重新调集军队,着令王伯当统领徐世绩的军队,与单雄信、裴行俨一起再次对洛阳形成合围之势。瓦岗与洛阳因为宇文化及而结成的同盟就此破裂,双方再次拉开了战争的序幕。

兵力刚部署完,就有人起身往外走,速度之快,没有丝毫累赘多余的动作。这人的座位本来就在门边,因此未等众人行礼起身,已经到了门口。眼看人影就要消失,裴行俨来不及让下面人去追,自己急忙开口叫住她:"晓云你留一下,粮草供应还有些事需要商量。"

急促的脚步猛然停住,青玉石的耳坠猛地甩了上来,在腮上打出一个浅浅的红印。耳坠的主人肩膀起伏了几次,做了几个长长的呼吸之后才转过身来往大厅走去。一身青衣在白银黄铜装饰的盔甲中逆行,显得格外突出。

裴行俨眼看着她无视众人或打量或猜测的目光,低垂着眼帘走到人群密集处,站稳了身体,然后突然消失。消失?裴行俨心里猛地一惊,身体仿佛失足落地时的本能般,从椅子上弹起来,只见地上有个人挺着腰板跪得笔直,低垂着脑袋,看不到表情。

原来是跪在地上了,难怪突然没了身影。裴行俨觉得突然静止的心这时又开始咚咚地跳了起来，他慢慢从主位上踱了过来："怎么这么多礼了？"说着话就要伸手拉她起来，谁知地上的人竟然侧了侧把身子躲开，让他抓了个空。

裴行俨见状，挥挥手让众人离去。

"官衔高低有别，大礼绝不可废。"萧晓云将身体伏得更低，只留给他满头墨黑的头发，声音淡淡的平静无波，"将军大人请稍候，容小人整理思路再做汇报。"

"小人"这两个字裴行俨从小听到大，却是第一次听得这么刺耳。忍不住皱了皱眉头耐着性子说："你什么时候自称起'小人'来了？难道还在为前两天的事情生气吗？"

"下官不敢。"萧晓云倒是换了个词儿，可是这词儿听着也让人十分的别扭，"不过谨守本分而已。"

梳理得整齐的短发上反射着照进来的阳光，如同它的主人一样散发着冷冷的亮，让人无法直视："粮草官昨日前来汇报，从目前的状况来看我们的粮草还能坚持半月；新一批的粮草已经从黎阳粮仓出发，约十日后到达。一切都依照正常的计划进行，不知将军大人还有何事吩咐？"

对方避重就轻公事公办的态度让裴行俨很不适应，讨论粮草供应不过是个借口，自从那日被斥责之后，萧晓云一直行踪不定。每日交流只限于看到她的身影，不仅连话都不说，即使是像今天这样面对面也是公事公办，冷眉冷眼。练兵时没有人出稀奇古怪的主意，吃饭时没有人说各式各样的八卦，讨论问题时少了聪明机智的应答，甚至睡觉之前，他都开始怀念那人盼望她能让他掌灯送到院门外，哪怕只是一些千奇百怪的理由……当这一切突然消失之后，裴行俨觉得很不习惯："晓云，"他弯下腰半蹲在她的面前，"都五六天过去了，还要继续躲着我吗？"

"大人言重了。"萧晓云依然没有抬头，"下官近日忙于公务，难免疏于走动，还请将军大人恕罪。"

"你……"这几句不咸不淡的话噎得裴行俨半天说不出话来，末了长叹

183

一声道，"原来你还是在生气，这也难怪，那日我说话的确是重了些。"跪着的人听了这番话并没有什么大的动作，裴行俨还是敏锐地发现她耳边游龙戏凤的坠子轻轻地晃了两晃，于是继续说，"我自幼受教身为人臣当不事二主。从五岁起冬练三九夏练三伏，为的就是能够子承父业，为国效忠。可惜朝廷奸邪当道，纵然我们裴家战功卓绝，世代尽忠，仍然不能取信于先帝，被逼去国离乡，投身瓦岗。"

萧晓云听得这话与公事无关，倒像是说体己私房话，心里顿觉怪异，耳边却听得裴行俨继续说："身为臣子，当以忠事君。正所谓君要臣死，臣不得不死。何况开皇天子当年恩宠有加，而我当年为了保住裴家上下数十口人的生命而投入瓦岗，家父却因叛逆之事始终郁悒沉疴，从此不再过问军务。"

萧晓云听到这里，忍不住插嘴问道："那老太爷现在呢？"

"还在瓦岗养病。"裴行俨面色灰暗，低声说，"有了前车之鉴，背叛之事我是无论如何都做不来的，所以主公的安危及意愿便是我今后最主要的职责。那日我也不是要故意说给你，但是只要主公有一点危险，行俨都将尽全力去化解！"

最后这两句声音虽低可是铿锵有力掷地有声，听得萧晓云不得不抬起头来，只看到裴行俨目光炯炯有神，虽然半蹲在自己眼前，可是沉稳威严犹如高山，让人情不自禁地想要折服。萧晓云一时看走了神，惊觉过来时心里没来由地一阵恐慌，脱口而说："诚然，如果瓦岗投降了皇泰主，你就既可以不背叛现在的主公，又能够重归隋朝，一洗之前的叛逆之名。如此划算的事情，一定很合你的心意。"她冷冷哼了一声，"可惜王世充的兵变打乱了你的如意算盘，想来你那天声色俱厉，更多是因为这个吧！"

这一番话说得过于直面，冰冷冷的话语里全是不加掩饰的嘲讽，全没了往日的善解人意。然而裴行俨只是皱着眉头思量了一会儿，却点头道："所谓当局者迷，旁观者清。经你这么一说，我那日的确是心中烦闷，竟迁怒于你了。"

萧晓云说完了本是等着裴行俨发怒，谁知他竟然点头同意。这个举动大大出乎她的意料,准备好了要吵架的话在舌尖打了个转再也说不出来,然后在裴行俨满眼歉意下将怨气消失得无影无踪。

春风东来忽相过,金樽绿酒生微波。

满肚子的气就这么散了,萧晓云虽然面上表情没有变,可是眼波流转间已没了刚才的疏离:"早知如此,我就该听了齐武的劝,派个人给你报个信儿。现在倒好,做了王世充的替罪羊,竟连点抚恤金都到不了手了。"

裴行俨见她嘴角的笑靥隐隐露了出来,知道她已经消了气,压着心底的大石头仿佛被人搬走一样的轻松,从腰上解下八宝乾坤袋往手心中倒出一块东西送到萧晓云面前:"这是你先前跟我要的东西,我托那边的人带过来的,不管怎么样,你先收着吧。"

这是一块拇指粗细的琥珀,光洁坚硬胶质中安静地躺着一只小虫,岁月的流光在上面抛下淡黄的色彩。萧晓云瞟了一眼撇撇嘴,语气颇有些不屑:"一块破石头就想收买我,未免也太小看人了。"

话虽如此,裴行俨却见她笑靥如花。于是顺着她的话继续说:"这些还不够吗?那你倒是说说,我要如何做才能让你消了气?"

眼前人笑容加深薄唇微启,露出两排洁白的牙齿:"跪了这么久,腿都麻了。"清冷的嗓音中带着些许的狡猾:"烦劳将军大人递把手,扶我起来吧。"

裴行俨听到这个要求放声大笑,猛然间握住那修长的手指一用力,将她拉了起来。也不知是他力气太大,还是萧晓云真跪麻了腿站不稳,软玉温香投怀送抱,淡淡的茶香扑面而来,怀中人顾盼生姿,清丽中露出三分妩媚,短短一瞬让裴行俨失了清明之志忘了男女有别,再反应过来时手中已空,徒留淡香缠绕,如逝水流年般让人咀嚼回味欲罢不能。

"既然裴大哥如此诚心,这琥珀我就大着胆子收下了。"黄色的石头在她的手中上下抛接,那人笑得心满意足仿佛是自己占到一个天大的便宜,乌黑的眼珠转了转将眼底的得意表露无遗,单手抚胸弯腰行礼后,留下一个袅袅婷婷的背影转身离去。

裴行俨站在空无一人的大厅中以手抚额哑然失笑,这个云儿,阴晴不定,难以捉摸,当真精灵古怪极了。

自那日之后,压抑裴家军数日的阴云终于散去,两位主帅脸上重新焕发的笑容让众人备感轻松,尤其是王君廓,对于萧晓云恢复正常几乎要感恩戴德顶礼膜拜。自从这个小姑娘一脸寒霜以"不在其位不谋其责"为由拒绝帮忙后,他的队伍已经混乱到惨不忍睹,他大字不识两个,看不懂军事条令,更不会分兵部署。急的他整日抓耳挠腮,差点儿秃了顶。幸好失踪的人突然又笑吟吟地掂着一块琥珀前来主动请缨。那个琥珀他看着眼熟,前几天向少将军汇报事儿时曾见他若有所思把玩过,王君廓忍不住对着萧晓云镇定自若的神情暗自嘀咕。NND,早知道事情如此好解决,他愿意天天提供琥珀宝石让少将军送礼。

裴行俨虽然胆大心细,可还是没有发现自己下属的这点心思。他终于有一天很悲哀地发现自己的下场比谢映登还要差,谢映登不过损失些金银财宝,他连自由吃饭的权利都没了。

"今天怎么又是素菜?"裴行俨瞪着眼睛看着满桌子挡不住的绿色,拿着筷子不知如何下手,他已经连着两天没有吃到肉了。

"你需要清理一下肠胃。"坐在对面的人理直气壮地说,"每天喝酒吃肉,小心三高。"

"又是三高。"裴行俨连叹气的工夫都省了,也不知道她从哪儿来的那么多保健知识,整天是什么血压、血脂,血糖,血管硬化之类让人听不懂的东西。今天自己又被她从身体健康到勤俭节约忽悠了足足半个时辰,头脑一热居然答应让她去制定什么"营养菜谱",这下可好,虽然算准了她不会下巴豆,可是这整日的清茶淡菜也着实让人受不了。

裴行俨刚想吩咐下人上个东坡肘子,对面的人早已看穿了他的心思嘴巴撇得能挂油瓶,于是把心底叫嚣的要求咽了下去伸筷子夹起一根青菜扔到嘴里,嚼了两口硬着脖子咽进肚里,才开口说:"这菜怎么做的?"

就见眼前的人高高兴兴地说:"这是烫菜哦,青菜洗干净了不要切,整根菜用开水煮一下,只需一二分钟,什么调料都不加,这样的菜营养才能最大限度地保留。"

裴行俨听了这话心里暗暗叫苦,刚想开口,对方已经兴致勃勃地说起了下一步的计划:"其实青菜半生的时候吃,才更有营养。等你这几天习惯了,过两天我就让他们天天做成那样的。"

裴行俨眉头打了一个大大的死结:"你想喂马呢?还给我吃半生不熟的草?老天,我到底还要多少天才能吃到肉!"

那人仿佛受了什么重大的打击一般哀怨地看了他一眼,夹了根青菜放到碗里,低了头从叶子往菜茎上啃,速度慢得好像蝗虫吃高粱。弄得他心里惴惴不安,筷子顿住思量着该如何道歉。就在这时王君廓闯了进来:"萧主簿,那个粮草运来了……咦?"

对方瞪大了眼睛看着桌子上的青菜白饭,再看看裴行俨来不及收起来的尴尬以及萧晓云抬头时脸上残留的委屈,愣了半晌才说:"萧主簿,要不你先去看看粮草,我那里还没开饭呢。"他想了想又加了一句,"别的不说,肉可管够。"

裴行俨听了这话几乎哭笑不得,心说分明没肉吃的是我,怎么到了他嘴里,变成我虐待云儿不给她吃肉了。就在这工夫,萧晓云答应了一声站起来,手里的筷子敲了敲盘子边放下,然后深深地看了他一眼,那意思是要他把所有的菜都吃光。不再说话,转身出了房间。

倒是王君廓,略一犹豫还是对裴行俨说:"少将军,晓云若是犯了错儿,还有其他的惩罚。可是她现在年纪还小,正是长身体的时候,每天只吃青菜,这不成啊。唉,你看她瘦的!"说完话,也不敢看他的表情,生怕受了罚一蹦三尺远,匆匆地跑掉,留下裴行俨一人与青菜作无奈的奋斗。

这厢裴行俨还没有从虐待人的恶名中解脱出来,那厢萧晓云已经喜滋滋地从他手里套走了一大堆人力物力为朱玉凤八月初二的生日大肆操办。宫里圣眷正隆萧妃娘娘的知己好友,骠骑秦琼将军的义妹,裴家军萧晓云主簿最得力的助手……虽然朱玉凤没有任何官衔在身,可是萧晓云以裴行俨的名义放出话要为朱玉凤庆生之后，各色丝绸锦缎珠宝首饰就如同流水般涌入了裴家军。

"虽然我是挺喜欢这些，可是……是不是有些太多了。"朱玉凤略带吃惊地看着院子里堆着的箱子，前面打开的几个都被各色项链手镯如意玉石填满，萧晓云正带着得意的表情看着她。

"哦，也不是很多。"萧晓云表现得比朱玉凤还高兴，仿佛自己过生日一般，将箱子里的首饰亲自查看之后得出了一个结论，"量多质不高！"

"论质量当然比不上你给她的那些。"有个人一身皂衣摇着十二骨的折扇走了进来，白色的纸面上赫然写着两个大字——"神射"，墨迹浓烈，笔体潇洒一看便是名家手笔。那人也弯下腰，手指微弯在满箱子的首饰上一扫，轻柔地仿佛抚过情人的肌肤，然后打了个响指抬起身，"这么多东西，也抵不过我的那块黑耀石！"

朱玉凤早已笑吟吟地从台阶上下来，见他起身急忙行礼："谢将军有礼。"

"刷"的一声，纸扇合拢，谢映登潇潇洒洒地用扇柄去搀她："朱姑娘寿辰在即，不必多礼……哎呀！"原来是脑袋上挨了一记爆栗，谢映登身上那副玉树临风风流潇洒的劲头儿顿时散了一大半，抱着脑袋狠狠骂道："萧晓云，你个鬼干吗打我，不想混了吗？"

朱玉凤退后两步掩着朱唇吃吃轻笑，萧晓云在一旁毫不客气地说："谢老六，少在我家小凤面前装斯文。前几天我就听人说你最近脑袋有了病，今个儿见了面，果然发现病得不轻。"

谢映登扇子往脖领后一插，气得直跳脚："哪个混蛋敢在外面说六爷我的坏话！"他一扫刚才假兮兮的儒雅，剑眉倒竖，捋袖子就要来抓萧晓云，"今个儿你给我说清楚！"

萧晓云反应灵敏转身就跑，谢映登不依不饶地在后面追，两人绕着箱子玩起了捉迷藏。谢映登到底身高腿长，离萧晓云越来越近，一想到往日被她坑蒙拐骗的前仇就要雪耻，心里一乐儿五指成爪照着她的衣领就抓了过去。

岂料半途伸出一只手,也没见使什么招数,恰好挡在他的面前,手腕只是那么轻轻一磕,他就不由自主地偏离了方向,整个扑了个空。谢映登急忙抬头,见眼前人穿着深紫色的衣袍,正色说:"晓云的胳膊昨天才拆了木板,现在还很不好。你这么跟她胡闹,当心再弄断了。"对方顿了顿笑道,"当心再被单二哥再关你禁闭。"

谢映登想想道理确实如此,于是点了点头:"裴大哥说的是,我倒是差点上了她的当。"

萧晓云这时候早已躲在裴行俨背后,抓着他的衣角从背后探出半个脑袋,笑嘻嘻地说:"这次算你走运,要不然让你连成对的那一块黑耀石也输给我!"语气中带着一点小小的埋怨道,"裴大哥也真是,我的胳膊哪儿就那么容易被他搞断了,裴大哥表面上是挡了他的攻击,背地里却帮了他。太偏心了吧。"

裴行俨拦着谢映登的那只手转了个弯敲在她的脑袋上:"老六就这么两块宝贝,你骗了一块还想骗第二块?知足吧!"

谢映登看着萧晓云抱着脑袋从裴行俨的背后跳了出来,笑得前仰后合:"听说你这几天只能吃青菜大萝卜了?难怪这么瘦。"他几乎是崇拜地看着裴行俨:"要我说,还是裴大哥的主意好。照晓云这种嚣张的劲头,就该每天只给她吃青菜,让她好好吃点苦!"

话音未落,抱着头的那人已经笑得站立不住,抓着裴行俨的袖子几乎扑到他的怀里。裴行俨只觉得脸上肌肉僵硬——最近不是围攻洛阳城吗?怎么还有闲工夫把这些乱七八糟的消息四处乱传呢?

唯一知道内情的朱玉凤看裴行俨一副不知道说什么好的无奈表情,只得忍住笑上前拉谢映登:"宴会定到了晚上,晓云准备了好些节目,准备玩个通宵达旦呢。谢将军还是先进来休息一会儿吧。"

平地惊雷

萧晓云果然将晚宴弄得无比热闹——四方灯、六棱灯、走马灯、引龙灯各式各样的花灯挂满了裴行俨的宅子,花灯在月光下不停地变换着色彩,与漫天的星光交相辉映,发出点点银光。整个景象让人感到一种久违的温馨。院子里亮堂堂的却不刺眼,也亏了她心思巧妙,在三进三出的院子里布置了不同的玩乐,伴着锣鼓阵阵丝竹声声。吃喝分散摆放在周围,任由大家凭各自的爱好取用。因为没有固定的座位,自然也没有上下等级之分,加上萧晓云请来的人大多是年轻的将官,爱玩爱吃爱乐儿,于是还没开席多久,整个宅子已经乱成一团。

东边是萧晓云从朱玉凤手里骗来的首饰,摆在地上,让人扔套圈。谁套住了,东西归谁。小小的藤圈又轻又弹力道极难掌握,惹得不服输的人铆足了劲要赢,眼见萧晓云面前的簸箩里的铜钱(一个套圈一个铜钱)越堆越高,套走的首饰却没几个,惹得大家直呼上当。

西边不知道从那里请来了些民间艺人,耍枪弄棒碎石切砖、还有猴戏。有几个人不知怎么话赶话的,居然上去把猴子赶走,自己在台上跳火圈。喝彩声中这项活动被发扬光大,不仅参与其中的人数越来越多,连跳火圈的样式也越来越复杂,看得耍猴的人目瞪口呆,倒是被赶了下来的小猴子没有丝毫被冷落的感觉,蹲在台边使劲拍着小爪子。

南边开了个擂台,十八般兵器都能比。谢映登在长枪上输给了罗士信不服气,拎着长弓四处找他要扳回一局,得了便宜的罗士信自然不肯再比试,于是一个跑一个追,从东到西由南向北上房蹿树闹个鸡犬不宁。

裴行俨与单雄信两人年纪到底大了些,自是不会跟这些小辈胡闹,在北边竹林旁的棋局旁落了座,时不时听萧晓云过来报告一下赚了多少钱,或者乱指一个方向打发走四处追人的谢映登,中间还被段志亮拉走看了一会儿各式各样的跳火圈。回来时他们发现秦琼与程咬金早已占了他们的位置将布局本就糟糕的围棋下成了五子棋……

平日井然有序严肃整洁的将军府,如今怎生一个乱字了得!

等到月牙偏西,夜风渐起之时,众人已玩得微微有些累了,突然响起一阵鼓声,带着萧萧沙场雄伟之势,传出连天烽火雄壮之音,原来敲得竟然是军中战鼓。府中众人都是久经沙场,听到这声音精神就是一振,将疲惫一扫而光。只听鼓声从湖心的亭子传来,初时低沉暗哑,伴着湖中蒸腾的雾霭渐显鼓声的深沉。众人马上收了玩乐的心思仔细去听,声音在沉郁中逐渐升高,似一支铁骑由远及近,伴着声响,一个红衣红裙的女子飞上了九曲玲珑桥。

九曲玲珑桥,以青竹剖面制成,曲折蜿蜒于水面之上,只能容一个人通过。那人飞身上去身轻如燕,没有落在这狭窄的桥面上,却用足尖微微使力点在了桥墩上,脚下步履不停,顺着飞上去的力道腾挪旋转,双臂猛地一展从袖子中飞出两条火红的丝绦,随身旋转缠绕在周身上下。

虽然院中灯火通明,然而九曲桥上却没有点灯,只有水面上飘着几盏莲花灯。那女子红衣翩跹,在半明半暗中轻扬飘逸,腰肢柔软,变幻间曼妙纯真勾人魂魄;如此柔媚的舞蹈,合着声声战鼓的鼓点,煞是别有一格。裴行俨与众人一般都看向那名舞者,只见两条丝绦舞得上下左右密不透风,那丝绦尽头竟还各束了一柄峨嵋刺,二柄峨嵋刺在转动中熠熠生光。

这时鼓声已经一声高似一声,一声紧似一声,桥上那女子越转越快,丝绦划过的空气中人影变得模糊,看得人头涨眼晕却不肯错过那曼妙的舞姿,正在看与不看如何取舍之间犹豫徘徊时,钲声一响,鸣金收兵,霎时停顿,风止影停,半空的丝绦缓缓飘下,露出舞者柔和娇媚的面孔,这时只见她轻声慢语地说:"今日献上一点雕虫小技。多谢各位大人赏光庆生,请吃了寿面再走。"

竟然是朱玉凤!

早有小童将准备好的热汤面奉上,此时有人神魂颠倒,有人如醉方醒,热汤面下得很快,但不少人好像仍未尽兴。吃完,齐武、孙白虎便客气地说着天色已晚不便挽留将还未回过神儿的人送了出去。不到一炷香的时间,将军府就空了下来,只有最亲近的几人准备留宿。

"秦大哥以为如何?"萧晓云踱到秦琼背后,微微一笑,"如此绝色,当嫁得何人?"

秦琼还未说话,将舞衣换下的朱玉凤在一旁不依了:"我学这舞蹈又不是为了要嫁人。"

"可我是为了这个原因才教你啊。"萧晓云笑着推她,"这舞费了我好大的力气,别的不说,单是为了教会你如何用腰腹发力就费了我快一个月的时间呢。"

"谁让你自告奋勇要教我呢?"朱玉凤拨开她的手也笑了,"也不知从哪里学来这些舞,搔首弄姿的,让人看着就脸红。"

"标准的拉丁舞呢!"萧晓云白了她一眼,叹了口气道,"你可知道跳舞最重要的是要有感觉。今天虽然让大家惊艳了一把,可在我这里看着还是不够,sexy啊,我跟你说了多少次了。"

秦琼见这两人倒似要吵起来,急忙插话劝解:"小凤也算是尽力了,"他捋了捋嘴角的胡须说,"反正已经技惊四座,就安心等人来提亲嫁人吧。"

"他们做梦!"萧晓云与朱玉凤这时却难得地一致拒绝。

"啊?"秦琼一惊,忍不住脱口问:"小凤今年十五还未嫁人已经成了笑柄,不然也不会大肆操办此次生日。怎么你们两个又反对了?"

朱玉凤脸上一热低声说:"我还小,并不是太着急。何况晓云说了,若是嫁不得真心待我的人,这一辈子都是要受苦的。"

萧晓云却扬声说:"这帮男人,见了美貌的女子便迷了神志,个个伸长脖子探头去看,却没有发现丝绦上的两只峨嵋刺。"她摇了摇头说,"这些人这么容易被美色所惑,我才不放心让小凤嫁过去呢。"

秦琼听了这话不知如何是好:"那你们精心安排这么一场戏到底是为了什么?"

这个问题没人回答,朱玉凤和萧晓云因为在后面这事上观点相同,乐呵呵地干起了杯,没几下齐武、孙白虎、罗士信、谢映登等人也加入进来,几人喝到高兴豪兴大发,扔了酒杯拎坛子便灌,生日的盛宴狂欢,这才刚刚开始。

萧晓云这几日心情极好,加上留下的都是关系极好的几个人,一时没有控制住多喝了几口。午夜席散起身之时,竟然有些脚步不稳,在夜风中晃了两晃打了个哆嗦:"好冷。"

齐武和孙白虎喝得不知天地,倒在桌子下面扯着嗓子乱嗥;朱玉凤这个寿星早已经被灌醉了送回房间;秦琼抓着东倒西歪的罗士信往小院挪;程咬金满口酒气地拖着谢映登走之字形想回房,但东南西北都转了一圈儿后,却坐在一棵树下互相吹起牛;裴行俨见满院子都是东倒西歪的人,只得拿了旁边椅子上放着的斗篷给萧晓云披上:"你要回去,可还认得路?"

"当然认得!"萧晓云指着两三盏莲花灯中隐约可见的湖心亭理直气壮地说,"就是那边!"

裴行俨顿时无语,只得亲自送她回去。幸好萧晓云身子并不重,半挟半抱地总算扶了回去,只是一路上喝醉了的人总是时不时凑到面前盯着他死看,有时候眼睛睁大了连眨都不眨一下,看得他心里直发毛。

好容易两人跌跌撞撞地回到房间,脚下被门槛绊了一下,萧晓云如同孩子一样闹了起来,一手捂着被撞了的额头,一手抓着裴行俨的领子呜呜地哭,闹着要找朱玉凤评理。急得裴行俨慌慌张张地去查看被撞的地方;除了额头上一个红印,什么也没有看到,裴行俨刚想发作,却在灯光下看到她眼睛里写满了委屈,心一软竟然吞下了刚才的话,边好声好气地哄,边将话岔开:"小凤那舞真的是你教的?"

萧晓云正扑在他的肩膀上口口声声要朱玉凤给她做主,半真半假地耍赖,听了这话突地从他怀中跳了出来,一把抓住他的衣领凑了上去:"你有问题吗?"

突然凑近了的脸在烛光中变得格外清晰,冻得苍白的脸颊上透出醉人的红,微醺的酒气萦绕着清新的茶香在如水的夜色中飘散如烟也在两人之间缠绵流淌。

裴行俨忍不住抬起头,不想已经对上那一双黑若子夜的眸子,只见她眼波间涟漪点点,似清又明,似浅又深,在烛光的映衬下,一个似曾相识的人影使他再次感觉到从未有过的迷醉。

……

黑夜里,繁星点点,几片淡淡的薄云飘过来,掩住了月光。对方的呼吸缓缓地弥漫在他的脸上,然后与他的空气在方寸间纠缠,近在眼前的樱桃即将入口,他却戛然而止,将手一甩摔门而去。

那一夜,记忆里鲜衣怒马兴致勃发的少年持着缁衣沉默地跪在眼前:"兰儿就拜托大哥照顾了。"

靠在院门口,裴行俨大口大口呼吸着泛寒的空气,房里那人,是别人的妻子啊,是让段志玄痛心落泪的妻子!他怎么能……

朱玉凤亲自从水盆里绞了一块帕子,拧成半干叠好了压在床上人的脑门上,恨恨地对旁边的小丫头说:"去问问那只死猫,药怎么还没来?"

侍立在一旁的小丫头早就被她黑了的脸吓得瑟瑟发抖,听了这话犹如得了大赦,脚底抹了油跑得飞快,眨眼就没了踪影。朱玉凤冷哼了一声,感觉衣角被人拽了拽,沉着脸扭头瞪了过去:"竟敢把手伸出来,还嫌自己病的不够吗!"

床上被斥责的人不但没有生气,反而眉眼弯弯地赔着笑,锲而不舍地抓着她的衣角直晃:"小凤不要生气,只是有一点不舒服罢了,我休息一会儿就好了。"

　　朱玉凤看对方笑得很是赖皮,叹了口气抓着她的手塞到被子里,嘴里却不肯饶过她:"你以为自己是铁打的啊,昨夜喝了酒回来就这么在椅子上困了一个晚上,生生冻出病来了。你别怪我对那个小丫头发火,眼看你喝醉了回来,竟然不知道过来扶一把吗?"说到这里,朱玉凤忍不住伸出纤纤玉指点在她的额头上,"上次受的伤还没有全好,这次又着了凉。这几天给我乖乖地躺好,不许再逞强!"

　　萧晓云在被子里缩了一会,热得很不舒服,偷偷把指尖从被子下伸了出来,朱玉凤眼尖,玉手一挥拍了过去,吓得萧晓云又急忙缩了回去:"热……"她的脸烧得滚烫,瘪了瘪嘴诉苦,"小凤……热得很……我都出汗了。"

　　"大夫交待了,你这病需要蒙头发汗才能好。"她听着门口渐渐临近的脚步声,"小猫儿把药拿来了,你乖乖吃了药,好好睡一觉。"

　　"我不要!"萧晓云在床上直摇头,看到朱玉凤瞪圆了的杏眼,放低了声音委委屈屈地说:"要不你给我本书也行,我白天睡不着……"

　　门板上有人轻轻地叩了两下,朱玉凤咦了一声,起身前去开门。裴行俨的贴身侍卫齐文捧着一个盒子站在门口:"朱姑娘!"他微微颔首行礼,"我家少爷听说萧主簿身体不适,派我前来探望。"

　　"齐文吗?"萧晓云在房间里扬声问道,"外面有风,进来说话吧。"

　　"谢谢萧主簿。"齐文在门口也放开了声音回话,"少爷命属下送了些祛寒解酒的药来,顺便让我转告萧主簿安心养病,营里的事情不要太费心。"他将手里的盒子交给朱玉凤,"属下还有事,就先告辞了。"

　　"哎?"朱玉凤拿着盒子一愣,眼看齐文行了个礼转身就走,忍不住去看屋里的情形,青色的帐子内映出床上半躺的人影,一动未动。她咬牙想了想,抱着盒子赶了上去:"齐护卫请留步。"朱玉凤身子一转挡在齐文的

195

面前,"少将军可有其他吩咐。"

"没有了。"齐文仔细想了想说,"少将军让我送了东西传了话就快点回去,不可耽搁。"他想了想又补充道,"他叮嘱了好几次,最后又说不要进去打扰萧主簿养病,因此我才没有进屋。"

"原来如此。"朱玉凤笑颜如花行礼道谢,"麻烦齐护卫跑了这么一趟,真是不好意思。还请你回去禀告少将军,就说我家晓云谢谢将军的美意。"

"不敢当。"齐文昨夜也参加了朱玉凤的寿辰,今日竟然被她灿烂的笑容映得有些脸红,急忙点头,"请朱姑娘放心。"

朱玉凤含笑送出院门,待他上马走得远了,才转身回屋:"怎么坐起来了?"她把盒子放到桌上,转身回到床沿把她往被子里塞,"才出了一点汗就吹风,当心又病了。"

萧晓云顺势倒了下去,眼神中有点恍惚:"小凤,我昨夜喝多了。"她喃喃地说:"裴大哥……大概以为我品行不良。"

"胡思乱想!"朱玉凤将跌在枕边的帕子拾起来,重新放到水盆中,"你又没有做错什么。"

"我竟然……有点失态了。"

朱玉凤把新换好的手帕放好,顺势抵上她的额头:"前几天还说什么事儿也没有,怎么今天就神思恍惚了?"

"就只是贪恋了那么一点点……"萧晓云脸上露出虚弱的笑容,"或许最近太累了,就想找个人靠一下。"她伸手理了理朱玉凤鬓角的头发,嘴里幽幽地说,"他教了我很多,帮了我很多,也救了我很多次。不论多大的困难,似乎只要有他在,我就有坚持下去的勇气。有人照顾,有人依靠,这样的幸福谁不向往啊。"

朱玉凤抿嘴一笑,凑得越发的近:"我和小猫儿跟你这么久,你怎么就不觉得幸福呢?当真是女大不中留啊……"

萧晓云听了这话攀着她的脖子仰起头:"说得也是,眼前的好儿我怎么就没发现呢!"她露出一个坏坏的笑容,"要不你俩我都收了,你做大房,小

196

猫儿做二房,这样满意了吧?"

"无量佛!"孙白虎推门进来,单手端着药碗正色道,"施主今日病得不轻,还是让贫道再把一次脉吧!"

屋里立刻充满了银铃般的笑声,萧晓云扯起旁边的瓷枕扔了过去,可惜力道不够从半空中掉了下来。孙白虎并不以为忤,神色自若跨过碎片将药碗递给她,摆出一副高深莫测的表情:"施主印堂发黑,仁中移位,一看便知是邪气入侵。喝了这碗药之后,贫道立刻给你做场法事消灾去祸。"

萧晓云听了这话越发郁闷,满床找东西要砸他,可惜枕头已经扔了出去,身上的被子又被笑倒在一旁的朱玉凤压得死死的,无奈之下劈手将药碗夺了过来,长吸一口气尽数灌了下去,随即咬牙切齿将空碗扔了回去。

孙白虎早有准备,手里拂尘一舒一卷,药碗在空中打了个转,滴溜溜回到手中,淡笑道:"今日吃药倒是干脆,省得人哄了。小凤,赶快从床上起来,吃了药的人需要睡觉呢。"

朱玉凤起身替萧晓云掖好了被角,又把她当小孩子一样哄了一会儿,直到孙白虎在旁边嘲笑得萧晓云几乎恼了起来,才放下帐子关门出去。

刚关好门转身,朱玉凤就看到院门有人倚着墙低头侍立,心里一急就要往前跑,被孙白虎一把拉住,朝着房里努嘴递眼色。朱玉凤点了点头,放稳了脚步慢慢踱出去,一把抓住那人的袖子跑出老远:"你给我说清楚,这到底是怎么回事!"

齐文被拽得有些跟跟跄跄,赶了几步终于站稳,将袖子从她手里扯出来:"少爷的心思,我们这些做下人的怎么知道!"

孙白虎也赶了上来,急忙拦住朱玉凤道:"这事的确与齐护卫无关,你不要迁怒于他。"话虽如此,他心里也有些不痛快,"就算晓云做得再不对,昨夜少将军也不该放任她一个喝醉了的人在椅子上吹了一夜的风。她上次受的伤还没有痊愈,今日又添新病,就算铁打的人也受不了。"

齐文瞪起眼睛道:"我家少爷昨夜也是好心送她回来,怎么今天全变成他的错了。不就是晓云病了少爷没来看望吗?他又不是大夫。"

"你！"朱玉凤为之气结，"少将军在晓云心里有多重的分量，别人不知道也就罢了，你整天跟在他身旁会不清楚？这话说出来，多没意思！"

"就算没意思我也要说！"齐文也动了气，"晓云是什么人，她是少爷的弟妹！就算她不怕被人指着说不守妇道，少爷也不能动自己弟兄的女人！前些天你们死活拦着不让我点明，现在她伤了心，又能怪谁。"

"哪门子的弟妹？"朱玉凤呸了一口道，"段志玄那个负心小子早就没资格做她的夫君了，再说她算裴行俨哪门子的弟妹！"

"好了好了！"孙白虎拦住两人，"晓云的事儿她自己明明白白，我们外人猜也猜不透。如今重要的倒不是这些，先治好她的病再说。我已经修书请魏参军过来了，我们三个这几天就劳累些守着她，不要再生事端。至于少将军那里，你们也知道晓云的脾气，她自己的事情是断然不肯让我们插手的，这件事就到此为止吧。"

齐文想了想点头同意，朱玉凤却拿眼角瞥了一眼齐文，哼地一声沿原路回去照顾病人。

魏征直到三天后才到老贯庄来，比预料中晚了许多。已经退了烧的萧晓云正倚着床沿看书，见他进门微微一笑："白虎真是小题大做。"她往床里挪了挪，示意魏征坐到旁边，"着了一点凉而已，居然还劳烦神医大人，真是罪过。"

相比之下，魏征倒不像上次那样放肆，规规矩矩施了礼坐到旁边的小凳上，拿出脉枕放好："萧主簿客气，治病救人本就是在下的职责，没能及时赶来还请恕罪。"

萧晓云见他态度异常，正想询问已经被按住脉搏："萧主簿思虑过多，想要面面俱到结果伤了心脉。从脉象上看，虽然前日受的风寒已无了大碍，病根却远远没有除去。如果萧主簿尚且如此，日后心病累积，以你的身体来说，只怕承受不住。"

萧晓云敛容皱眉低头想了一会儿，低声道："小凤、白虎、齐武出去，我有话跟魏参军说。"朱玉凤等人听了就是一愣,萧晓云对他们一向不假颜色,突然冒出的这话让三人心里突然没了底儿,又无法询问。只得行了礼掩门出去,在院子里等候召唤。

等三人出了门,萧晓云才抬头:"魏参军博学鸿儒,兼修道家精髓,请恕晓云悟性差,还请指点话里的迷津。"

她的眼睛明净清透,看得魏征心头一凛:"不敢当。在下听闻前几日朱姑娘的寿辰筵席场面宏大,极度奢华。尤其是朱姑娘后来一舞,翩若惊鸿,婉如游龙,其美艳不可描述,令无数瓦岗英雄至今犹余味无穷。请恕在下大胆猜测,以萧主簿与朱姑娘之间的情谊,这次寿宴应该是萧主簿一手操办的吧。"

萧晓云抬了抬眉毛,不置可否地看着他:"那又如何?"

"若是如此,那我就要先恭喜萧主簿了。"魏征拱了拱手,"前几日主公恰好身体微恙,承蒙不弃,曾召在下前去请脉。"他嘴角微弯,露出不知嘲笑还是欣慰的笑容,"朱姑娘才艺绝伦很让主公喜欢,又听说她出身名门更是龙颜大悦,想必不日便可雀屏选中,移居入宫,全了萧主簿的心思。"

话音未落,他的领口已经被人一把揪住:"你再说一遍!"

魏征将眼前颤抖得不能自制的人轻轻推开:"萧主簿放心,朱姑娘本就有倾城之姿,又出身于岭南朱家,还有萧主簿这么聪明的人点拨指教,执掌凤印只是迟早的事……"

"哗啦啦"一片杂乱的响声,原本床上摆放整齐的枕头书籍统统被扫到地上,只留下萧晓云曲身伏在床角:"多谢先生提醒。"她哑着嗓子慢慢地说,每一个字仿佛都用尽全身的力气,"慢走不送!"

魏征也不多话,收起东西起身开门。一眼便看到被屋里响动惊呆的三人,他沉默了一下对着他们点点头,径自离开。

孙白虎与齐武急忙赶上去送客,朱玉凤犹豫了半晌进屋,甫一进门就失声叫道:"晓云!"

她的声音充满了恐惧,听得还未走到门口的两人心头发凉,魏征这时摆了摆手:"我在这里等着,你们先去看看。"

齐武还要客气,孙白虎已经匆匆忙忙施了礼往回跑。一进门就发现朱玉凤已经立在床边,怀里抱着的人一脸苍白,冷汗直冒,已然晕了过去。孙白虎伸手掐她的人中,人还没有掐醒便被最后进来的齐武一把拉开。

"她身子弱,趁着这个时候休息一下才好。"齐武将手里的香点燃,解释道,"这是安魂香,有安心定神之效。魏大人说她心里积郁的事太多,已经几日未曾安眠,若是晕了过去,便用这香让她休息一下。"他看了看其他两人,"大人在旁边跨院喝茶,不如先去请教他,到底出了什么事,竟会让晓云激动至此。"

朱玉凤与孙白虎对视一眼,点了点头收拾好屋子,再看萧晓云果然脸色慢慢放缓,带上门离开。

香甜的睡梦里,萧晓云似乎回到了现代。

小心翼翼开门,门厅处居然还在开着灯。怔忡间最里面的卧室门忽然打开,慈祥的微笑中半是埋怨半是心疼地说怎么又是两点多才回来,工作再重要也要注意身体呀。一碗香浓的煲汤随即端到了面前,浓郁的香味在昏黄的灯光下弥漫。

亲情,亲情。

那时,经常在半夜一身疲惫地走出办公楼,却能够在进门的一刻见到温馨的情景,露出灿烂的笑容。

那时经常一下刷掉了整月的工资,换来的只是轻轻的笑骂:"我们家的宝贝,从小就不懂得攒钱,什么时候能长大啊!"回忆起这些话,心里依旧很甜。

有人共同分享生活中的喜悦,有人共同承担生活中的责任,这该有多好,但是,为什么这一切就像海滩上的沙堡,一瞬间全被摧毁了。空旷的屋子里只有她站在这里,刺目的日光灯下,连一个人影儿都没有,没有人陪伴她。寒风中烟花抖抖嗦嗦地绽放美丽后熄灭了,失去了亲人的春节很冷,也很孤单。如果还有机会,拼死都要抓住不再放手……

萧晓云霍然惊醒睁开眼,入眼的是一片朦胧的昏黄。桌子上油灯如豆,发出噼啪的轻响,朱玉凤双目红肿,起身端了一碗药汁递给她。

萧晓云没有去接,只是定定地看着她,安安静静地说:"小凤,我要灭了瓦岗!"

第十六章

分道扬镳

　　裴行俨夹了一块熏兔肉送到嘴边，似乎想起什么又放了下去，抬头看向在书柜前徘徊的人："白虎呢，有两天没有见到他了。"

　　"出去办事了。"萧晓云的手指在老庄、孟子的大作之间逡巡，定不下主意，回答得心不在焉，声音有些沙哑，"你有事要交给他吗？让齐文去叫回来就是了。"

　　裴行俨看着她窈窕的背影，发现大病之后的人越发清瘦，家常穿的一件青色外袍在她身上竟然有些肥，肩膀处有些松垮地垂了下来，在背上折出一个褶子，不觉有些心疼，忍不住将视线挪向桌上的饭菜，最后有些不经意地说："你手下士兵没有一万也有八千，随便叫个人去就行了，用不着白虎呀。"

　　"都派出去了。"萧晓云头也不回，心里犹豫着该选哪本书，嘴里慢慢回答，"罗士信带了三千人跟着王将军调去洛州军营，诸葛德威跟着孙白虎一起去了清渠。"朱玉凤寿辰之后，厌倦了整日在宫城里当挂名骠骑将军的罗士信早就嚷嚷着不肯回去，只恨不能跟萧晓云屋里的柱子长在一起了。秦琼想着裴行俨沉稳、萧晓云机智，无奈之下让他在二人麾下锻炼，于是萧晓云手下的长枪队便归罗士信统领了。

　　"都出去了？"裴行俨皱着眉说，"我正想问你呢，病还没好就突然下了这么多命令,现在队伍调动得乱七八糟的。"

"乱只是暂时的,"萧晓云手指的方向忽然一转,将一本《韩非子》抽了出来,转身正色道,"调动的原因和人数我也派齐武向你汇报了,也没听他说你反对。"

裴行俨默然,从汇报的内容看,确实没有什么可反对的。这件事起头起得仓促,但是萧晓云那"不可为一日之战而耗养千日之兵,当以战养战"的说法着实新鲜,却又句句说到他的心坎上,让人看得心动。虽然齐武觉得封朱玉凤为妃可能引起萧晓云的怨怒,可是从萧晓云的行动来看,并没有任何谋逆造反的意思,何况人宫为妃是多少人求之不得的荣耀,又怎么可能引来报复。因此他只是嘱咐齐武注意萧晓云的动静,并未驳回萧晓云的提议:"那小凤和齐武呢?"

"小凤前几天照顾我,也被我传染上了风寒。"萧晓云打开书翻了翻,随意回答他的问题,"我怕小丫头伺候得不合心意又惹起她的暴脾气,因此让齐武在一旁陪着。"

"这不是大材小用了吗?"裴行俨干脆也不吃饭了,放下筷子说,"齐武怎么说都是护卫……"

"我也没有办法!"萧晓云合了书摊了摊手,"小凤那火爆的脾气,除了你我,能在她面前说两句话的也就只剩齐武了。"她似乎无限烦恼地说,"罗士信去洛州之前还跟她打了一架,白虎更别说,在她面前几乎恨不得自己是个哑巴。"

裴行俨想起罗士信前来辞行时从嘴角一直拉到耳根的伤口,忍不住打了个寒战:"听说是两人一言不合动起手的?罗士信倒是手下留了情,不过她的峨嵋钢刺还真刺得下去。"

萧晓云却用书掩了口笑道:"罗士信是活该,女孩子家的终身也是他随便议论的吗?你怎么处理的我不知道,反正我是把他狠狠地训了一顿,派到洛州攻城去了。"

裴行俨叹气摇了摇头,让人进来收拾了碗筷出去。萧晓云正要照往常一样给他端一杯茶,却被他叫住:"这种事情以后让下人来做就好,你就不要再劳动了。"

伸向茶杯的手在半空中顿住,萧晓云怔了一下直起身,脸上的笑容有些僵硬:"我也只是顺手。"

齐文自她旁边越了过去自顾自倒了杯茶奉上去,裴行俨趁着这个空当说:"怎么说你也是监军,做这类粗活难免有失身份。"

萧晓云转身盯着他,仔仔细细打量对方脸上毫无波动的表情,似乎想从中探求点什么,可裴行俨却只是神色自若地从齐文手里接过茶喝了几口放到桌子上,稳稳当当地吩咐齐文:"派人去清渠把孙白虎叫回来,他师父徐天师这两天要过来。"

"还是劳驾齐护卫亲自去一趟吧。"萧晓云突然说,"这次事关重大,不然我也不会派白虎和德威一起去。"她边说边把手上的紫色扳指拔了下来,"这是我与他约好的信物,白虎与齐护卫相熟,再见了这个,应该就明白了。"

齐文并没有来取这个扳指,扭头看向自家主子。裴行俨想了想问:"什么事情这么重要?居然弄得这么麻烦。"

这个问题一问出来,萧晓云眉头立刻皱了起来,眼睛里一片为难,过了一会才吞吞吐吐地说:"也不是太大的问题,只是最近收到一点消息,右武侯徐天师那里兵力调动频繁,精锐兵力一直朝着我们这边移动。我这点小人之心总是安不下来,因此派了白虎和德威去清渠东边看着。若是真有什么问题,他们两个一起处理也稳妥些。"她的眉头几乎纠结在一起,"这次派白虎去,就是为了防着徐世绩。现在说他师父来了让他撤回来,白虎多半是不信的。"

齐文这时忍不住出声:"难道他们还要违抗军令吗?"

萧晓云摇头回答道:"这还算不上违抗军令,只是我给他们的权利一向很大,只要事情交给他们,便是给他们授了权。我的话不过是个参考了,一切决定权都在他们手里,没有人可以干预。"她抬头又补充道,"你弟弟在

204

我手下也是如此。"

　　齐武自从到了萧晓云的手下,独立处理了很多问题,为人处事越发干练,在军营里也慢慢积累了一些声望,相比之下,齐文这个双胞胎哥哥就逊色了许多。因此齐文对萧晓云,多少还是有一点心存芥蒂。裴行俨明白其中的关节,想想萧晓云说的也在理,于是打住二人的对话:"既然如此,齐文啊,你就亲自去一趟吧。"

　　齐文拿了扳指跪下领命,萧晓云趁势也行礼告辞出来。

　　"萧主簿在等人吗?"齐文随后出来看到萧晓云仍站在外院的院子里,脸部的表情复杂,眼神却有些空茫。

　　"哪里。"萧晓云恍然明白自己身在何处,收了心思正色道,"只是担心小凤,正犹豫着要不要去看她。"

　　齐文哼了一声道:"萧主簿手下人才济济,还有什么可担心的!"

　　这话听着说不出的刺耳,萧晓云眼皮一翻看了看齐文,突然笑了起来:"齐武昨个儿还跟我说起你们兄弟把酒言欢的过去呢。依我之见,你去找白虎之前,不如再去看看齐武吧,毕竟这样的机会也没多少了,对吗?"

　　齐文听得她话里有话,顿时脸涨得通红,粗声粗气地说:"我们兄弟俩的事不用你管!"话未说完,人已经甩袖离去,终是错过了萧晓云眼中的怜悯。

　　斜阳下,晚归的群鸦掠过松林,复又振翅高飞,掠过落日的余晖,隐入山上的群岚中。山脚下是一望无际的稻田,一片青绿中闪动着即将成熟的麦黄,微风拂过,野草与麦穗在风中摇曳。

　　裴行俨在如画的风景中沿着山路走上来,远远地看到如血的残阳中映出两个人并肩而坐的背影,一个玲珑小巧,一个窈窕秀丽,两人不时互相咬着耳朵说一两句悄悄话,开心之时,消瘦的那个会很爽朗地仰起头,散在肩头的头发随着她的动作划出优美的曲线。裴行俨走上坡顶停住脚步,有人从一旁上来行礼:"少爷!"

"裴大哥？"萧晓云听到声音扭过头来。落日与晚霞从她身边掠过,在她侧影的轮廓上镀了一层淡淡的红色。

朱玉凤急忙起身行礼:"裴将军。"悦耳的声音听在裴行俨的耳朵里有些微微的紧张,似乎隐隐发抖。

"不用拘礼。"裴行俨见萧晓云从地上跳起来去拉朱玉凤的手,急忙安抚道,"我不过闲来无事随便走走,听说你们几个到这里坐了一下午,因此过来看看。"他笑了笑说,"依着晓云看热闹的性子,我以为这边又有了什么好戏呢。"

"裴大哥真爱说笑。"萧晓云往前走了一步,把朱玉凤挡在身后一大半,拉着她的手却没有松开,"不过是贪着看风景忘了时间了,我又不是主动招惹是非的性子啊!"

"是啊是啊。"裴行俨见她没说两句话,身上的刺又爹起来了,想想关于这个小妮子最近脾气不好的传闻,赶忙调转话题,"你们这一下午都谈了些什么,居然乐而忘返,连晚饭都不回去吃了?"

"晓云说故事给我听。"朱玉凤急忙顺着他的话缓和了一下气氛,"说她小时候读书,曾经听到有的人最大的愿望就是每天看麦田。"朱玉凤扯了扯萧晓云一直没有松开的手,示意她不要太紧张,对裴行俨笑道,"少将军饱读诗书,通晓百家之言,晓云说得可是真的?这世上真有这种只要看麦田就心满意足的人吗?"

裴行俨仔细回忆了一下自己读的书,并没有这样的故事。于是含着笑摇了摇头,抬起眉毛看向萧晓云,对方并没有回应他的视线,有些走神地说:"那是一本乡野杂书,讲了一个男孩并不幸福的生活。可是不管遭受什么样的打击,他依然向往着麦田的质朴,想要守护自己的家园。"她的眼光投向山脚,广袤的麦田被麦垄分成几块,一骑宝马从中穿过飞驰而来,骑手脖子上系着的红色领巾显得格外瞩目。

山顶众人也看到了这传信之人,朱玉凤脸上神色一僵,与萧晓云交握的手不自觉地捏得更紧,连一直侍立在后面的齐武都不自觉地往前走了两步。裴行俨将各人的面色收在眼里,却不点破,只在一旁静默不语。

等那人绕着山脚转了一个弯后被挡住了身影,萧晓云忽然笑出了声:"又有事情要办了,真是一刻都不得闲。"

朱玉凤张了张嘴只觉得嗓子发干,竟是一句话都说不出来,耳朵里听到裴行俨也笑道:"也许是早已解决的事情,只是前来报告结果而已。"

萧晓云扭头看了裴行俨一眼,目光复杂:"裴大哥这话听着让人信心十足,难道已知其中缘故?"

裴行俨淡淡一笑,透出些许疲惫:"我知道的,你大概也明白。"

萧晓云愣了愣,与裴行俨视线相交却马上避开:"晓云这点微末的能力,怎敢跟大哥相比。"

裴行俨正想再说些什么,只听一阵急促的马蹄声从小路上传来,刚才看到的传信人已经出现在视野中,转眼间上了坡顶,跳下马小跑几步跪下回禀:"禀告少将军、萧主簿,张将军营寨遇到土匪袭击,所幸早有准备,因此并无太大伤亡。"

裴行俨点了点头,沉声问道:"张青特现在情况如何?"

"张将军英武非常,率领众士奋勇杀敌,那群土匪只是乌合之众,已经向东南逃窜了。"朱玉凤听了这话急忙问:"那张将军……"

"小凤!"萧晓云急忙喝止,"等裴大哥问完你再问,不要这么没礼貌!"

裴行俨却朝朱玉凤安抚地一笑,对萧晓云说:"不用这么审慎,你也过于严厉了。朱姑娘的问题,正好我也关心。"说罢,他扭头问报信之人:"张青特如何应对?"

"启禀少将军,张将军按照吩咐,并没有穷追不舍,只是继续留守营寨,把守通往西边之路。"

话音刚落,朱玉凤已经变了颜色,眼神惶惶看向萧晓云。裴行俨点了点头,吩咐了那人两句,挥手让他下去。再看萧晓云,脸上神色倒是没有变,只用细密的牙齿咬着下唇,死盯着报信之人的背影不做声。

齐武把憋着的那口气长长地吁了出来,看着萧晓云的嘴唇被咬得通

207

红,心里不是滋味。

朱玉凤立在萧晓云一旁,哀伤中带着某些失望,却没有放开两人交握的手。

作为目光聚焦的重点,萧晓云对于旁边人的反应置若罔闻,却死盯着小道不肯将视线移开,专注着仿佛那条路无尽的长……渐渐的下唇上的颜色淡了,洁白的牙齿在唇上咬出一条鲜血的血迹。裴行俨有些看不下去,上前两步搭住她的肩膀:"诸事强求不得,你不必这样。"

手掌下的肩膀颤了两颤,萧晓云过了好一会儿才抬起头来。唇边浮着淡淡的笑,初看之下眉目宛然,并无异样,再看却隐约映现出了凝重的悲凉。

裴行俨看她面上神色如此,心里猛地被千钧重担压着,竟然堵得说不出话来。只听萧晓云慢声吟道:"是非憎爱世偏多,仔细思量奈我何。"她从嗓子里发出低低的一笑,"强求又何妨?"

裴行俨皱住眉,沉下脸来:"你还这么执迷不悟吗?"他见萧晓云脸上仍然是那副悲喜难辨的表情,心里一阵浮躁不由托住她的脸。"朱姑娘入宫为妃,是多少人想都想不到的荣耀。你看看那里,黄盖马车之下坐的便是主公的钦差,过不了一刻,他们便会到这里宣旨,你派人假扮土匪引张青特离营的计策已然失败。现在没有我的令牌,谁都不能从他那里借路往西。你的安排已经落了空,还要如何强求?"

夕阳之下,麦海边缘,一辆黄盖伞车缓缓而来,正是李密宫里传令太监出行时用的车辕。朱玉凤心犹不甘,挣扎良久终于叹了口气:"这是我的命啊!"

"说什么呢?"萧晓云冷笑了一下,抽出手来反握住裴行俨的手,"裴大哥一向随身佩带令牌,我们借过来用用也就是了!"

麦田旁零散的有几棵不知何时长出来的白杨树,并不粗壮的树枝叶挺拔立在麦垄的两侧。树根旁不易察觉的土洞里,一只小田鼠从中伸出了头,它快速转动着脑袋窥探着周围的情况。嗅到了空气中夹杂着的即将成熟的麦香，小田鼠高高兴兴地用爪子抓了抓嘴边的胡须，身子一探，熟练地蹿向美食的方向。突然间，麦垄上远远传来一声马嘶，紧跟着的是尖利刺耳的惊呼声，其中还夹杂着嘈杂的呵斥和叫嚷。受到惊吓的田鼠身子猛地一顿，在半空中抽搐了两下，甫一落地，便嗖的一声窜回洞中，不肯再露面。

坡顶上僵硬的气氛被这阵喧闹打乱，众人都扭头朝北看去，只见那辆黄盖伞车跑得飞快，似乎是拉车的马受了惊，控制不住地在麦垄上四处乱窜。齐武看到这样的变故一时惊呆，耳边传来萧晓云冷冷的声音："罘网弥陇，上覆铁钳。只要网撒得够全面，就总有一两个能卡住目标。"她几时设下了这样的陷阱，怎么自己竟然一点都不知道？齐武惊讶地望向萧晓云，只见她脸上的笑容越发古怪，"若是运气好，中个十个八个也不稀奇呢。"

仿佛为了印证她的话，下面又传来一声嘶鸣，本就受了惊的马再次中伏，干脆直接腾跳了起来，将拉着的车甩得左右乱晃，从并不宽敞的垄上跌入麦田。伴随着坐车人的尖叫，一时间田地里尘土满天，将麦粒麦莛扬得四处都是。

"晓云！"裴行俨怒斥道，"你又在胡闹什么？"

"胡闹？"萧晓云耸了耸肩笑得极是天真，"战争时期，要谨防奸细潜入。加强巡逻，保障安全，在战略要道上增设关卡，这些都是少将军你同意的。今天这些布置正好派上了用场，下面那个便是王世充派来的奸细，若是抓了活的便可严刑拷打询问军情，若是抓到了死人也要砍了他的脑袋向主公领赏。我又哪里胡闹了？"她笑得越发开心，连眼泪都涌了出来。

齐武脑门上嗖嗖直往外冒冷汗，少爷早已察觉萧晓云最近行为诡秘，鉴于她素有功勋，因此只是发了密令让张青特守住往西的道路，不论何事均不得擅离职守，又派了齐文前往清渠监视孙白虎，留了自己借着贴身侍卫的便利监视萧晓云的行动。谁料她竟然如此大胆，将传令的钦差指认成贼匪，杀其人以拒上命，这，这简直就是造反呐！若是主公怪罪下来，整个裴家军都是要被她牵连杀头的！齐武看着自家少爷越来越沉的脸色，拔腿就要往山下走："我现在就下去,一定将钦差大人接过来。"

"你最好站着别动。"萧晓云蹲在山顶上往下看,只留给他一个冷冷的背影,"这下面的机关陷阱可不知道你是敌是友,若是下去了,我可不能保证你能安然无恙地回来。"仿佛为了印证她的话,奔跑的马车不知道触动了哪一个机关,只见从田里立着的稻草人身上"嗖嗖"射出几只冷箭,亏得那驾马之人臂力超人,强拉着马头转了个弯才不致中箭,只是后面的马车就没有那么幸运了,上好的楠木窗框上钉上好几枝没羽六棱箭,光秃秃的箭杆颤巍巍地反射着夕阳的残红,照在人的眼里格外刺目。

齐武听了萧晓云的话一时踌躇不知如何是好,等到那几枝冷箭射出,听着坡下不绝于耳的公鸭嗓儿的救命声几乎连心都跳了出来,只得扭头去看自家的少爷。裴行俨此时已经脸色铁青,阴沉沉压过黑了一半的天空,比脸色更阴沉的是他身上散发的气息,那气息将周围的空气染上了越来越浓重的血腥,压得人无法呼吸。朱玉凤无意识地往萧晓云背后靠了靠,伸手去抓她的衣袖却发现自己动不了手指。

时间仿佛突然静止,空气渐渐变得十分窒息。夕阳从山顶把光线的长影慢慢收回,每一寸光影中都染上了肃杀之气;地上的人影也被拉得越来越长,游走在苍凉晚风中。

那一日,宫里的萧贵妃派人传来了消息,恭喜她即将凤临天下,朱玉凤的心里便空落落没了底,她才刚刚十五岁,便要嫁给一个年近四十的人,纵然那人名满天下,但她也绝不甘心。她向往的远远不是深宫里的富贵荣华,而是日日月下相携,吹箫舞剑,浓情蜜意的美满生活。

可是事到如今,她又能做什么呢?圣意已定,再难回天,就算她心不甘、情不愿,又能如何?峨嵋钢刺静静地卧在桌上,在油灯中泛出难得的暖意。朱玉凤神情恍惚地摸着冰凉的刺尖,与其曲意违心,不若……

"吱呀"一声门响,打断了她的思绪。抬头见来人只着贴身的青色小衣,手里举着一只烛台,映出脸上浓浓的倦意:"见你屋里的灯还亮着,所以过来看一下。"

朱玉凤淡淡一笑："这么晚了,你还不休息吗?病还没好,当心……当心着凉。"她鼻子一酸,几乎说不出话来,不管自己如何选择,今后再也无法陪在她身边了。

萧晓云察觉到她的伤心,伸手将门掩住只留下一条缝,把烛台放到旁边的窗台上:"又在胡思乱想了吗?你放心,就算李密手眼通天权倾天下,你若不想嫁他谁也勉强不了。"她伸手抬起朱玉凤的下巴,正色道,"不要杞人忧天了,这件事我来做。"

朱玉凤逼下心底涌出的那一股热流,勉强笑道:"你是说要灭了瓦岗吗?"她摇了摇头:"如今瓦岗上有勇将贤臣,下有五十万大军,金银满屋,粮草丰足。连洛阳的皇室正统都惧他三分,称霸天下已是指日可待,我们不过身在其中讨得一两口饭吃,又怎么灭得了瓦岗?"

"百足之虫,死而不僵。"萧晓云点了点她的额头,眼里透出一股杀气,"这么大的瓦岗,外面的人自然难以一刀斩其要害;可是如果从内部分崩离析、自相残杀,确是轻而易举要它的命。李密放逐了徐世绩,疏远了单雄信,如今又惹到了我们裴家军,军队已经不再像往日那样倾力支持他了。现在他专宠的张童儿、樊智超并不是真心归降,新老臣子无人再肯为他卖力,瓦岗败象已露端倪,只要军心再动摇一些,在恰当的时候,要瓦岗分裂并不困难。"

朱玉凤眨了眨眼睛,想了一会儿才说:"机会难等,只怕瓦岗毁灭之前,我已嫁入宫中。覆巢之下,安有完卵?到时候瓦岗毁了,对你我也都没有好处,还是算了。"

萧晓云摸了摸她的头:"你最近想得倒是越来越周全了。"她笑道,"驻守往西之路的将领是张青特,我已经派了白虎前去打通关节,宫里的动静有诸葛德威在清渠打听着见机行事,一定不会让圣旨有机会宣读。唐营的赵国公李世民还欠我一个人情呢,你拿着我的亲笔信去了,他一定会好好待你。这下你可放心了?"

赵国公李世民？朱玉凤脑子里映出他身边那个说话都会脸红的书生，一时有些出神，只听着萧晓云在她耳边笑着说："你若是跟哪个有为青年情投意合了，以我对李世民的了解，做媒牵线的事他肯定愿意做。唐营里英雄俊杰比比皆是，你可要把握机会啊。千万不要等我过去了，还是老姑娘一个噢！"

　　朱玉凤顿时红了脸，扯了她的衣服半真半假地怀疑："你说的倒是好听，裴将军那里能放我走吗？你见了他，只怕早把我忘到九霄云外了。"

　　萧晓云笑容微微一僵，随即恢复正常："你可是偷偷离开的，等他发现已经无法挽回，想追也追不回来了。退一步说，就算半路被他拦了下来，我也会说服他放你走的。他身为军中主帅，凡事必然以大局为重，这是他的优点也是他最大的弱点。你放心，我自有办法。"

　　她突然指了指门缝外渐渐闪现的影子："齐武这个家伙，居然还真的开始监视我的行动了，连听门缝儿的事都能做得出来。聊些其他的事情吧，让他在外面听一夜，着了风寒才好。别忘了明天带他去骑马打猎啊。跟我斗，哼哼……"

　　原来她所谓的办法，就是把整个裴家军赌了上去。朱玉凤在阴霾的气氛里心惊不已，晓云的法子，分明是玉石俱焚。只要裴行俨不放自己走，拒命不遵的谋逆罪名整个裴家军都得担定了。到时候不仅是裴行俨一人的过失，就连她自己都性命不保。若是当时她明白了这一点，不要说入宫为妃，就算让她给李密做奴婢她都会答应啊。

　　朱玉凤身子一歪坐倒在地，惨惨淡淡地叫了一声"晓云"，便再也说不出话来。

　　她能想到的，在场的人都明白了。齐武眼见裴行俨看着山下纷乱的场面面无表情，知道他心里已经愤怒之极，急忙跪在萧晓云面前恳求："萧主簿，你赶快收手吧。倘若没有酿成大祸，或许少爷还可以在主公面前保全你的性命，不然，不然就来不及了。"

萧晓云看着裴行俨，淡淡地说："我答应了小凤，若是保不得她的幸福，便是做了她的陪葬。"在她的背后，朱玉凤眼里大滴大滴的泪珠如断了线的珠子般往外滚，只抓着萧晓云的胳膊摇头，萧晓云拍了拍她的头安慰说："你放心，我说到做到。"

裴行俨依然一言不发地盯着山下，没有任何妥协的意思，脸色越来越难看，眼睛里充满了杀机。看得齐武心里惊慌，急忙伸手去抓萧晓云衣服的下摆："小凤若是做了贵妃，那便是她前世修来的福分，你又何必如此反对？"

萧晓云微微退了半步，闪开他的手："别拿你们男人那套想法贻误我们的青春。你若是觉得幸福，大可娶一个比自己大二十岁的女人，去享受不尽的荣华，而不必为李密那个老头子牵线拉皮条推我们下火坑！"

齐武听了这话脸上臊得通红，讪讪地缩回了手。他知道，刚才萧晓云说的那番话都是真的，这个女人，真的会拿自己所拥有的一切去赌一件根本不值得赌的事儿，即使把所有的人都拖下地狱也在所不惜。如今能够掌控这一切的，只有裴行俨。

就在这时，山脚下的纷乱已经得到了控制，宫里的太监从掉了一半的车中爬了出来，身上的官服已被扯成了布条，半截袖子在刚才的忙乱中掉了下来，露出肥硕的胳膊上划伤的一道道血印，里襟里，露出一截淡黄色的绸缎，正是要传的圣旨。只见太监跳下车子，扯着公鸭嗓儿大声嚷嚷："回去，回去，这是什么破地方？"

"回不去了……"萧晓云脸上带着高深莫测的笑容，对这山下的人阴恻恻地笑："想来便来，想走就走，哪有这等容易。"她有些绝望地看了裴行俨一眼，"便是我活不下去，陪葬的人也越多越好！"

话音刚落，就见不远处火光四起，一时间浓烟滚滚，将北边的天空遮盖得严严实实，那个太监眼见来时的路已经被阻断，要去的路上机关重重，吓得两腿发软，咚的一声栽在地上，扯着公鸭嗓儿嚎哭起来。

齐武眼尖，看得火光下一队士兵在麦田中迅速排开队形，张弓搭箭将那个太监围在中央，太监急得忘了尊卑之分，冲着萧晓云吼道："这丫头，

213

你疯了,难道真的要杀死钦差吗?"

"她不会杀死钦差。"裴行俨这时才出声,"真是委屈了诸葛德威,堂堂前行校尉,居然给一个太监做拉车赶马的粗活。"山坡之下,那个车夫正好言好语的劝慰着太监,让他起来。相比而言,这个车夫的镇定的确令人生疑。

"晓云呐……"裴行俨长叹一声,"你是要把这太监折磨得只剩了半条命去向主公报告吧。这种人别的本领没有,添油加醋信口开河的能力却高明得很。借他们的嘴去告状,这个离间之计果然巧妙至极。"他扭头盯紧了萧晓云,"我只问你两个问题:第一,齐文现在还好? 第二,这么做的后果,你想好了吗? "

齐武不知道少爷为什么突然提到了自己兄弟,心里正自疑惑。萧晓云在另一侧苦笑道:"少将军当真慧眼如炬,这么快就想通了一切。我做了这么多不过是为了小凤能够安全离开,只要这个目的达到了,任何人我都不会伤害。做这些之前,我已经想清楚了一切,请少将军放心。"

裴行俨深深地看了她一眼,目光一直达到她的心底,摇了摇头说:"既然如此,我也没有其他办法了。"说罢,从怀中取出一块虎头令牌扔了过去,"令牌已经给你,叫他们收手吧。"

萧晓云伸手一探,自空中将令牌拿到手,仔细察看了一下,亲手别到朱玉凤的腰带上:"庄子最西面的老孙家,我已经派人在那里备好了马匹银两,你骑着马一路往西,遇到有人询问便出示这令牌,定然可以一路顺利,直达长安。时间紧急,该说的我都写在信里了,都压在桃花马的马鞍下,走之前记得看一看。"她理了理朱玉凤胸前散乱的头发,深吸一口气道:"齐武替我送一下小凤,你们……一路顺风! "

齐武眼见朱玉凤哭得跟个泪人一般,想起以前一起共事的情景,心里也忍不住难过。倒是裴行俨,听了这话想了想,随即说:"既然如此,阿武你便去送送小凤,你哥哥有我照顾,不会有事的。"

齐武不知为何突然谈起自己的哥哥齐文,可是由不得他多想,已经被萧晓云催促着带了朱玉凤离开。山脚下日光稀薄树影横斜,路旁荒草漠漠泛出了一丝枯黄。齐武一边赶路一边听着耳畔朱玉凤止不住的哽咽声,心里发苦。等到了老孙家院内取得了行李,忽然听到背后隐隐传来尖利的哨音直上云霄,扭头时只见空中爆开烟火,艳丽的颜色映得半黑的天空一片苍白。正是萧晓云惯用的警讯。

"警讯一起,所有的人都要按照计划进行下一步。"齐武望着已经散去烟火的天空喃喃自语,只觉得身心俱疲四肢百骸内全无生气,所有人当中,只有他不知道,下一步应该做什么。萧晓云的信任,从他向裴行俨报告的那一刻开始,他就永远地失去了。

第十七章

画地为牢

"抓到奸细一名？"坐在桌子后面的人并没有抬头，手里的狼毫笔写个不停，随口问道，"姓甚名谁？来自何方？潜入这里有何目的？"

地上的小校有些惶恐地回话："那人只说自己是上差，其他的属下还未问出……"

"不肯说便拉出去打。"萧晓云盯着手里的册子有些不耐烦地吩咐，"又不是第一次抓住大奸细，这么点小事还要来请示我吗？先打个二十大板，把他嘴打软了再问。"她微微抬了抬空着的那只手说，"点灯！"

报信的人这才想起昨夜的喧嚣，知道她身边经常跟着的朱玉凤、齐武、孙白虎都已不在了。旁边的小厮显然没有明白在吩咐他，脑子正不知在哪里神游。校尉心里暗暗骂着这人好没有眼力见儿，自己赶快起身用火折子点燃桌上的油灯。

萧晓云这时才抬起头，对着他赞许一笑，柔声问道："这人是从哪儿抓住的？"

"从北边。"小校急忙回答，"昨日晚饭时分，从洛州过来的那条路上机关被触动了，属下一发现情况就带人赶了过去，正发现这人衣冠不整倒在麦田里，因此抓了回来。"外面传来含糊不清的喊声，小校急忙说，"小的已经审了一夜，可是这个人自称是主公派来传旨的上差，对大人们骂不绝口,什么都问不出来。属下不敢做主,特前来请示。"

萧晓云皱眉想了想说:"如果是主公派来的上差,应该从东而来才对,怎么会从洛州那条路过来呢? 这其中必定有诈。你就在我院子里审着,若是那人还不肯说实话,我再审也不迟。"她对着小校点点头说,"这其中隐含的内情你一定要查清楚,不要让我和少将军失望。"

小校一打眼看到她饱含信任的目光,心头一热,倒身下拜:"属下定不辜负使命。"

萧晓云看着他快步离开的背影出了一会神,自失一笑,也没了做事的心情,趴在桌子上一边用手指无聊地在笔架上挂着的各号毛笔间游曳,一边听着门外公鸭嗓儿演绎的杀猪声。

过了一阵子,听得外面竹板噼里啪啦的声音停了,萧晓云这才坐起身,找出孙白虎素日收集的雨水煎沸了,将朱玉凤夏日里晾的芍药花瓣冲泡,又加了一勺齐武前些日子被迫送来的蜂蜜,端着杯子在熟悉的屋里边喝边散步,待得一壶茶饮尽,才慢步走出门,吩咐道:"来人啊,掌灯,去少将军府。"

有下人跑着去拿灯笼,萧晓云立在廊下,穿堂风从身边飞过,将衣角打得瑟瑟作响。一个小丫环拿着斗篷过来,还未开口,就被萧晓云摆摆手拦住:"算了,我也用不着了。"

这时,从院子阴影处传来微弱的叫喊:"萧主簿,萧主簿,萧……"

萧晓云偏了偏头,看向声音发来的地方:"何人在此?"

"我……我是濮义,主公……主公身边的濮义……"那人的声音低沉且无力,可是仍然掩盖不了本来的尖利,听着好像被砾石板打磨了般的暗哑,"萧,萧主簿救命啊……"

萧晓云听了这话慢慢走下台阶,打了个手势让旁边人照亮。只见灯影下一人正爬在长凳上哼哼,身上的衣服被撕扯得破破烂烂,已经分辨不出原来的样子。并不明亮的光下,只能隐约看出这人身体肥胖,长凳被遮得严严实实,还有一些肥肉耷拉下去,萧晓云看着有些恶心,退后一步定了定神道："把他的脸抬起来。"

拿了灯笼的小厮一脸厌恶地走过去，只用两只手指将那人的头顶起来，将灯笼移近。站在萧晓云背后的小丫环眼睛快，先撑不住"扑哧"一声笑了。这个人本来就长得肥头大耳，被人打过之后，脸肿得几乎看不出原来的模样，倒是很像庙里供奉的猪头。萧晓云仔细打量了一下那人的脸，摇了摇头高声问道："这奸细可曾招了？"

小校跪下回话，声音极是沮丧："还没有。"

萧晓云秀眉一挑："再打！"

旁边早有人拿好了棍子，听了这个吩咐立时上来，将那人身上捆着的绳子紧了紧就要下手。只听那人一迭连声地嚷："萧主簿，我是濮义濮公公啊，你忘了，上次在丰泰楼您还请咱家喝了酒……还有……还有在宫里，奴才还给您奉过茶……还有……"

萧晓云示意旁边人住手，让人把他的头抬得高了些，仔细打量了一会，才问道："你说你是濮公公，可有证据？"

"有的，有的。"那人急忙说，"我有圣旨在身。"

那个小校带了几个士兵上来将他拎起来搜了一遍，"啪"的一声扔到地上："禀大人，并无发现圣旨。"

萧晓云把脸一沉，哼了一声："浪费时间！"说罢抬脚就要走。

"唉，唉……"那个人在地上赶忙哼道，"我，我还有一块玉佩。上次萧主簿您赏给我的，在，在脖子上……"

早有人上来探手扯开他已然撕碎的衣领，从贴身小衣里搜出一块玉佩。那个小校也不客气，一把扯断拴在上面的红绳，也不顾他发出的杀猪般的嚎叫，双手捧给萧晓云。萧晓云皱了眉勉强用手指在上面划拉了两下，随口说："小凤来看看，可是咱家的玉佩？"

周围无人答话，一片安静。那个跟在身边的小丫环大着胆子说："大人可是忘了，朱姑娘昨日已经入宫了。"

萧晓云愣了半晌，若有所失地点点头："是啊，我倒是忘了。"

地上那人听了惊呼道："朱姑娘入宫了？这怎么可能，我还没有宣读圣旨呢！"

萧晓云瞪了这人一眼道："昨日我们接了圣旨便送小凤入了宫，这跟你有什么关系？"

"这个……这个……"那人显然被萧晓云一瞪吓坏了，吞吞吐吐说不出话来。倒是萧晓云脑子转得快，也顾不得嫌他脏，一把抓住他的衣领："难道说你把圣旨给丢了？传旨那人并不是主公派来的？"

"也……也不一定。"那人好半天才挤出这么一句，话音未落就被萧晓云一脚踹倒地上，耳朵里听得萧晓云一迭连声的吩咐齐武、孙白虎立刻骑快马追朱玉凤回来。旁边立刻有人提醒孙白虎与齐武陪着朱玉凤一起去宫里了，这下把萧晓云急得几乎疯掉："诸葛德威呢？让他带着所有弓兵队的人都去给我追。封锁从这里出去的各条要道，一条路一条路地给我搜，一草一木都不许放过！"

自称濮公公的那人缩在凳腿边，惊惶地看着萧晓云在眼前走来走去，心里害怕不已。朱玉凤名义上是萧晓云的侍从，可是两人比亲生的姐妹还要好。瓦岗之中谁人不知，朱玉凤在萧主簿面前大可直言不讳，可若是有一句两句惹到了朱玉凤，萧晓云第一个先把他整得恨不得自己没有生出来。如今自己丢了圣旨已是犯了杀头大罪，又弄得朱玉凤不知被人带到了哪里，这下该如何是好？想到这里，他禁不住垂泪，呜咽了起来。

"哭什么？"萧晓云本就心烦，见他如此更加气愤，"如果小凤有个三长两短，我定然要你好看！"

"又让谁好看啊？"门口传来沉稳威严的问话，有人慢慢踱了进来，"刚才我得到禀告说你下令封锁了各条要道，这是怎么回事？"

"末将见过少将军！"萧晓云急忙跪倒，"昨日我们接旨后送了小凤入宫，可是今日抓到的这个奸细自称来自宫里，是真正的那个传旨的太监。我一时担心，所以派人封锁了各条要道，先把小凤追回来再说。"

裴行俨听了这话急忙把缩在凳腿边的人打量了一番，脸上也变了颜

219

色:"濮公公？"他不动声色问道,"难道晓云刚才说的是真的？你丢失了圣旨,让歹人假传圣意将朱姑娘截走了？"

姓濮的太监急得连话都说不出来,缩得越发像个肉球,只将脑袋摇得如同拨浪鼓一般。萧晓云没了心思看他,独自一个人跑到门口等消息。夜深露重,皓月的清辉从空中盈盈洒落,映得院边的绿草油亮,柔软如裘。然而院中众人都没有心思欣赏这清明的夜色。裴行俨慢慢平静下来坐在院中细细询问濮义遇到的事情,萧晓云并未参与其中,只独自一人抱膝坐在院门槛倚着大门等消息。等到三更鼓过,才有一阵急促的马蹄声传来。

"怎么样？可有什么消息？"萧晓云急忙迎了上去拉住马缰绳。诸葛德威从马上跳下来,对着她点点头,然后放大了声音说:"朱姑娘的车驾出了这里就往北走了,我们一路追查,发现他们走的都是小路。在离洛州十五里的村子里没了消息！"

萧晓云缓缓一笑,转身时俏脸生寒,大步走到姓濮的太监眼前,随手拔出旁边侍卫身上的宝剑:"你做的好事！"手里寒光一闪,月下杀机顿显！

老贯庄内本没有监狱,裴家军驻进来之后,便在庄子西侧的一间破庙外加了些围栏权作牢房。这个庙也不知是何年所造,里面的神像破破烂烂已经分不清模样,据裴行俨说里面供奉的是尧时朝臣皋陶。因为史书上有记载:"皋陶造狱,法律存也",因此便把这庙打扫了打扫,又加了几把锁,权作监狱。"让刑狱之神做牢头,你真是物尽其用啊！"萧晓云曾经指着庙堂中央灰白的分不清面孔的神像对着裴行俨大笑,"连工资都不用付了！"

的确是省了工钱。裴家军一向四海为家,遇到违法乱纪之人,轻则杖责,重则砍头,像入狱这类没有立竿见影的效果又费时费力的责罚是很少用的,设立的监狱也不过是个摆设。因此当萧晓云从一个隔间蹶到另一个隔间,又绕着神像走了无数圈之后,很是无奈地叹了一口气:"真无聊。"

虽然庙宇并不算大,可是活着能喘气能说话能走动的也只有她一个人,看守的士兵住在庙对面的小房子里,隔着两层红墙离得老远,连个说话的人都找不到。庙里唯一一位也是第一任房客的萧晓云瞪着不知名的大树纵横交错的枝丫把圆圆的月亮分割得支离破碎，再消失得无影无踪，不觉感叹道："真的好无聊啊。"

墙头上传来窸窸窣窣的声音，萧晓云挑了挑眼角回给它一个后背。自从头一日半夜睁眼看到瘦骨如柴的小老鼠，抱着从自己身下拔出的麦秆啃得津津有味，让她着实吊了一回嗓子，上演了半夜版的"午夜惊魂"之后，各类窜的跑的跳的蹦的飞的不知名的昆虫纷纷向她这个新搬来的邻居示好，样子之多类别之广让她看得眼花缭乱，应接不暇，分辨不清。"高中会考的时候我生物还是 A 呢！"萧晓云对压着千钧怒火兴师问罪的齐文淡淡地说了一句，用小指尖挑了一只小蚂蚁给他看，"现在除了这个小东西居然什么都不认识了。"

"你少说这些！"齐文一把把伸到眼前的手推开，全然没有看萧晓云一眼，怒道，"我们兄弟几十年都在一起，连最后一面都没见上，就被你逼走了。真是蛇蝎心肠的女人！"

萧晓云有些担心地看着小蚂蚁从指甲盖上掉了下去，见到它掉在地上翻了个身继续爬走，这才舒了口气道："你去找小猫的时候，我也建议你去见阿武一面啊。是你自己不去，怎么能怪我？"

"你还说！如果不是你让诸葛德威把我软禁在那里，我们兄弟又怎么能错过？"

"他哪里软禁你了？"萧晓云夸张地睁大了眼睛，"你去找白虎，可是白虎跑到其它地方没回来。德威怕你回来无法复命，特别招待你住了两天，怎么会是软禁呢？真是狗咬吕洞宾。"

"你！"齐文闻之气绝，狠狠地说，"就算你要送走朱姑娘，也不必把我的兄弟弄走吧！"

"小凤是被洛州人骗走的，怎么是我送走的？"萧晓云摆了摆手说，"饭可以乱吃，话可不能乱说。就算你兄弟齐武，也是被洛州王世充那帮人弄走的，跟我一点关系都没有。"

"你骗得了别人,怎么能骗得了我?"齐文一把抓住她的袖子,"说!我弟弟到底怎么样了?"

"小心,小心!"萧晓云掰开着他的手指仔细地说,"我关进来的时候只有这一身衣服,若是扯破了,就衣不蔽体了。难道你要顶上调戏妇女的罪名不成?"她满意地看见齐文松开了手,点点头说,"要我说呢,你也没有什么好担心的。他又不是第一次出门,同路的人还要靠他的才能保障安全呢。何况他走了,咱们第一护卫的位置你是坐定了。再没有人拿着你们兄弟俩明里暗里地比较了,你应该高兴才对,是吧?"

齐文气得连话都说不出来,可是鉴于自家少爷来时的吩咐,又不能把这个女人怎么样,只能满脸通红地吼叫:"萧晓云,我告诉你!我弟弟若是有个三长两短,我定然与你同归于尽!"

"同归于尽?"萧晓云听了这话笑得直不起腰来,"齐文,我劝你还是努力做事要紧。不然有一天你们兄弟相见,阿武混得比你还好,那你这个当哥哥不是没命,是没面子了。"

"三长两短吗?"萧晓云想到这里忍不住低了头,心里暗暗地念道,"齐武你以前总在外面跑,经验丰富,这次小凤的安全就全靠你了。虽说我使计让小凤和白虎诳你上了路,可你也千万不要出什么事,一定要平平安安地去长安。等到了长安,有李世民、刘文静提携,他日大唐一统天下,功名利禄任你挑啊!"

她心里这么想着,就忽略了墙头那端的声音。过了好一阵子才感觉背上被什么东西打了一下,回过神来扭头一看,只见墙头爬着的并不是原先预料的老鼠、小鸟什么的,而是露出半个脑袋。见她扭头,急忙伸出一只手招呼:"云姐姐!"

"罗士信?"萧晓云一愣,歪了歪头说,"你怎么在这里!"

话音刚落,那个脑袋嗖地消失了。萧晓云觉得纳闷,又听得墙那边有低低的私语声,于是搬了个凳子踩上去朝外探头。这一探头不要紧,只听

222

"咚"的一声响,一张英俊温和的脸在冒着金星的眼眶里闪现了一下,立刻消失。

"咕咚"一声巨响,有人在墙外"哎哟"一声,还没有叫完便被人捂住。萧晓云揉着自己撞的生疼的脑袋听到外面罗士信小声说:"别出声,当心被人发现了!"

萧晓云忍着笑从凳子上跳下来,睁大了眼睛盯着墙头看,果然不到一会儿,墙头上又探出一个脑袋,与上次突然出现的不一样,这次对方的动作十分小心。萧晓云捂着额头对那个探头探脑的人招了招手,看着他笨手笨脚地爬到墙头这边,踩在凳子下来,随即迎了上去:"你怎么来了?不是在洛州陪王将军督战吗?"

那人拍了拍翻墙时沾上的土,又整了整身上的长衫,把浑身上下打理整洁了,才用明亮如泉水一般的眼睛将萧晓云仔仔细细打量了一番:"我听说这里出了大事,特别请假回来看看。"

罗士信紧跟着从墙头外飞身窜了进来,落地之时悄无声息,没有溅起一星半点的尘土,动作利落一看便是翻墙的老手,跟在他后面埋怨道:"笨书生,爬墙都不会。"他越过那人跑上前来抓住萧晓云的手急忙问,"云姐姐,你到底犯了什么错,怎么突然被关起来了?"

萧晓云笑着推了推罗士信:"段三爷可是翩翩浊世佳公子,何时曾做过这些爬墙上树的勾当?你当每个人都跟你一样,整天放着正门不走专跳墙吗?"说着话,她笑眯眯地打量了一下段志亮那张强装严肃的面孔,最后在他饱满光洁的额头上停住,对着如玉般细致的肤色上清清楚楚印出的一个红印点了点头,脸上神情煞是得意:"撞疼了吧,一会儿回去拿个煮熟的鸡蛋在上面揉揉,不然落下淤青就不好看了。"

罗士信朝段志亮瞥了一眼,见对方脸上的神色又气又恼,其中还夹着些别扭,翻了个白眼不屑道:"笨书生,踩着我的背还摔下来,白让小爷在下面垫底儿了。"

萧晓云听了这话笑得越发促狭,倒是段志亮,仿佛很同意一样点了点头，迈步上前抓住萧晓云的胳膊温声说：“我是特别来听你说事情的原委的，今天如果得不到满意的答复，我可是不会离开的。”他拉着萧晓云往庙里走，顺手在罗士信的肩膀上拍了一下：“傻将军，让你拿的胡饼呢？”

罗士信抱着脑袋“嗷”的一声叫了出来，急忙转身翻墙去拿落在外面的点心。萧晓云听他嘴里嘟囔着：“动口不动手，笨书生你太油了。”忍不住拽了拽段志亮的袖摆：“混得不错嘛。”她朝着段志亮挤眉弄眼，“这个天不怕地不怕的小霸王都被你收服了。”

段志亮轻轻笑了笑，配着他那如春叶初展的眉，盈盈秋水的眼眸中透出一股笑雪初霁晴方好的韵味，温暖得让看到的人连身上的疲惫都消去了一大半：“中秋桂子月圆夜，怕这里没什么人关照，我特别带了胡饼来给你尝尝。”

胡饼？月饼的前身？萧晓云想起那个填满了胡桃仁芝麻有一点甜的小圆饼，对着天边那圆的出奇的月亮发呆：古人曾照今朝月，今月曾经照古人。原来今日，竟是那万家团圆的中秋节了？

中庭地白树栖鸦，冷露无声湿桂花。

今年的八月十五来的比往年早，天气还有些溽热，在没有桂花没有乌鸦也没有露珠的破庙里，萧晓云把早已打好腹稿的话说了一遍。最后总结是：“裴大哥不过是让我在这里反省罢了，根本没有为难我。最可怜的是诸葛德威，就因为杀了那个狗太监，杖责八十最后连屁股都打烂了。你们有空一定要替我去看看他，这八十板子可是他替我挨的！”

罗士信眨了眨眼睛扑通一声坐在地上：“反正那个太监丢了圣旨，回去也是要砍头的，哪里杀不是一样的？裴大哥也是，还把你关起来，真没意思！”

“话不能这么说。”段志亮很鄙夷地瞟了他一眼，墨黑的眼珠一转，萧晓云看到了他眼白上的血丝，心里涌上了歉意，就听他温温和和地说：“就算要砍那太监的头，也是主公去做。我们怎么能够越俎代疱？何况那位濮公公纵然卑贱，却也不是我们能说打就打，说杀就杀的。这次幸亏裴大哥先将晓云和诸葛一干人处治了,不然主公那里怪罪下来,只怕他们担的处罚越重。”

萧晓云赞成地点了点头,嘴角露出些许笑意。罗士信不以为然地撇撇嘴:“这么一说,云姐姐被关在这里倒是裴大哥护着她了?”

“没有的事儿。”萧晓云伸手去捏他的鼻子,“我也是违抗军令在先,不约束下属在后。受罚也是理所应当啊。”

罗士信被堵住了嘴巴,一边呜呜地叫着,一边甩着脑袋要从萧晓云的手中挣扎出来,段志亮见两人闹得开心,在一旁也含笑说:“我也觉得裴大哥护着你了,你在这里哪里是面壁思过,分明是找了个借口休养生息。”他托了腮看罗士信憋红的脸,继续说,“不过这样也好,你看看自己,上次回来受的伤还没好,前几天又着了凉。现如今瘦得只剩下一把骨头了,小心骑马的时候被风刮跑了。”

他的语气极为关切,听得萧晓云微微一怔,扭头看着他漆黑的眼眸里深深浅浅不加掩饰的担心,急忙宽慰道:“没事儿,并没有你说的那么严重,我最近正减肥呢。”

罗士信趁这个机会挣脱出来一口气跑到墙跟下,然后转过身对着萧晓云张牙舞爪做鬼脸。萧晓云看着罗士信样子笑个不停,听到耳边段志亮轻声说:“你一向言行谨慎,怎么这次做事如此鲁莽,若是被卷进去了,让我们这些人如何是好?”

萧晓云脸上笑容一僵,嘴里接到:“也是一时气急,没计后果。”

“嗯。”段志亮只轻轻答应了一声,尾音上扬表明它根本不相信:“见惯了你用计,如今却头一次见你如此坦诚,若是有什么难言之隐,大可不必在我们面前掩饰,其实……”

“我知道。”萧晓云点了点头打断他的话,对着罗士信嚷,“过来吃胡饼吧,我不欺负你了。”

段志亮本想继续说下去,见罗士信噼里啪啦地跑过来,想了想没有再开口,只是深深地看了萧晓云一眼。罗士信并没有发现段志亮的不开心,

225

只顾跟萧晓云抢胡饼吃,一时间院子里倒也热闹。

段志亮心里有些堵,不再看他二人胡闹,起身自去庙里闲逛。刚走了一多半,就见罗士信"噔噔噔"地跑进来,二话没说扑到他身上,捂住他的嘴一把拖到厢房里,低声说:"别出声,有人来了。"

有人来了?段志亮收回要打出去的拳头,任由他把自己拽到里屋窗檐下,果然听得外面萧晓云朗声说:"真是稀客!道长今日光临,真是晓云莫大的荣幸。足以令这里日月重光蓬荜生辉!"

道长?段志亮一愣,这时有人在窗外唱喏:"无量佛,萧主簿太客气了。贫道途经此处,寻访小徒而已。"

是……徐世绩?段志亮心里纳闷,他不是在黎阳驻守粮仓么,怎么跑到这里来了?耳朵里萧晓云带着笑意:"从这里再往前一点可就是洛州了,道长途经这里找人,难道是要拐了我的人前往洛州么?王世充那厮可是我们的敌人,道长如何酝酿着要去他那里呢?"

"萧主簿!"徐世绩声音里透出不高兴,"贫道听说你犯了事,怕小徒白虎牵连进去,因此特来寻找,并不是听你挑衅的。"

"少废话!"萧晓云在窗外斩钉截铁并无一点退让,"徐世绩,别拿着我家白虎作挡箭牌!你从八月初便擅离职守,从黎阳县出来,乔装改扮避过童山的五道关卡,潜伏在清渠,宴请奸臣,结交宦官。现如今来到老贯庄,又想离间破坏,制造混乱,伺机从我这里捞到好处。"她冷笑了两声,"徐世绩,你身居高位,对上不忠,对下不义。像你这等不忠不义之人,还不赶快滚出庙门,别脏了这块清静之地!"

罗士信在段志亮旁边直吐舌头,低声说:"云姐姐生气了,好可怕,好可怕。"段志亮虽然知道萧晓云与徐世绩一向不合,可是她言词如此犀利实属少见,又不知是为了什么。徐世绩也在外面反唇相讥:"萧晓云,难道你就忠义两全么?你身为前线统帅,不思破敌攻城为主公分忧虑,却虚报军情私自囤积粮草,这等行为算得上什么忠?你用金银钱财收买主公身边内侍,又在众将身边安插卧底,暗中监视众人举动,此等行为算得上什么

226

义？远了不说，单是主公召朱玉凤入宫，你便横加阻挠。主公宽宏大量没有与你计较，难道你以为我不知道么？丢失诏令，王世充乘机放走朱玉凤，这点雕虫小技岂能瞒过你道爷爷的法眼？什么怒斩濮义，分明是你嫁祸于他尔后杀人灭口的障眼法！"

段志亮听到这里，激凌凌打了个冷战。扭头去看罗士信，正好对方也看了过来，黑暗中两人看不清表情，只见得对方眼里都是难掩的惊讶和恐惧。应该……应该不是真的吧？然而院子里的萧晓云只是冷哼了几声，并没有对这些话做出反驳："贼老道，既然你说到了这事，我便与你把账算清楚。我来问你，朱玉凤生日乃是私下里通知，并无上报朝廷，主公他从哪里得知？那日夜里，进入将军府的人，个个都是我在大厅亲自接待，主公屈尊扮了随从溜了进来又是谁的主意？那天之后，是谁买通了人整日在主公面前时不时提起小凤？又是谁极力撺掇主公纳她为妃？还有，是谁在背后查明了小凤的身家向上禀告？又是谁说得此一人便可得岭南支持，到时龙盘洛阳，挥师南下，与岭南朱家前后夹击，天下尽入囊中？"

一连串的问句如针般扎在段志亮的心底，让他几乎无法呼吸。之前一直怀疑此事另有隐情，不想二人的一番话，居然将萧晓云与徐世绩背后的事尽收眼底。萧晓云与徐世绩彼此之间的责问声渐渐隐去，段志亮只觉得像掉入冰窟一样，刺骨寒冷直窜向身体四肢，将五脏六腑冻得没了知觉：当年那个将他从家族冷漠中拯救出来的萧晓云哪里去了？外面那个工于心计步步为营的人又是谁呢？

徐世绩被萧晓云不留情面的责问激起了怒火，也大声说："萧晓云，若不是你在众将军身边安插了奸细，这其中的干系你怎能了解得如此清楚。你若是没有结党营私，怎么会让朱玉凤拜秦琼为义兄，你整日与罗士信、谢映登等人混在一起，难道不是拉拢单雄信、程咬金的幌子么？"

"哼！"萧晓云在门外冷笑，声音颇是不屑，"徐将军果然不是一般敏锐！"

黑暗的屋子里寂静非常，连呼吸都抑止住了。段志亮隐约间觉得不好，还没反应过来，身边的人已经飞快起身跑了出去。段志亮急忙伸手去

227

拉,然而还是慢了一步,等追出了厢房,就见罗士信已经站在萧晓云眼前,眼睛里血红,一字一句地问:"他说的,可是真的?"

萧晓云很明显地慌了一下,扭头正与段志亮的眼光对上,随即转开视线。

罗士信依旧步步紧逼地问:"是不是真的?"

回答他的是徐世绩讥讽的声音:"罗士信,你以为你是谁?你不过是她和秦琼、程咬金交往中的一个棋子罢了!"

话音未落,就见罗士信大叫一声,一脚踹在身旁的树上,木桶粗的大树震了震,将半黄半绿的叶子铺天盖地撒了下来,在一泻千里的月色中纷纷飘落。肇事者一脚将庙门踹开,头也不回地走了。段志亮急忙跟在他身后,到门口正遇上庙对面守卫的士兵前来查看动静,他顺手从怀里摸了几个铜板递过去,就在这个空当,他回头看了一眼萧晓云,月色皎洁树影横斜,无边的落叶中,青衣融入月夜之中,只剩下一个浅淡的影子孑然而立,未曾消散的凌厉中透着苍桑。

看守的士兵忙不迭地谢他给赏,又殷情地提出灯笼要送他一程。段志亮叹了口气不再多看,转身离去。

对刚才罗士信的诘问,萧晓云本是要解释的,可张开了口,又不知该从何说起,这一犹豫,便错过了机会,最后等段志亮也一语不发地走了,她顿时觉得心里空落落没了底:朱玉凤与齐武去了长安,孙白虎离开自己去执行其他任务,裴行俨恼她做事太过将她打入此处不许参与军务也不再与她见面,诸葛德威又被打得只剩半口气趴在床上动弹不得。好容易段志亮、罗士信前来看她,却又被自己气走,她惶惶然看了看四周,夏虫不语鸟雀无声,只剩下自己的呼吸声在静谧的夜里慢慢流动。半月前小凤生日的欢娱不想今日众人已东劳西燕、反面无情。

徐世绩见她眼帘半垂,神色凄凉,不觉生出一点悲悯之心。可是他很快将这种感情压了下去,随即问道:"那么白虎呢?你已经护不了他,便将他交还给我吧。""白虎外表木讷,内里却聪明伶俐,从不显山露水,是应该好好培养的。"他想。

徐世绩这次来老贯庄，一是要看看萧晓云是否为裴行俨所厌弃，毕竟这个女人做戏本领高强，自己的探子极易上当，几次传回去的消息都是错的；二是要彻底断绝了萧晓云再掌兵权的可能，如今这两个目的已经达到，他想到了孙白虎：那样一个人才跟着萧晓云实在埋没了，不如带回去在自己手下做事。上一次白虎背叛，是因为萧晓云与自己旗鼓相当，人难免顾念旧情，如今形势变化，正所谓"良禽择木而栖，贤臣择主而侍"，只要给孙白虎一个机会，他还是会回到自己门下的。

"白虎？"萧晓云抬头看着他，过了好半天才说，"他不在我身边。你问我是没有用的。"

徐世绩正待多问，一转眼见看守的士兵又把段志亮送了回来，正举着灯笼在门口等着，心里推测孙白虎大概也随着朱玉凤离开了这里。他见萧晓云仿佛已不堪重负，倚着树干慢慢坐了下来，抱着膝盖将头埋在臂弯里，心知自己也问不出所以然了，于是说："既然如此，那么我就先告辞了，萧主簿保重。"

依着萧晓云平日的性子，必然是没有好脸色看的。徐世绩也没有期望能听到回话，谁知对方竟闷闷地说："慢走不送。"

徐世绩此时方知她已心灰意冷，去了与自己争斗之心。傲然一笑，赏了看守士兵几个钱，转身出了庙门。

第十八章

破壁而飞

　　自那天得了十几枚铜钱之后,看守的士兵便觉得这萧主簿身上油水颇多,因此看守得特别用心,外面有个风吹草动都急忙探出头来,盼望能碰到些个人再赚些酒钱。说来也奇怪,自那之后,竟然再也没人来过这小庙。这么着磨了一段日子,等到秋收时他也就绝了这份心思,趁人不注意弄些粮食卖了换酒喝,反正那萧晓云也从不闹事,天亮了起床,天黑了睡觉,白日里不是练箭便是发呆,并不需要他费心。因此每夜喝得醉醺醺的,日子就这么一直过了下去。很快就过了一年。

　　八月底开始渐渐沥沥飘起了小雨,虽说这绵绵细雨不会影响秋收,可正所谓"一场秋雨一场凉",下了近半个月的秋雨,天气也就一天天冷了起来。看守的人偷懒儿,等到寒气散了才来送饭,因此早饭一日比一日来得晚。有时候狱卒近中午的时候才将早饭与午饭并在一起送来,萧晓云也如同传说的那样好脾气一笑,放下手里的弓去吃饭,并无一句怨言。这位主簿大人吃饭相当文雅,一口饭要咀嚼很久才咽,因此一顿饭足足能吃近半个时辰。看守的士兵每日这个时候就坐在门口有一搭没一搭地和她说话,却从未得到过萧晓云的回答。这也难怪,据说上等人吃饭是不出声的,萧主簿出身名门,自然跟他那种呼噜呼噜吃饭的习惯不同。

　　这一日天上又下雨,看守的人又偷了懒儿,裹了大被子躲在炕角,听得

230

外面有人咚咚敲门："狱卒呢？"

"来了来了！"这大雨天的，怎么还有人跑过来？心里埋怨归埋怨，他还是匆匆披了件外袍去开门。门外站着一个大汉，身高五尺开外，脸膛黄里透白，眼皮耷拉着，一脸的虚弱。身上穿着件土黄色的大袍子，十分厚实，看着就暖和。守卫的人心里暗自忖摸：这么冷的天，老子怎么就没这么暖和的袍子发下来呢？他打着笑脸问："这位将军有事么？"

"我来问你，萧主簿住在这里么？"那人一手撑伞，一手扶着门框，将门口挡得严严实实。

"是，是。"看守的人急忙回去拿了钥匙，陪着这位大人到了庙门口开了锁，提声向里面喊："萧大人，有人来看您啦。"

几枚铜板当当地跳入他的怀里，看守的屁颠儿屁颠儿地拿了去打酒喝。这时从里面传来有些惊讶的声音："德威？你的病好了么？"

雨帘之中，庙门口屋檐下站着一人，青衣束身。形容憔悴。脸上全没了往日的娇媚、任性与嘲弄，取而代之的是落寞索居中少有的坚毅与淡定。人更瘦了。这个汉子急忙赶上几步，在庙外跪倒："萧主簿深陷此处已久，属下今日才来看望，请降罪！"

萧晓云不慌不忙上去扶他："快起来，你不是受了杖责么，怎么身体还没好就跑了出来，万一着了凉，这可如何是好？"说着话，携手带他进了庙里，向左右看了看，指着自己的铺位说，"你身上有伤，只怕坐不得，不如躺在这里吧。这里庙小简陋，不要嫌弃。"

诸葛德威看了看四周，除了这稻草铺，便没有其它可以坐的地方，因此迟疑道："属下……属下并无大碍。"

"若是不想躺着靠着也成。"萧晓云打断了他的话，转身走到窗边说，"这里没有外人。"

诸葛德威见萧晓云脸上神色淡然，想了想于是慢慢坐了上去，低声说："属下前几日便可以下地了，只是大家都拦着，因此不能前来。幸好今日下雨，他们都出去喝酒，才得以脱身前来探望。不知……不知萧主簿

231

近日还好？"

萧晓云却只是低声道："德威啊,你本不该来这里。"她缓缓地将手从栅栏里伸了出去,从屋檐流下的雨水如小溪般落入她的手中,很快蓄满,又哗啦啦流了出去,"这样对于你的前途……并没有好处。"

诸葛德威一直看着她的动作,看着那纤长的手腕上突出的骨节,脸上微微一沉,嘴里十分恭敬："萧主簿无需担忧,只需在这里再待几日,定然能够脱离困境。"

"是么？"萧晓云看了他一眼,又将头转到一边,"此话怎讲？"

"主公已经下了命令,今冬之前,定要拿下洛州。"诸葛德威兴奋地说："各部军队都在积极备战,再过两日,裴将军就要带兵前往邙山,与单将军一起协助主公破敌了。"

萧晓云不知可否地应了一声,诸葛德威急忙说："这次留守的是王君廓将军,手下兵力只有二万。萧主簿你想,用二万人守住洛州东面防止他们破城时逃出来,并不是容易的事。王将军虽然勇猛,然而智谋上还是差了一些。为了保证最后的胜利,到时候裴将军不放您出来也不行啊。"

萧晓云点了点头："你分析得不错,已经懂得用人之道了。"诸葛德威得了赞扬,高兴地说："所以您在这里再委屈两天,不过几日,便可以重掌兵权了。"

萧晓云听了这话,歪了头看了他一会儿,突然手腕一翻,将掌心蓄着雨水尽数泼洒出去,一时间水珠纷纷落下,在台阶上摔得粉碎："你忘了考虑其它问题了。"她从袖子里掏出一块丝帕,慢条斯理地将手擦干。

诸葛德威听了这话摸不着头脑,又仔仔细细想了一会儿,才小心翼翼地问："难道少将军有其他人选？"

"我不知道。"萧晓云摇了摇头说,"我只知道,我讨厌李密,讨厌瓦岗,更讨厌他们的作为。这件事,我是不会接的。"

"萧主簿!"诸葛德威低呼了一声,"您对主公不满我们都知道,可是这么直接说出是会掉脑袋的。"他疾步到窗口看了看外面,外面只有灰蒙蒙的雨雾,并无任何人影。他低声劝道:"萧主簿,你一直待在这里也不是办法呀。不管如何,先脱困再说啊。"

"这里并没有什么不好。"萧晓云笑笑说,"这些时日我也习惯了,像这样有吃有喝,能练箭能读书的日子要比那种勾心斗角的生活好得多。"她指着斜影弓慢声说:"早先我练箭,不过是为了自保,后来闯了些名出来,又为了那看不到摸不着的名声逼迫自己,连睡觉都睡不安稳。自从进了这里后,心态却慢慢平和了,在难得的平静中领悟到了许多平日不曾领悟到的东西。如今我在弓箭上也有了长进,起码过去辛苦练习的结果没有荒疏。"她笑道,"所以我想,这种平平静静的生活更适合我。"

诸葛德威听了这一席话不禁目瞪口呆,又劝了很久不见萧晓云有一点松口,他是偷着溜出来的,就不得不离开了。萧晓云将他送到门口,亲自撑开伞递了过去:"德威,每个人都有自己要走的路。你的志向是领兵百万,威震海内。以后不必为我的事情再分神了。像这等于己不利的事儿,便不要做了。"

诸葛德威听了这话眼眶一红,低头便拜:"萧主簿,你对我们兄弟的恩情我始终都记得。但凡您有差遣,属下一定竭尽全力,万死不辞!"

萧晓云笑了笑将他扶起来,把伞塞在他手里:"去吧,你的仕途才刚刚开始,不要耽误了。"

诸葛德威一抹脸出了庙,走了没两步又回来,将身上的袍子脱下来塞在萧晓云手中:"萧主簿,天气冷了,您身上那件丝织的衣服不抵寒,先拿这个用着,回去我就让人做了秋冬的衣服,过两天就给您送来。"

萧晓云正待推辞,见他一再坚持,说了声谢谢收下。等诸葛德威打着伞掩了院门出去,她才转身轻声说:"出来吧!"

庙里黑黢黢的没有声音,萧晓云提高了嗓子说:"你跟着德威来这里,现在他都走了,难道你还不走么?"

破旧的神像后面传来衣服的窸窣,一个人影从暗中慢慢闪现。萧晓云伸手从怀里掏出火褶子,趁着火光迸发的那一亮光看到了对方的脸,于是点了点头道："其实不用借着德威兜这么大的圈子，下次如果有问题，直接来问我好了。我对他也只是有些话没有说全，却不会撒谎。"

对方迟疑许久，终于嗯了一声。萧晓云也不理他，拿着袍子径直往自己住的地方走，到了门口才说："你回去告诉他：李密我不能饶，不肯饶，也不愿饶。他若是冒得起后院起火这个险，便放我出去，否则，就关我一辈子！"

对方啊了一声，显然没有想到她说话会如此决绝。萧晓云抓着门框淡淡地说："齐文，你一定把原话传给他，不要打任何折扣。还有……谢谢他送来的秋衣。"

九月十八，李密在洛州以南的偃师集结兵力，亲自指挥瓦岗众将，誓死捉拿王世充。裴行俨受命率六万兵丁前往，留王君廓带四万兵力把守洛州东边的老贯庄。出征当日晴空万里，万众欢呼之声震得整个庄子嗡嗡作响，声音传来时萧晓云正在庙中擦拭斜影弓，在巨大的声音中顿了顿手，始终没有抬起头来。

这风起云涌天下大乱的时候，寻求一方清静之地似乎已极为困难了，何况有的时候，纷扰与安宁也仅有一墙之隔。并不高大的庙墙外，李密指挥着瓦岗十五万将士在邙山以北安营扎寨，决定一鼓作气拿下洛州，庙墙之内萧晓云弯弓搭箭吃饭睡觉不问世事，享受着与这一情势绝对相悖的安宁。

裴行俨刚走，王君廓便来庙里探望。萧晓云态度如常，只要遇到排兵布阵的问题一概不答。看王君廓疑惑的态度，明白裴行俨是下了死命令不许放她出来，却没有解释其中的缘由。萧晓云也不多说，最后王君廓忍不住，还是劝说道"少将军当初处罚你也是为了你好，不要再与他斗气"之类的话，便以公务繁忙为借口离去。

从此却没了裴行俨坐镇营盘时的闭塞，外面的消息日日传来。每到午饭与晚饭时分，那送饭的士兵便会坐在门口絮絮叨叨地说着营里的事情，内容之详尽一如往日其他将官的上报。萧晓云有时见他突然住了嘴，抓耳挠腮地想着接下来该如何说,就会低头抿嘴一笑,将明显提高了档次的饭菜送入口中,却依然保持着"食不言,寝不语"的习惯,吃完饭后漱口,然后淡然离开。

九月二十,裴行俨到达邙山,与李密会合。

九月二十二,单雄信到达邙山,徐世绩以黎阳路途遥远为由,只派了五千轻骑前径,参战。

九月二十三,张童儿樊智超带领骁果新降将官共三万人到达邙山,各路人马全部会齐。

九月二十五,裴行俨带两万人与王世充先遣军遭遇,歼敌五千,立下首功。

九月二十七,王世充带领剩余三万人出城迎战,李密亲自指挥,双方战平。

九月二十八,……

萧晓云吃着送来的午饭,看着那个士兵尴尬地站在门口,想必王君廓忙得忘了派人告诉他说些什么了。她淡定地低下头吃饭,幸好今日菜色还不错,这样一顿饭还没吃完,就听着外面马蹄阵阵来到门口,紧接着有人大声嚷道:"晓云,出大事了!"

萧晓云微一抬头,见王君廓满头大汗地走了进来:"出大事了!王世充那个狗贼,居然在凌晨时分发动偷袭,这个家伙,太奸诈了!"

萧晓云嗯了一声,夹着小炒肉送到嘴里点了点头,王君廓见她没有什么表情,急忙说:"你怎么没点反应呀?王世充偷袭了,偷袭啊!"

萧晓云点点头,慢慢嚼了一会儿咽下去才说:"听见了。"

"听见了?"王君廓大声说,"这就完了?你知不知道,这次王世充粮草用尽已拼了老命。手下士兵个个凶狠异常。你也知道……主公他们为求快攻,扎营时并没设任何堡垒,这一偷袭,简直,简直是……"

萧晓云抬了抬头纠正道:"李密轻敌,昨日十万人应战三万人,也不过战成平手。今日凌晨被人偷袭,有些伤亡也是难免。"

"唉！"王君廓一拍大腿说，"不管怎么说，现在王世充偷袭，那边的战局不容乐观！"

萧晓云这才点点头，将一口米饭扒入口中，专心咀嚼。王君廓等了一会儿，见她并无要说话的意思，只得问："那你说我们现在该怎么办？"

萧晓云摇了摇头，好一会儿等嘴里的东西咽了才说："不在其位不谋其政，王将军问我也是白问。"说罢伸筷子又要夹菜，王君廓现在总算明白了她只要嘴里有东西就不说话，急忙伸手隔开她的手腕说："先别吃了，我这不是专程来请教你吗？"

萧晓云看了他一眼，绕过他的手再去夹菜，又被王君廓挡住。如此反复多次，她突然放下筷子起身："这饭你是诚心不让我吃了。收了吧。"

王君廓眼见她悠悠闲闲地伸了个懒腰往庙里走，气得起身大叫："萧晓云，如今都火烧眉毛了，你怎么还跟少将军怄气。若是他在前线吃了败仗，受个伤挨个罚，看你到时候怎么后悔！"

那个身影一动，停了好一会儿才低声说："那也是没有办法的事儿，现如今我困在这里，没兵没权，什么都做不了，就连走出这堵墙都不可能。事已至此，你还要我做什么呢？"

王君廓听到这话愣了一下，刚要回答，已见萧晓云回到屋里，再没有身影，只得悻悻离开。

这天下午，外面刮起了西北风。初时只是微风，树叶在风中拂动。等到未时刚过，风渐渐大了，云也愈积愈多，把本就不甚明亮的太阳都遮住了。萧晓云挽弓站在院子中央，狂风将她身上的披风吹得飒飒直响，她却好像没有反应，只是将手中的没羽箭一支支射出，说来也怪，不管风如何凛烈，那箭却如同有线牵着一般，直入靶心。

这时有人跑进来跪倒行礼："参见萧主簿。属下奉王将军之命，请您前去议事。"

萧晓云看了他一眼，将手里的箭射出，并未说话。对方磕了一个头继续说："王将军知道您的意思，他已经下令，在监军府正厅议事，请您务必前往主持。”

监军府?裴家军一向只在主事人的府邸议事。王君廓此举,实际宣告留守大权已经移交给了萧晓云。萧晓云心思至此,嘴角露出隐隐笑意:“既然如此,你去回禀王将军,我一会儿便到。”

“王将军吩咐,情况紧急,萧主簿一应之物自会有人收拾,请您即刻赶去商议大事。”那人跪着回到:“小人已经将您的坐骑带来了。”

萧晓云听了这话点点头,跟着他走出门,果然见庙门口的拴马石上拴着一匹马,灰色长毛覆体,通体泛青,大眼长颈,额宽鼻直,耳小灵敏,体格匀称,只在两眼中央有一小撮黑毛,如天眼半开,煞是威风。正是千金难得的宝马良驹玉照青。“超级玛莉……”萧晓云激动地念着它的名字,伸手去摸马头,那马见了多日未见的主人,高兴得拿耳朵在她掌心蹭来蹭去,欢腾得在地上不停打转。“这几日没人带你溜达,憋坏了吧。”萧晓云解开缰绳,翻身上马,“走吧,从此之后,再无拘束之日了!”

这匹玉照青嘶鸣一声,四蹄翻飞,仿佛御风而行,瞬间离了这拘禁之地,直奔监军府而去!

第十九章

四面楚歌

　　长夜漫漫,残月当空。邙山上如墨的夜色中,天边那一缕月牙细得几乎没了踪影, 只剩下几颗寥落的星星散落在空中, 四周的光线还比较暗淡,远远望去,山林间一片狼藉,营盘的栅栏七零八落。

　　单雄信在营地里巡视了一圈, 走到营地东面那顶紫色的大帐前,犹豫了半晌咳嗽了一声,过了一会儿听到里面有人轻声说:"单将军么?进来吧。"

　　单雄信掀帘子进来,头也不敢往起抬,低声道:"裴将军,你的手可包扎了,没有伤到筋骨吧?"

　　帐内的人急忙起身,携了他的手道:"不过是些小擦伤,劳烦单将军前来探望,行俨担当不起。"

　　单雄信听了这话,脸上越发烧得厉害:"裴将军,今日要不是你在战场上相救,只怕我如今已经没了性命。"他跟着那人一路走到桌前,叹了口气道:"前几日我还在主公面前那样说你,真是……唉!"

　　裴行俨听了这话笑道:"老单,咱俩多少年的兄弟,我还能不知道你。"他扭头嘱咐侍立在一旁的齐文倒水来, 然后对单雄信说:"我们都是主公帐下重臣,就算偶有争执,也是为了瓦岗的将来考虑,难免会有一两句话言重了。这点儿小事怎么能阻隔我们兄弟的情谊,你多想了!"

单雄信听了这话，才勉强笑了笑说："也怪我求功心切，本想着我们十万精锐对付王世充那狗贼的三万残兵，这场仗必胜无疑。谁知对方竟然能与我们战平。"

裴行俨点了点头说："王世充是个怪才，这之前他与我们战了一年，可以说是屡战屡败，带来的十五万援军被我们打得只剩下三万，弄得洛阳城内饥荒处处，饿殍遍野。就这样一群无粮无饷的败兵，居然能与我们十万兵丁战个平手，不能不说是怪事。"

"是不是有神仙助阵呢？"单雄信接过话题说，"有俘虏说他们得了周公的庇佑，保佑他们守住洛阳。你也知道，这个洛阳城，上古时本就是由周公建起来的。"

裴行俨摇了摇头说："这个消息我也听说了，不过只是一家之言，如何能让人信服。"

"也难说啊。"单雄信皱起眉头道，"你不觉得这几日战争情势很诡异么？先是王世充的两万人面对张童儿的三万兵丁，居然能将其逼退，安然无恙地度过洛水在山北摆开了阵势；徐天师虽然只派了五千人马，但你我却清楚这支队伍足以以一当十，可是刚一上阵，便折损大半；还有今日凌晨，我们分明将洛州城围得铁桶一般，那些偷袭大营的敌人却突然如神兵天降，搞得我们措手不及，这到底是怎么回事儿？"

裴行俨听了这话也不禁担忧起来："这的确难以解释！他们的攻击环环相扣，根本不给我们一点喘息的机会，似乎真的掌握了咱们瓦岗所有弱点。"他摸着下颔的胡茬自言自语地说："从以往的交战的情况看，王世充绝没有这样的本事，难道他真有高人指点？"

"九指神算！"单雄信听了这话惊呼道，"我听一些俘虏说他们出兵前洛州城内突现异光，有一位道人从天而降，锦衣峨冠，身材颀伟，自称是周公派来帮助守城的，难道……"

"九指神算？"裴行俨并未听到这个消息，突然想起来平日在自己耳边嘀咕八卦的人还在老贯庄，一时出神，过了一会儿才缓过神来说，"这个道人是什么来头？"

"这位道长面覆白巾，从不以真面示人。据说此人仙风道骨，周身有仙气缭绕，高慢异常，所过之处，人尽匍匐于地，顶礼膜拜，连皇泰主都对他十分尊敬。这人号称'九指神算'，是因为少时自断一指以明求仙之志，因此被周公选为随身侍童。这次特别被派来帮助王世充守护洛州的。"单雄信低声道，"他降临洛州第二日，便有一个叫张永通的士兵说周公三次托梦给他，答应帮王世充保卫洛阳。前两次他梦到了不敢说，如今见周公真的派了人来，才将这个梦说了出来。"

裴行俨点了点头说："这个我也听说了，前几日王世充重修了周公庙，请了个巫师去周公庙祷告，据这个巫师得到的神卜说：周公让他转告洛阳守军，应立即进攻，周公会保佑守军大吉大利；如果不听，周公发怒，将降瘟疫于守军。"他敲着桌子想了想说，"你还记得么？前两日我们与洛州交战，他们的大旗上写的并不是王字，而是永通。现在想来，那两个字原来是得到周公点拨的士兵的名字。"

这时，仿佛帐帘一动，一阵阴风刮了进来，单雄信不禁打了一个寒战，声音也越发低沉："难道说这些都是真的？"

裴行俨皱眉摇了摇头刚要反驳，就被单雄信急促的声音顶了回去："不然洛州那几万残兵如何能打得我们十万士兵毫无还手之力？"

裴行俨看单雄信那急切的样子，突然想起他是淮南人，淮南自古便崇尚鬼神，巫师道人在淮南的地位极高，就连地方官员都要谨遵神谕。想到这里，他心里不禁一冷：连单雄信都信了这些神鬼的传言，那么瓦岗这里过半的淮南士兵必然对此更深信不疑了，还没交战，便存了胆怯的心理；而同样来自淮南的王世充手下士兵都来自淮南，必然坚信有周公护佑，所以士气昂扬。因此也难怪那日战场上王世充能以三万残兵抵挡瓦岗十万大军。

单雄信看他眉头越皱越紧，越发认定自己的判断，脸色慢慢变得灰白："难道……难道我们真的逆天而行，有违神旨了？"

裴行俨狠狠一掌拍在桌上:是他疏忽了!两军交战攻心为上,王世充这一手耍得真漂亮,先以神谕鼓舞士气,随后又用战争的胜利证明自己确有众神庇护。而现如今瓦岗大多数的人连打仗的心思都没了,士气低落至此,想不失败都困难。

　　单雄信这时已经坐在那里没了章法:"裴将军,今日战场之上,你也听见了,洛州那边说已经捉了主公,而且那人……那人你也看到了,的确就是主公……我们怎么办呢?撤退,还是……投降?"

　　裴行俨听了这话心中一凛,高声喝道:"齐文,立即让各位将军清点手下人马,小心不要让士兵开了小差。一旦发现有人逃跑,定斩不饶!"

　　齐文急忙出帐传令,不一会儿就听得外面脚步频响,人喊马嘶,显然是乱成一团。裴行俨看着单雄信空茫的眼神叹了口气:"行了,你别乱想了,我们一切以主公马首是瞻。若是主公真的被俘,必然有招降书送来,毕竟我们这里还有近八万人,王世充不致敢与我们硬碰。唯今之计,我们只有坚守营盘,相机而动。"

　　单雄信毕竟是身经百战的,不大一会儿也镇静下来,点头道:"没错儿,也许那是王世充故布疑阵,我们一定要稳住阵脚,不可上当。"话虽这样说,可是眼神仍然呆滞,有些惴惴。

　　裴行俨见他如此,也不点破,只是坐在椅子上思量破解的办法。如今双方士气敌强我弱,如果不尽快扭转局势,后果将不堪设想。可是这些士兵大多来自淮南,要让他们相信这周公守城是王世充装神弄鬼的把戏势比登天还难。他有些后悔:自己真是小看了这场战争,将跟随自己的四万人都放在了老贯庄,只将后来充入队伍的六万人带了出来。后来的这些人大都是从当地招来的农民,他们世代对神鬼之说更是坚信不疑,加之投降的俘虏又将那"九指神算"说得神乎其神,只怕这些人身在瓦岗,心已早飞回洛州了。

　　"九指神算,九指……"裴行俨低声说着这个名字,心里暗自思量:这到

241

底是怎样的一个人，举手投足间居然能够将胜负快速扭转，"九指……九指……"他脑子里灵光一闪，一个念头快速闪过，正要捕捉之时，门外传来齐文的禀报声。

"进来吧。"裴行俨将注意力转入帐内，随着杂乱的脚步声，齐文带着一队将官进入大帐，脸上神色慌张。"将军大人。"甲胄冰冷的声音响起，底下跪倒一片，"属下监管不力，请少将军责罚！"

裴行俨见此情景知道自己最担忧的事情已经发生，然而脸上仍然是一派稳重："说吧，情况到底怎样？"

跪倒在下面的将官们你看我我看你，面面相觑，谁也不肯开口。最后还是齐文硬着头皮说："左军死伤五千，逃七千，现只剩八千人；右军死伤六千，逃一万，现只剩四千人，中军两万还剩一万，单将军手下……只剩下四千多人。"

单雄信听了这话好像椅子上长了刺一样猛地跳起来："今天结束战役的时候我手下不是还有两万五么？"

齐文摇了摇头低声说："除去那些伤兵，现如今整个营地能参加战斗的也不过二万五千人，刚才我们清点人数的时候，这两万多人里不少还要开小差的，多亏张青特张将军斩杀了几个逃兵，才杜绝了他们的心思。"

裴行俨心里叹气，过了好一会儿才说："你们去查那些俘虏了么？"

"属下刚才看过了，"张青特回报道，"那些俘虏也少了一大半，想来其中很大一部分人是诈降，不知道用了什么办法说动了我们的士兵，带着他们去投降王世充了。"

裴行俨听了这话思索良久："从现在开始，加强营内巡逻，你们几个人辛苦一下，每次都要负责带队点名，一旦发现逃跑的士兵，当众斩首，不必向我汇报！"他扭头对齐文说，"你立刻准备一下，连夜赶回老贯庄，传我口令：让王君廓即刻带兵前来支援。"

"不如把晓云调过来吧，"单雄信插嘴道，"她对敌的经验比王将军要丰富得多，前几日不是犯错关起来么，我看也差不多了，给她一个将功补过的机会也好。"

裴行俨叹了口气揉了揉眉心,心道晓云现在铁了心要找主公算账,怎肯前来帮忙?可是这话又说不出口,只能推托道:"老贯庄也是军事重地,还是要有人把守的。让王君廓留一万精兵给晓云,由她负责守住洛州东面。"

单雄信还要再说,被裴行俨一挥手止住:"单兄弟,现如今最重要的任务是守住大营,不要给王世充那个狗贼一点机会。咱们兄弟辛苦一点,亲自出去督阵如何?你负责北面,我负责南面。"

单雄信点头答应,于是众人领命出去。只剩下裴行俨一人在帐内穿戴盔甲。想到自己出征前两人的争吵,心底钝钝的痛始终褪不去。

冰冷阴暗的庙宇中,她将送到嘴边的药碗推开:"我身边本就只有两个说话的人,谁知他弄走了一个孙白虎,还要把剩下的朱玉凤带走。做他的臣子,替他带兵,帮他打仗,被他卖了当人质,伤重归来还落不得好。不是我不想做忠臣良将,实在是他李密欺人太甚!"

黑暗中她的眼睛如明珠般闪耀着决然的光芒:"反正从我为小凤找退路开始,你就已经处处提防不再信我。事到如今,我也只有这一条路可以走:李密的敌人便是我的同盟,李密的同盟便是我的敌人。"

敌人么?裴行俨捂着盔甲上的护心宝镜,只觉得这光滑的镜面被心底涌出的苦涩淹没了:论道义主公这边他不能置之不理,至于晓云么,只要一想到分离便会如刀割一样的疼。透过冰凉的金属,他按了按自己被绞得疼痛的地方:也罢,就趁着这个机会给她一万精兵放她出来,让她再回唐营吧。那边有信任她的李世民,有她相信的朱玉凤,还有等她回家的段志玄,那边的一切的确是比留在自己身边幸福的多啊。

一颗启明星慢慢升起,在黎明前最深的黑暗里,裴行俨慢慢地回想起:"你知道么,这个叫做婚姻线噢!"

谁的声音在耳边回响，那里面的笑意如此的甜。

"唉，看看这条主线，纹路又深又没分叉儿，说明你真是个对感情忠贞不二的绝世好男人耶。"

谁的指尖滑过掌心，那细腻的触感如此的温柔。

"喂，你要是看中了哪家姑娘，一定要让我帮你提亲哦。保证说得对方心甘情愿哭着喊着的非你不嫁生为你家人死为你家鬼"。

谁的笑容在眼前闪动，那弯弯的眉眼如此的快乐；

"唉呀，你又打我脑袋！不要打啦，会变傻的，要是变傻了难道你养我一辈子么！"

谁的手指握住了自己，分明冰凉如水却让心里温暖如春。

阵阵马蹄声将本就破碎的记忆弄得越发凌乱，上面的影像逐渐模糊，裴行俨心底涌起一阵慌乱，在不知所措中听到有人在身边大声说："启禀少将军，程咬金程将军带了主公手谕前来宣读！"

不知是记忆的潮水退去，还是周围的黑暗重新返回，他带着一分侥幸两分失落定了定神道："请程将军到大帐稍作休息。召集众位将军一起到大帐聆听圣谕！"

在他的背后，晨光依旧深沉，那颗启明星光敌不过黎明前的黑暗，逐渐暗淡了下来，闪了一会儿，终于被完全遮住。

中军紫色的大帐内，已经聚集了很多将官。裴行俨掀门帘进来，只见众人的目光纷纷投向自己，又带着几分惶恐挪开了视线——也难怪，手下的士兵跑了一大半，这些人大概连跟他说话的勇气都没了。裴行俨不自觉地想起那个人有一次扯着孙白虎的脸一本正经地教训："即使做错了事情，也要诚恳地看着对方的眼睛，这样才能让对方明白你的歉意！唉！你正眼看着我……"

歉意么？裴行俨扫视了一下帐篷里待命的各人，所有的人都诚惶诚恐地低下了头，无一人敢与他的目光对视，便是与自己同处武侯之位的单雄信，也将脑袋扭向另一侧，假装探身与旁边的人聊天。

虽然早已料到自己的视线得不到回应，裴行俨心里还是有些失落，顺着让出的那条路径直走到书案前，定了定神抱拳行礼："程将军！"

"裴将军！"程咬金急忙从怀里掏出一张黄皮的信笺，"主公最新的手谕。"

只要不是黄绸的圣旨，身为朝廷重臣的他与单雄信都不需要跪接，裴行俨点了点头，恭敬地将信笺接过来，小心翼翼地拆开，低头去看里面的内容。单雄信见昏黄的烛光下他的眉头越拧越紧，急忙凑过来低声问："怎么了？"

裴行俨将手里薄薄的信纸递给他，扬声吩咐众将官再次回营清点人数。单雄信待众人散去，才将那份手谕小心翼翼地放到桌子上："明日辰时便发起攻击……这个……"他斟酌着词语说，"依我们现在的情况，确是宜守不宜攻呐。"

裴行俨点了点头道："没错儿，如今军心不稳，士兵大多相信周公守洛州的谣言，根本无心恋战。如果此时贸然发起攻击，就会给他们提供叛逃的机会，后果将不堪设想。"他沉思良久，道，"如今最好的办法，便是坚守不出，即使王世充在外骂战，我们也要沉得住气才行。"

程咬金见两人态度一致，显出一脸为难："可是主公的意思，确是明天我们两军从东西两面夹击，一举消灭王世充那个狗贼，拿下洛州。"他见裴行俨并没有任何表示，急忙说，"我来之前，主公还在千叮万嘱，让裴将军一定遵照手谕办事。"

单雄信听了这话在一旁很是为难，若是明日开战，损兵折将必然难免，便是拿下洛州，瓦岗也会元气大伤；若是明日坚守不出，便是违背上谕，万一主公出战时遭遇不测，自己的脑袋便要搬家。他思索良久，咬了咬牙对裴行俨说："既然主公都已经下命令了……"

裴行俨抬手打断他的话，扭头去问程咬金："如今主公那里，还剩多少兵卒？"

"少说也是三万有余吧。"程咬金不明白他的意思，却也老老实实地回答，"今日我们虽然败了，死伤却不多，所以三万人肯定还是有的。"

"没有逃兵么？"

"怎么可能有逃兵？"程咬金有些摸不着头脑，"裴将军为何有此一问？"

单雄信却是一听便明白：李密那边想来还没有发现军心已散，因此未加防范。既然两边的士兵大都差不多，只是不知明日清晨，主公那边能否剩下一万兵力。一想到此，他急忙对裴行俨说："事到如今，如果我们不遵从吩咐牵制敌人的兵力，只怕明日主公就危险了。我看，还是出战吧。"

裴行俨心里跟他想的相同，于是答应道："好，就按照主公的吩咐，卯时造饭，辰时出征！"

程咬金悄悄地松开握在腰间佩剑上的手——那是临走时主公赐给他的一把剑，若是裴行俨、单雄信胆敢抗命不从，便可用此剑将二人当堂处斩，由他接手全部军队。幸好裴、单二人并未抗命，不然杀掉自己当年跟随的将军如今生死与共的兄弟，这样的决定对他的良心来说也是一种煎熬。

第二日清晨，裴行俨按照计划吃罢早饭与单雄信带了队伍出营，远远的看到战场上洛州士兵也正摆开阵势。程咬金在马上狠狠地吐了一口唾沫道："没想到王世充这狗贼比我们还早！"

"来者不善呐。"裴行俨一边吩咐张青特带人缓缓摆开阵势，一边指着敌军对程咬金说，"现如今王世充赢了两阵，兼有神明做靠山，整个队伍气势如虹，反观我们，却是人心涣散无心应战。主公定下的计策原本是要打他们一个措手不及，可是对方似乎已经有了准备，甚至比我们还早来到战场。这个时候我们能做的只有避其锋芒，养精蓄锐。反正他们的粮草也坚持不了多久，待得他们士气衰竭了再进攻也不迟。"

"我自然知道这个道理。"程咬金紧紧盯着对方士兵整齐的军容，点头回答道，"主公这次出征洛州势在必得，十几万大军却败在洛州三万残兵之下,这口气是无论如何都咽不下的,因此急于报仇雪恨也是在所难免。"他扭头对裴行俨说,"主公现在心情不好,你若是违抗上谕,定斩不赦。我连御赐的宝剑都带来了,你还是……"他看到裴行俨脸色突然一变,止住了劝说的话,"怎么了?"

"你看那里!"裴行俨几乎是颤抖着手指向对面正中间的大旗,"那个……那个难道是……"

在他们对面,一字排开敌人的将官,正中一辆单辕双轮的大车闪闪发光格外耀眼:仔细一看,竟是整个车身都贴满了金箔。驾车的是四匹白龙马,浑身洁白如雪,更无一丝杂色。在这辆车之后,先是四个九龙曲柄黄色华盖,两旁是八个九龙直柄华盖,其后是寿字型、双龙黄色型,双龙红色型的执扇;红色的孔雀雉尾和鸾凤,紫色、羽葆的幢;豹尾、龙首竿状的怀远幡、振武幡、敷文幡、纳言幡、进善幡,再往后便是遮天蔽日的各色旌旗,洋洋洒洒遮去了半边天,煞是壮观。

"摆什么排场?"程咬金在一旁与单雄信咬耳朵,"这可是战场,摆这么大的排场做什么?"

"是卤簿!"裴行俨少时随父亲觐见过先帝杨广,这种规格的车马标志深深地烙在他的心底,"难道对面的是当今圣上?"

"当今圣上?"程咬金急忙朝旗下望去,果然见一个少年,金盔金甲覆身,手中却没有兵器,只在腰间挂着一柄三尺多长的宝剑,剑鞘上雕刻的是蛟龙出海花纹,其上缀满宝石,剑柄的穗子足有二尺多长,艳红如血,垂在刺绣精致的龙袍旁,格外的鲜亮。

"裴行俨!"那少年见他们两人望来,大声道,"你们父子当年受命剿灭叛军,现如今数年已过,怎不见你们前来复命!"听他的语气,似乎在责罚他们未能完成任务,对于裴家叛离之事反而毫不知情。

裴行俨听了这话一时犹豫,不知如何是好。就听得杨侗在对面继续说:"朕少时在先帝面前承欢膝下,不止一次听到他称赞你们裴家是国之

247

栋梁。当年在御花园大宴群臣,朕还记得先帝携了我的手,指着你父亲叮嘱我:裴家世代忠烈,为我大隋驻守东北,抵御外敌。若非有此智勇双全的将军分忧,孤将为高句丽那些蝼蚁之辈扰得食不下咽,夜不能寐。"他声音清脆,在初升的太阳中犹如立于叶间的朝露,听得在场众人无一不伏帖,"后来你们没了消息,先帝还常常扼腕叹息,担忧你们父子的处境。如今朕能再次遇上你们,想必先帝泉下有知,定然能够欣慰了。"

裴行俨听了杨侗的话,愣愣地立在当场。虽然与洛州已成敌对之势,可是让他与这样一位体恤下属的天子为敌,他终究是做不出来,何况裴家几代忠义,当年叛出朝廷也是因监军诬告。现在听杨侗的意思,似乎是不计前嫌,极欢迎他们回来。当年叛离时老父那泪水纵横的面孔突然闪现在他面前,弄得他心乱如麻,一时不知如何是好。

程咬金出身草莽,对于朝廷的感情并没有裴家那么深远。见裴行俨脸上阴晴不定,再看杨侗身边侍立着一个道长,掐丝锦缎的道袍,腰上带着七星龙泉剑,脸上白巾覆面,只余一对眼睛闪着睿智的光芒,知道这便是那个自称周公侍者的"九指神算"。他不好对着杨侗叫骂,于是将吃了败仗的愤怒对准了这个凭空冒出来的家伙,立时大声喝道:"呔!那个妖道,就是你妖言惑众,乱我军心么?"

谁知那道人只朝他看了一下,便将头扭向裴行俨,未说只字片语,态度极是轻蔑。裴行俨被杨侗一番话说得失了方寸本就让程咬金气愤,再看这道人的行为举止,分明是不把自己放在眼里,于是两腿一夹催马直奔上去,嘴里说道:"今日老程我便来会会你,看你这个神仙能有多少能耐!"

他往前一冲,带着的本队也跟着往上压,打乱了预先摆好的阵势。裴行俨回味过来急忙叫道:"程将军,千万不可伤了陛下!"

程咬金听了这话越发生气,来之前李密便嘱咐他千万要告诉裴行俨,若是杀入洛州,一定要对当今圣上恭敬有加,不可伤了他一丝半毫,到现在裴行俨也是如此说话。辛辛苦苦的起义,带着兄弟们离乡背井浴血奋战,难道就是为了再一次投向昏君的儿子么?当年在大牢中,他在染了血的鞭子下早已下定了决心,绝不再做隋朝的走狗,于是咬牙喝到:"刀枪无眼,这岂是我能控制得了!"话音未落,已经杀入阵中。

裴行俨见程咬金不管三七二十一将手里的长槊抡圆了四处乱打,不过几个回合便被对方包围,担心他没有接应中了敌人的埋伏,急忙也打马上前:"我带人前去接应,单将军,你先压住阵脚再派人接应!"

这时程咬金已经杀到敌人面前,手里的马槊眼看便要招呼上那个道人的脑袋,猛然间斜刺里出来一柄长刀,只听"铮"的一声巨响,程咬金勒住缰绳倒退几步,只觉得右手虎口发麻,隐隐作痛。抬头一看,那柄长刀的主人,竟然是先投瓦岗后降洛州的宇文成都旧属下——樊智超!

"好你个三心二意的兔崽子!"程咬金见了樊智超,忍下的气终于憋不住了,便在阵中破口大骂,"从刚开始我就知道你们不是好东西。可恨主公被你们的花言巧语蒙蔽,居然听信谗言,让我们的精兵拨到你们麾下!看看你们这些家伙,吃我瓦岗穿我瓦岗,等到敌人来攻,居然不战而降,真是连条狗都不如……"

"嗯哼!"那个道人在一旁重重地咳嗽,压低了声音吩咐道,"樊将军,不可伤了此人。"

樊智超听了这话冷笑一声道:"若不是看在他的面子上,我才懒得救你。不过,你也没有资格来教训我!"话音未落,长刀一挥使了一招"仙人指路",又隔开了程咬金的进攻。

程咬金在这边与樊智超战成一团,嘴里仍不干不净地骂着,兀自逞快,后面的裴行俨却着了急。这时敌人的队伍已经一拥而上,将程咬金的队伍切成几段,又里三层外三层将他们围在当中,分明就是围而歼之的计策。饶是程咬金勇猛,也敌不过如此不间断的攻击。隔着层层人群,眼看程咬金身边的侍卫越来越少,裴行俨心里一着急,手里的紫金锤也就不再犹豫,抡圆了砸下去,碰上的人不是筋断骨裂,便是脑浆迸出,所过之处鲜血四溅惨呼连天。裴行俨出手不留情面,更兼身上气势惊人,最后竟无人敢靠近身边,终于在重重围堵中杀出一条血路,扑到程咬金面前。

"程将军,赶快回去!"裴行俨一锤挡住了樊智超的长刀,打马上前将二人隔开,急忙说,"此乃死地,不便久留。你先转回去,我殿后!"

程咬金还想再分辩,还未张口,斜刺里一杆蛇矛枪从马前窜了过来,逼得他的战马嘶鸣两声,腾腾直往后退。程咬金手里用劲,狠狠地勒住马的缰绳,战马在地上滴溜溜打了个转,才停下来。在他正对面,张童儿银甲覆身,肉乎乎的掌中是一支短杆蛇矛枪:"程将军何必着急,圣主最是礼贤下士,留下来吃口茶再走也不迟啊。"

张童儿白胖的脸上堆满了童叟无欺的笑容,若不是一身盔甲在朝阳中闪亮,那副样子像极了集市里和气生财的店铺老板。程咬金仰头狂笑:"张童儿,就你这点微末的本事,也敢拦我的去路?"

张童儿摆着店铺老板和蔼的笑容,一点儿都没有被侵犯的忿怒,居然点着头笑眯眯地赞同:"程将军武功盖世,仅凭我一个人自是拦不下,不过呢,蚁多拖死象的道理我还是懂得。"他手里的蛇矛枪向空中一挥,"众将官听令!"

在程咬金的周围,发出了山呼海啸的应答声:"在!"

"圣上有令:活捉程咬金,官升两级,赏银千两!"话音刚落,就见刀枪剑戟斧钺钩叉十八般兵器纷纷如恶狼扑食般朝程咬金冲了上来,夹杂着士兵们贪婪的叫嚷声:"拿盾牌夹住他的兵器!""拿枪戳他的马腿!""先把他弄下来!"

当真如张童儿说的那样,程咬金虽然勇猛,终究敌不过众人的围攻,手里的马槊一时来不及从兵器的阻拦中撤出,战马已经被急着要奖赏的士兵冲过来刺了几个洞,一时血流如注,嘶鸣了几声,扑通一声栽倒在地,兀自在地上抽搐。程咬金也因这一时不察,失了平衡,跌在地上,扬起漫天的尘土还未散开,就被各式兵器顶住了前胸后背,动弹不得。

"程将军!"裴行俨在他身后惊叫一声,手中的紫金锤猛地一发力,将与他缠斗不已的樊智超震开,抽身便去营救。他的武功比程咬金高出许多,使得又是家传的锤法,招式精妙,那紫金锤仿佛有了生命一样,曳挂砸擂,指东打西,其上的力道忽虚忽实,那些士兵不是被绊倒在一旁,就是被砸得踉跄后退压倒了其他人,就在樊智超勒紧了马缰再次追上来的时候,裴行俨已经为程咬金解了围。

"再坚持一下,单将军的救兵马上就到!"裴行俨一边努力应付源源不断地涌上来的士兵,一边安慰程咬金。

樊智超赶来闻听此言,放声大笑:"裴行俨,你以为单雄信那里好过么?士兵哗变,他已经自顾不暇了,明年此时,便是你们的忌日!"

第二十章
血染征袍

士兵哗变?

裴行俨闻听此言心里一惊,就在马上引颈朝自家阵营方向张望,果然旗帜歪斜混乱,完全不是阵法严明时应有的排列,看来樊智超说的是真的了!这……形势怎么会发展到这个地步?

他忍不住将目光投向重重士兵护卫中的杨侗,又仔仔细细地打量他身边那个白袍道人,心里第一次开始对自己的对手产生了如此的敬畏:王世充分明已经到了强弩之末,败相已露,却被这人一连串装神弄鬼的手段鼓足了士气。居然能够从败势想到诈降,进一步扰乱了军心,并且在诓得众人逃跑之时还能想到让士兵哗变一切步骤竟把握得如此之好。从激怒程咬金到诱使自己身陷囹圄,这个人的计策层层相扣,连环不绝,这个道人到底来自何方?为什么对瓦岗的内情如此熟悉?难道真如众人所说:他是周公派来帮助守护洛州的使者?

那个道人见他望了过来,在乱军丛中微微低头示意。不知怎地,即使隔着数百兵丁,即使周围喧闹纷扰,即使那人面上还覆着一块白巾,裴行俨就是生生感觉到那是带着奇异的坚韧对他的傲然一笑。这种坚韧让他一时觉得万分熟悉,却又有着别样的陌生,就在这一闪神之时,凌厉的风声带着血腥的气味如毒蛇般扑向心口,裴行俨心里一惊,多年戎马生涯养

252

成的习惯让他下意识侧了侧身体，然而还是慢了一步，只觉得右肩刺痛难当，一股大力带着他身体往后栽，扑通一声跌下马来。

"裴将军！"程咬金见此情景恨得目眦尽裂，手里的马槊挥了一个半圆，将围在身边的士兵砍倒了几个，将他护在身后，大声喝道，"哪个混蛋，居然敢放冷箭？"

回答他的只有如蚂蚁般源源不断涌上来的士兵，带着对奖赏的贪婪，前赴后继扑到他们的面前，将数不清的兵器砍了上来。

"程将军！"裴行俨勉强起身，靠着自己那匹没角癫麒麟，用左手将冲上来的敌军隔开，右手虚挽着马缰，"再呆下去，只怕我们和单将军都讨不到好，赶快上马归营！"

程咬金先与樊智超缠斗，又连斩十数名士兵，也开始觉得手中马槊有些沉重，又见裴行俨右肩的血顺着箭杆汩汩地往外冒，也觉得事态紧急。于是答应了一声，双手一展，把马槊抡圆了护在周身，将那些喽啰小兵打到三尺开外，瞅准了机会，一把抓住裴行俨的腰带，使了一个鹞子翻身将二人都带上了马，催马便走。

他这一招使得干脆利落，连举刀砍过来的樊智超都忍不住喝了声彩。不想没角癫麒麟是匹宝马良驹，平素只认裴行俨一人，如今程咬金坐在前面拿了缰绳，这马便不听使唤，只是腾腾的在原地踏步，并不快跑。裴行俨急忙腾出左手去拿缰绳，背后樊智超的大刀已经顺风而至，刀芒闪动如电割喉。

这一招杀意凌厉，势如雷霆，带着不斩其首誓不罢休的气势发难而来。裴行俨身后便是程咬金，他若是避开，程咬金势必受伤，可是他左手拿着缰绳又无法回撤，无奈之下，只好忍着右肩的剧痛，举起紫金锤硬接。只听咣当一声金属互撞，刺耳的响声中裴行俨只觉得右臂被震得嗡嗡发麻，手中的武器再也拿不住，掉在地上。

樊智超一招被挡回去，手里的长刀就势又在空中划了条弧线，飞将过来。眼看刀光朝着自己的喉咙劈下，裴行俨心里大叫一声危险，右手想再拔腰间的宝剑,却无论如何都抬不起来了。

难道今日,正要命丧此处?

就在此时,斜刺里一道惊鸿飞了过来,撞在樊智超的刀上,这一招极为巧妙,将角度掌握得刚刚好,饶是樊智超力贯刀身,也抵不过这轻轻的一撞,顿时失了准头,刀尖只够到了裴行俨身上的甲胄,只听刺啦啦一声厉响,裴行俨背后的护身铠甲被划开了长长的一道口,在切口处紫金铠甲卷边上翻,露出贴身的小衣。

裴行俨暗叫一声侥幸,打马急走,待没角癫麒麟跑起来后,错眼向后看:只见地上插着一柄七星龙泉剑,斜刺刺地钉在地上,微微晃动,在阳光下如一泓秋水,泛出淡淡的蓝光。

"樊将军请收手!"在他身后,那名道人压着怒气一字一顿地说:"莫要忘了你我当日之约!"

樊智超哼了一声,道:"设计陷害少王爷,裴行俨身为武侯,官居要职,自然也参与其中!"

那道人仿佛是生气了,厉声道:"我们早已说得清楚,李密才是罪魁祸首,不得伤及他人!"

张童儿拨马过来,笑着说:"李密不过是个跳梁小丑,取他性命易如反掌。可惜他身边猛将众多,如果不铲除这些人,我们如何能够近得了李密身边半步?"说完,他手里令旗一挥,"给我追!活捉不回来,也要把他们两人的尸体带回来!"

那道人正要发话,樊智超一伸手从地上捞起七星剑,随手一扔,钉在他车架的车辕上,与他刚才扔出去的角度一样:"我说道长啊,你还是安心做你的周公侍卫吧,这等小事,还是不要插手为好!"

那个道人被噎得说不出话来,也把宝剑还入鞘中,嘴里恨恨地说:"裴将军受伤,你以为她能放过你么?"

樊智超却是一笑:"有少王爷在,她能掀起什么风浪?"话音刚落,已经将长刀挂在马鞍上,探手将背上的摘星弓取了下来,挽弓搭箭对准了裴行俨的后心。"当日在营中比箭,我也只输给她一支而已。"他笑得有些漫不经心,"这一箭应当没有什么难度,把裴将军留下来,应该没有问题吧!"

话音刚落,坐在马上的裴行俨果然应声中箭,从马上跌了下来。樊智超见程咬金又要抵挡又要拉裴行俨,动作慌张早已失去了章法,于是半是挑衅半是得意地瞟向那个道人,却见他以手搭帘,仰起头朝北边望去。

就在战场的北边,漫天的尘土中,一队人马如山洪暴发般狂泻而来,一时间马蹄阵阵,旌旗遮天蔽日。在队伍的中央,竖着两杆大旗,青色的那支旌旗,有一丈多长,带着淡蓝色的流苏旗穗儿,迎风招展,猎猎有声,上面墨迹淋漓地写着一个大字——"萧"。

樊智超见了此旗吃了一惊,耳边听得那道人低声暗笑:"留不留得住裴将军,我说了不算,可是你说了也不算!"他伸手一扬,指着大旗下飞扬的青衫,语气里满是遮掩不住的骄傲:"你应该先问问她,是否同意?"

飞扬的尘土中涌出一队骑兵,军容整齐气势威猛,令人望而生畏。中央帅旗下的玉照青煞是神骏,比周围的马高出半头有余,最难得的是通体泛青,不见一丝杂毛,威风凛凛引人注目。马上的骑手一身青衣短打扮,腰间系了一条白色的丝绦,随着跨下骏马奔跑在半空中飘动缠绕,使得这人如谪仙下凡,在一片金盔银甲中尤显得格外轻灵。只几个呼吸之间,那人便率军插入两军阵中,手腕轻扬勒住战马,将脸上蒙的丝巾拽了下来:"王君廓、罗士信,各带五千骑兵展开鹤翼阵;诸葛德威你带步兵跟上,扎住阵脚;我来压阵!"

王君廓、罗士信和诸葛德威答应了一声,各去带队。队伍中此起彼伏的响起传令声,萧晓云一伸手将背着的斜影弓取了下来,扬声下令:"目标为洛州军队,替骑兵杀出一条通路!"

话音刚落,只听弓弦拉动的嗡嗡声响成一片,五千弓箭齐刷刷对准敌军,弯弓满弦,杀气冲天!

"原来是她！"杨侗对着那张清秀的面孔失声嚷道，"樊将军，那个姓萧的，绝对不能留活口！朕要把她千刀万剐，让她死无葬身之地！"

就是这人，把他的登基大典弄的一团乱！杨侗自出生以来，虽有挫折，却从未被如此重创过。每当龙袍加身之时，他总会不自觉想起登基那日的情景，顿觉奇耻大辱异常。偏偏身为皇帝，龙袍日日要穿，那天的伤痛便自然时时经历。因此杨侗对于萧晓云，可谓是恨之入骨。

谁料他的命令一出，刚才还在互相讥讽的樊智超与"九指神算"突然统一了战线："不行！"

"什么！"杨侗气咻咻地嚷道，"难道你们要抗旨？"

樊智超笑得懒洋洋："陛下，这位萧姑娘可是少王妃，也算我们半个主子。她要受什么惩罚，那要看我们少王爷的决定，其他人的话可算不得数！"

对方是武将，手里又握有洛州一半的兵权，杨侗就算身为皇帝，也不能奈他如何，可是心里却忍不下那口气："难道就这么放过她么！"

"陛下请看。"他身边的道人指向两军阵前，"刚才她只能进入阵地的边沿，如今不过短短的时间，便在阵地上稳住脚跟。并不是每个将军都能做到如此，她可是难得的将才啊！"

杨侗忍着气去察看两军阵前的情况，果然，在密如暴雨的弓箭下，混乱的战场被扫荡出一片空地，偶尔有两个未曾中箭的士兵，还来不及反击，就被随后赶来的骑兵斩了首级。萧晓云率领的这支队伍已经在他们说话间迅速摆开了阵形，两队骑兵如鹤翼缓缓展开，在他们之后是秩序井然的步兵，手持大刀长矛举着盾牌稳稳当当压了上来。

"这倒是个好阵法！"樊智超满脸的佩服，"以骑兵的迅捷扫除障碍，以步兵的步防稳阵脚，这个办法又快又稳，不愧是少王妃！"

那个道人冷哼了一声："樊将军，你还不赶快迎敌！"

樊智超知他不满自己对萧晓云的称呼，嘴里却故意说："我怎么敢跟王妃大人对阵。"话虽如此，眼睛却盯着对面的举动不敢放松，脸上的神色也严肃了起来。

这边萧晓云待队伍稳住了阵脚,才开始打量周围的情况:背后是混乱的瓦岗军,似是被人潜进来起了内讧,看起来暂时没有太大的危险;正对面是洛州军队,刚才赶来时看到的九龙曲柄黄色华盖下立着一个少年,现在仔细一打量,正是皇泰主杨侗。如此凶险的情形下还御驾亲征,果然洛州此战已经赌上了所有的筹码。她目光一转看到了旁边的白袍道人,嘴角轻勾画出一个温暖的笑容,微不可见地点了点头,随即将视线转向旁边最混乱的地方:张童儿与樊智超也不是草包,怎么任由他们阵中核心之处乱到如此地步?

这一看不要紧,萧晓云脑袋好似被人狠狠地敲了一闷棍,整个的嗡嗡直响:刀枪剑戟之中,披头散发,奋力斯杀的人是程咬金,在他身后护着的,侧着身子倒在地上血泊中生死难辨的,不是裴行俨,又是谁?

"左翼!"萧晓云听到自己声音尖利的刺耳,"立刻进去救人!"

王君廓接到消息有些踌躇,鹤翼阵虽然是新排的阵法,可萧晓云说过,最重要的是两翼灵活,可相互救助,他若带人杀入阵中,便是偏离了队伍,这阵法也就破坏了。这么一犹豫,萧晓云第二道命令就到了:"全员进攻,不得延误!"

王君廓不敢抗令,只得带了部下朝敌方进攻。刚与对方接触,便遇到了笑嘻嘻的张童儿,双方兵力相当,又彼此熟悉,一时缠斗起来,相持之下,竟然不能再进一步。

"混账!"萧晓云眼看王君廓的队伍不能推进,再看阵中程咬金已显败相,显然是几近力竭不能再战,急得直咬牙,"右翼进攻!"

樊智超在杨侗旁边嘻嘻一笑:"多好的阵型,居然就这么坏了。"他挑衅地看了看那道人,"小道士,今日胜局已定啦!我去会会罗士信,哈哈!"说毕,带着自己的队伍打马上前与罗士信的骑兵搅在一处。

孙白虎没料到萧晓云开局如此之好,却连着下了几个错误的命令,将好好的一个阵法弄得乱七八糟,急得额头直冒冷汗,探头朝萧晓云那里望去,只见她脸上神色僵硬,两眼一眨不眨盯着这边阵中,突然像是被吓了一下,咬着嘴唇,低头便去拉缰绳准备前行。孙白虎见她这个动作也是吓了一跳,张嘴就要喊住她让她不可妄动,却见她的马缰被人拉住,这才将提到嗓子眼的一颗心放缓了一点,仔细去看那边情况:原来,拉住缰绳的是段志亮。

段志亮本陪着罗士信在右翼督战,谁知阵地还没有扎稳,就见左翼王君廓带队杀出,不多时来了命令连他们也要出战,将阵法破坏无遗。于是急忙赶回来问个清楚。幸好他来得及时,刚才萧晓云那个样子,分明是要带兵杀过去的。

"你做什么?"段志亮一把拉住她的缰绳。

"救人!"萧晓云的声音比平常低了一些,带着不加掩饰的急躁,"放手!"

"救人?"段志亮放大了声音,"左右两翼的骑兵都陷入对方的阵中,你还要出战?你带什么人出去,步兵?还是弓兵?"

与骑兵相比,步兵的战斗力太低,根本不适合冲锋陷阵,弓兵只适合远距离作战,更是不能近身搏斗。萧晓云熟读兵法,这么浅显的道理当然清楚,却摇了摇头说:"左右两翼已经牵制对方主力,正是杀进去的好时候,便是弓兵,也是有用的!"

"你疯了!"段志亮几乎吼了起来,"弓兵也是有用的,你去送死么?"

"不拼一下怎么行?"萧晓云也吼了回去,"程咬金的马槊都断了,裴大哥又受了重伤,难道我们要看着他们生生被乱刀砍……"她猛地住了口,牙齿来不及收回咬在嘴唇上,紧紧咬住却是无论如何都不肯说出那个不吉利的字。

段志亮见她急得脸上一片潮红,眼里噙着泪,不禁呆了呆忽然松手:"你是主将,还要留下来主持大局。点两千步兵,我去救人!"

萧晓云听到段志亮要出战,便是一愣,不知怎地,身子不自觉向后缩了缩,说出来的话反而不像刚才吼的那两声那么有底气:"你带兵的经验不足……"

"总比你去的好！"段志亮气势倒是更足了，"下令吧！"

萧晓云听了这话反而越发的犹豫，就在迟疑间，诸葛德威也因为萧晓云的错误从步兵队伍中赶了回来，急忙插话道："不行，这简直是去送死！"

段志亮瞥了萧晓云一眼，语气漠然地让人心惊："我去送死，那又如何？"

诸葛德威是个老实人，还没弄明白他的意思，只是一股劲儿地在旁边劝："明知道是去送死，你又何必带兵过去？段主簿，你一向明白事理，这次情况凶险，不可轻举妄动啊……"

段志亮扭头看了看诸葛德威，敦厚的面庞上全是焦急，显然是从心里为他打算，一时有些感慨，伸手拉住他道："你说的我何尝不清楚，只是大局为重，只要我们这边不乱，战死沙场，也是我的造化。"

"这……这……"诸葛德威见他说得诚恳，心里也发了慌："怎么我们队伍会大乱么？"他看了看自己的步兵，接下他指挥权的副官正在努力稳住阵型，并没有出问题的先兆，"段主簿，恕我直言，若是你带了两千步兵出战，那我们这边防守士兵减少，这才会导致队伍大乱呢。你还是听我的，先不要着急，萧主簿定会有计策……"

段志亮苦笑着摇了摇头，心道这带兵出阵是萧晓云的本意，可她急得早已失了分寸，哪里还有计策可出？"诸葛将军！"他摇了摇诸葛德威的手制止他再说下去，"稳住阵脚就全靠你了，我一旦出战……"

"胡说什么！"萧晓云一声清斥打断他的话，"诸葛德威，一旦前方步兵阵法被破，整个队伍就再难支撑，你怎么可以擅离职守回来？"

诸葛德威扭头看到她俏生生的一张脸上直冒寒气，足足能从上面刮下两层霜来，急忙施礼告罪，萧晓云摆了摆手，"还不赶快回去！"

段志亮见诸葛德威调转马头跑得飞快，忍不住扑哧一声笑了出来："你把他赶走了，我那两千士兵找谁调去？"

"我可没说让你带兵出去！"萧晓云对着他脸色倒是和气了些，"刚才是我太着急，行事鲁莽了些。行了行了。你也别拿我这点丑事做文章了，过来商量一下怎么救人要紧。"

段志亮见她这么一说，眉头却皱了起来："从乱军之中救人，需要一支速度与攻击都精锐的部队。骑兵是不能指望了，如果仅靠我们手里的步兵和弓兵救人，只能凭数量取胜。照目前的情况来看，至少要出动我们一半的兵力……"

"想都别想！"萧晓云白了他一眼道："刚才我要出动两千人，你就怪我破坏阵法，跟诸葛两人一唱一和拿着小命做要挟。如今让你想法子了，就要出动一半的兵力，一半的兵力将近八千人呢，这会子你怎么不说阵不可乱，大局为重了？"

段志亮被她抢白了一番，也知道她身为主帅的压力，脸上臊得通红："刚才是我鲁莽了。可是阵不能乱，裴大哥也不能不救啊！"

"我自然知道。"萧晓云眯了眼睛看场中的局势，"如今要做的，就是不派一兵一卒把他们两人带回来！"

程咬金从来没有这么狼狈过，黄金的头盔早已被掼了出去，被围攻的士兵你一脚我一脚踢得没了数儿，盘在头顶的发髻在打斗中也散了下来，浸湿了的汗水粘了泥土满下巴满脖子都是，伴着沉重的呼吸，全身上下有说不出的难受。他把马槊从右手交到左手，狠狠地喘了口气，移动着脚步将受了重伤的人护到身后："奶奶的！"程咬金也不回头，提高了声音说，"这群喽啰，怎么跟蟑螂一样，杀都杀不光了！"

"程将军……"裴行俨虚弱的声音在他背后响起，"此地不可久留，你快些离开。"

程咬金将马槊舞了一个漂亮的花，顺势将身侧准备偷袭的一个小校撞倒在地："先杀光这些兔崽子再说！"他猛地将马槊在地上一杵，身子借力腾空飞起，在半空中大喝一声，"看你程爷爷的厉害"，手里的马槊如泰山压顶般砸了下来，气势惊人无人可挡。马槊下的两个人躲避不及，正被砸在天灵盖上，就听"噗""噗"两声，被砸到的人连疼都没叫，身体就软了，径直倒了下去。

260

程咬金落地之时将马槊一挥,槊尾沾着的血在半空中挥出一道鲜亮的弧线,洒在地上,混着泥土变成一片暗红。围着的士兵在滴着血的马槊前哗啦啦向后退去,让出一大片空地,虽然不敢再进攻,依然在二人周围挤挤挨挨,围了个水泄不通。

　　程咬金裂开嘴笑了起来:"你们哪个兔崽子还敢上来?"

　　围着的士兵被他的豪情震住,拿着兵器在面前虚晃,却无人敢再上前一步。程咬金猛地向前一跨:"不敢上来么?那就给本大爷让路!"

　　围在周身的人群原本让出了一块空地,可是身后的人却又压了上来,于是原来的圆圈变成了一大椭圆,刀枪棍棒遥遥地在程咬金周围虚晃,没有一个敢上来,也没有一个人退下去。

　　一群废物!程咬金觉得手中的马槊越来越重——刚才那一跃几乎用尽了他剩下的所有力气,若是再不突围出去,恐怕今日他真要力竭身亡了。可是这群混蛋,他狠狠地扫视着围在身边的士兵,心里有说不出的恼怒:打又不敢打,就这么困着他,贪婪和血腥的眼神交织在他身上,结成一张密密不透风的网,让人说不出的恶心,却又无路可走,无计可施。

　　在他身后,传来裴行俨的呻吟,程咬金一扭头,见他脸色煞白,嘴唇泛青,神智已经有些不清楚。刚开始没有注意,如今仔细一看,顺着紫金甲的缝隙缓缓地向外溢出的鲜血,竟将他半个身子染成了墨红。若是再不止血,他的性命……

　　程咬金急得眼都红了:单雄信是干什么的?这样紧急的时候,他怎么一点反应也没有?只要有一百人,不,五十人,只要有五十骑兵前来救应,他定能杀回营中。

　　一个小校看出了他的慌乱,仿佛看到了黄金美女在半空中招手,急忙指挥手下的士兵往上冲:"他已经没劲儿了,赶快给我拿下,圣上可是重重有赏啊!"

　　真是重赏之下必有勇夫,刚才还后退的一帮人忘了危险,哗啦啦又往上冲。程咬金一咬牙:也罢,今日我便拼死一战,马革裹尸还!

明媚的天光突然暗了下来,空气中传来马的嘶鸣声,危险的气息随着嘶鸣声不断扩大,就在一眨眼的工夫,那些正往上冲的士兵的背后像是有一根细绳猛地一拉,一个个犹如被毁坏的木偶纷纷倒在地上。突然的变故让战场上的众人都呆住,再看着满地的长箭,大气都不敢出一下。也不知过了多久,终于有一个士兵忍耐不住疼痛,大叫了一声,于是活着的、受伤的一边呻吟一边叫喊着拼命往后退,程咬金面前空出了一大片空地。

"程,咬,金!"自家阵营那边有人一字一顿叫着他的名字,"还不赶快回来?"

这声音清脆,一听便是女声,却带着女子不常有的硬气。程咬金在敌人诧异的表情中露出一点笑意,放开了嗓子嚷:"我被小鬼儿们绊住了……"

话音未落,就听得那边有人高声下令:"五人一组,分道两边,距离一百五十步。给程将军清道!"

熟悉的嘶鸣应声而起,无数长箭划破天幕。密密麻麻如飞蝗的无棱长箭遍布空中,将正午的阳光遮去了光辉。人潮涌动的包围圈忽然出现了一条三人多宽的小道,道路两边用长箭围着,五枝一组,箭身斜插,箭尾向外,如同守卫的士兵一般,排列得整整齐齐,一直延伸到两军交界处。长箭之下,钉满了躲避不及的士兵,在小道的边缘抽搐喊叫,道路中央没有被射中的人见此情景,吓得三魂去了两魄,飞一般逃到了道路之外。

萧晓云带领的弓箭队素有盛名,第一次出箭阵,战场上的众位将军就已经来了几分精神;等到第二次箭阵一出,将这条路杀了出来,众将官便齐刷刷地都服了,就连杨侗也忍不住兴奋地拍了拍车辕。众人或快或慢地将目光瞟向萧晓云,只见她已经踩在马镫上直起了身体,将斜影弓拉如满月,在上面搭了两青一黑三枝长箭。在她的额头上,一条青色的丝巾代替抹额扎得很紧,脸上浮起一种冷酷的笑。箭芒闪耀的寒意落入她狭长的眼中,幽暗漆黑,深不见底。

"清理得不干净啊!"程咬金摩挲手中的长槊深吸了口气,"不过也够了。"

他一转身,将裴行俨从地上搀了起来,护在身边,走上那条小道:"裴将军再坚持一下,马上就能回去了。"

裴行俨失血过多脑袋发昏,迷迷糊糊"嗯"了一声,整个身体的重量压在程咬金身上,脚下不自觉地跟着移动步子。程咬金一手拖着八十二斤重的马槊,另一手架着裴行俨,两人身上的盔甲合起来也是有七八十斤,若是平常,走这一百来步尚是勉强,此时已经脱力,他的脚上如同注了铅,每一次迈步都感到腿上肌肉酸痛得厉害,因此走的特别缓慢。

　　随着那些受伤的士兵箭下涌出的鲜血,并不算宽的小路上,随处可见缓缓流动的红色,明暗交错,带着阵前的尘土,翻滚出淡淡的腥味。程咬金一步一步从这条路上踏了过去,甚至能感觉到那一股股殷红粘住了他的双脚,他再没有力气躲开,就这样直直地踩了下去。

　　与他们一样,数万士兵再无一点声音,屏住呼吸看向那条修罗道。程咬金沉重的脚步一声声地踏在他们慌乱的心底,一声声地撕扯着他们脆弱的神经。

　　还是张童儿先镇定下来,大声喝道:"不过五千弓箭手,有何畏惧?"他抓住王君廓走神儿的机会,一拨马绕了过去,带着自己的四千骑兵前去支援。萧晓云在另一侧大喝一声"王君廓不许追!"手里扣着的那支黑羽青杆响翎箭带着死亡的呼啸直扑而去,紧随其后的,是遮天蔽日的瓦岗箭阵。一轮箭雨未停,一轮箭雨又至,半空中的响箭声一声紧似一声,一声快似一声,最后变成不绝于耳的一道长音,在战场上空,吟出人生终极的绝唱。

　　立时,张童儿的骑兵已折了大半。

　　战场另一侧的萧晓云脸上笑容不敛,只将双眉微微一皱,挥手将五个小队的队长召集到自己的身边:"我们六个,负责程将军安全,凡有接近,射杀不饶。"她扭头对身边掌旗的段志亮下令,"现在张童儿只剩下一千余骑,让王君廓立刻追击。此时不破,更待何时!"

　　诸法空相,涅槃生死等空华!

　　萧晓云一伸手取出五支箭一起搭上,将弓再次拉满时,她淡淡一笑。

　　风起云涌,萧瑟人间。

第二十一章 黯然神伤

　　程咬金驮着裴行俨一步一步地往前挪，只觉得浑身沉得连气都透不过来："萧晓云！"他舔了舔干裂的嘴唇，"你倒是送匹马过来啊，累死你程大哥了。"

　　说话间，就见眼前巨大的影子一闪，一匹马冲到他的眼前，程咬金还没张口，就见那马猛然嘶鸣，两个前蹄腾空狠命地蹬了几下，扑通一声将马背上的骑手甩到地上，那马的屁股上插着一只箭瞬间跑没了踪影。那个骑手显然没有准备，脑袋撞倒地上，头上裂了个大口子，鲜血直流。

　　程咬金没有力气去查看了，继续驮着裴行俨向前走：还有五十步……

　　"程咬金！"那清朗的声音遥遥传来，失却了往日的清晰，在他耳边嗡嗡作响，荡起说不清的回声，"别在那里磨蹭，赶快回来！"

　　萧晓云眉心的疙瘩越结越紧：裴行俨与程咬金现在仍在张童儿近千骑兵的危殆之下，王君廓那里鞭长莫及赶不过来，自己这里面对程咬金、裴行俨的归队，不敢动用箭阵，仅仅靠着自己和下属小队长六人，即使他们箭术再高明，也只能远攻，而不能前去搭救。她有些烦躁地转了一下身子，胯下的玉照青仿佛感受到了她的情绪，在地上前后左右地踏着步子。"程咬金！"萧晓云放开了嗓子，"你磨蹭什么呢？"

　　对面的人嘴张了张，却没有声音传来。萧晓云瞪着眼睛看着他快走了两步,随后又恢复了原来的速度。

"晓云……"段志亮探过头来,"程将军似乎有些不堪重负了,或许帮他夺下一匹马会好一些。"

萧晓云突然露出恍然大悟的表情,摇了摇头低低一笑:"当真是关心则乱,幸好有你提醒。"她眯着眼睛看了看局势,两支长箭带着呼啸飞了上去,中箭的战马受了惊,蹿跳着打乱了队形,紧随其后是一支三棱短杆透骨箭,顺着那两匹马让开的空隙悄无声息潜进了最里层,带着羽毛的轻柔贴上了一个士兵的后颈,那人仿佛喝醉了酒,在马上晃了两晃,身子一歪,倒了下去。他的马小跑了两三步才停下来,扭头去看自己的主人,正好将缰绳送到程咬金的面前。

好箭法!张童儿眼睁睁地看着萧晓云三箭齐出,两支牵敌一支杀人。最难得的是后面这箭力道柔中带刚,直中带曲,自己的下属耳后中箭,却没有躲避的动作,说明根本就没有听见那支箭飞起来时带动的风声。这一箭看似平常,实则诡异万分。他勒住马缰有些不安:平生作战无数,除了自家少王爷宇文成都,他第一次对另一个人起了恐惧之心。

萧晓云并没有注意去看张童儿的表情,她全神注视着裴行俨那边的动静。程咬金对于突然停到眼前的马先是吃了一惊,继之反应极快,一伸手拉住缰绳,将裴行俨扔到马上,自己一个鹞子翻身,也上了马。

"干得好!"程咬金本就是马上将军,如今有了坐骑,便如猛虎添翼蛟龙入水,刚才那副半死不活的样子一扫而光,手里的马槊挥起来呼呼作响,被压着的气势一瞬间爆发出来,"晓云啊,你就不用管了,看你程大哥的本事!"

萧晓云见他精神焕发,与刚才的状态大是不同,也放松了一些,虽然仍然盯着对面的情形,嘴里却对段志亮夸道:"还是你细心,比我想的周到多了。"

段志亮嘴里随随便便应了声,心道这次萧晓云可说错了,刚才情况紧急众人惊心动魄,他也不过是看到程咬金嘴里嘀咕的动作才明白他想弄

265

匹马代步的。他不觉得脸上有些僵硬：年少时，他总是不小心说错话，挨打受罚总是免不了，后来日子久了，就学会根据爹和夫人嘴唇的动作猜测他们说话的内容，渐渐便有了读唇语的能力，没想到有朝一日竟然在战场上用上了……

萧晓云并没有扭头，全然不觉身边的段志亮心思已经飘出了战场，她聚精会神计算着战场上的局势：王君廓已经赶上了张童儿的骑兵，成功牵制住对方的攻击；程咬金有了马匹，看样子不过几个眨眼的工夫，便能将裴行俨带回来，问题……应该不大了："准备一支小队，等裴将军一到就送回大营医治！"

这话说了两遍，身边没有人答应。萧晓云这才扭头，看到段志亮墨黑的眼睛有些茫然地望着前方，细长的睫毛一眨不眨。她有些奇怪，伸手在段志亮的眼前挥了挥："怎么了？"

"呃……没……没事。"段志亮回过神来，呆了呆才问，"你刚才说……"

"派一支小队，把裴将军送回……"

晴天里猛然一声霹雳吼盖住了她的话语，震得胯下那匹玉照青顿了两个小步，听得人肝胆俱裂，脑子仿佛被劈了一样嗡嗡发懵。

是程咬金！萧晓云脸色一变，再一转头，看到程咬金整个身子伏在马背上。仔细一打量，萧晓云也倒抽了一口气：只见程咬金的右腿已经离开了马镫，斜斜的向外伸开，在半空中抽搐。在他的小腿上，一支长矛洞穿而过，露出短短矛尖，原本蓬松的枪缨被血浸透，一绺一绺纠结着缠绕在他的裤腿上，将靴子染红了一片。

看程咬金的样子，已是痛到了极致，连腰都直不起来，不知道还能不能控马回来？萧晓云心里咚咚直打鼓。

是打乱了队形救人呢？

还是让王君廓的骑兵后撤将他们带回来？

又或者延续之前的战略，先用弓箭压住阵，等程咬金这阵痛过了自己回来？

如果打乱了队形,会不会因为阵形不稳给了对方可趁之机?

如果王君廓后撤,那张童儿该如何处理?

如果在这里干等,程咬金能不能坚持回来?

萧晓云脑袋里一瞬间转了几个方案,正飞快地把优劣得失的砝码往天平上搁,对面的程咬金已经转动身子,一弯腰握住那只长矛,猛地一用力,喀啪一声,将木制的矛柄掰成两半。然后顶着一张被疼痛折磨得扭曲了的脸拉紧了马缰,拨转马头向敌军扑了回去。

"程大哥!"萧晓云被他的动作唬得三魂去了两魄,心都跳到了嗓子眼儿里,"你干什么!"

回答她的是程咬金在马上晃动的身影,并未受伤的那只左腿狠狠地磕在马肚上,战马受了刺激蹿出老远,一阵风似的越过了那个偷袭者。就在两匹马交错的瞬间,程咬金举起手里断了一半的矛柄,对准那人的脖子,狠狠扎了进去。

整个战场都愣住了。

对方的士兵先是被萧晓云的箭阵压住了气势,又被程咬金的悍勇吓破了胆,再也无人敢靠近。虽然程咬金驱马慢慢返回,却如步入无人之境,前哨阵地上千士兵,连兵器都不敢举,只用胆怯的眼神目送他扬长而归。

段志亮一伸手拉住他的马缰,早有准备的人上来将昏过去的裴行俨抬下来送往大营。萧晓云不动声色在程咬金背后一扶,手臂用力稳住他因为疼痛而微微颤抖的身子:"鸣金,收兵!"

萧晓云将中军大帐里的摆设仔仔细细打量了一番,在帐内踱了几个来回,低头想了好一会儿才抬起头来:"这么大的队伍,怎么连个主事的人都没有?"

段志亮跟在她身边,听了这话急忙回答:"这支队伍的主力本就是我们裴家军,平日都是少将统领军务,如今他受了重伤没有醒;程将军是主公派来的,倒也有主理军务的权力,可是腿上的伤也很重,何况刚才一番冲杀,体力耗损巨大,现在也在帐里休息不能管理军务;再下来……"他压低了声音说,"张青特身为副将,照理说应该担起这个责任,只是单将军官居左武侯,这里也有他的队伍,张将军终是在官衔上低了一等,就怕将令难行……"

萧晓云扭头看了看帐内的其他人,张青特和王君廓没有说话,但脸上的表情分明是听到了这番话很是认同。萧晓云沉吟了一下,摇了摇头说:"张、王二位将军已经是品阶最高,如果连他们两人都不够格,那么我们这里的人谁都无法管理军务了。既然如此,为什么不派人去请单将军来主理事务?"

张青特和王君廓显然吃了一惊,齐声说:"不可以!"

"有什么不可以?"萧晓云抬眼看着他们两个,"统计军队情况,治理伤员,生火做饭,安排巡视,这些事情都迫在眉睫,没有个人主事怎么可以?"

"这个……"王君廓很为难地说,"这些事情,我们自己也可以安排好。"

"我们自己?"萧晓云眉毛一挑,"那么单将军的队伍呢?谁来安排,你去?"她转向张青特说,"还是你去?"

"单将军的队伍……"张青特回道,"大概已经没有剩下多少人了。"他见萧晓云眼睛玩味地看着他,急忙低下头去:"昨夜单将军就只有四千多人,今天他的队伍又发生了哗变,只怕……只怕如今已经没有多少人了。"

"哦?"萧晓云从鼻子里喷了口气出来,语气里满是说不出的嘲弄,"所以把他踢到一边也无所谓了?既然如此,张将军就请主位上坐吧。"

张青特干咳了一声,样子讪讪的,却没有动作。

乱世中,枪杆子里出政权。这次单雄信的队伍全军覆灭,即使高居武侯之位,也失去了说话的分量。这些道理,萧晓云不是不知道,只是如今裴行俨与程咬金都受了重伤,王君廓与张青特又彼此不服,除了单雄信,再没有其他人能担起重任。她张口还想再说些什么,眼睛一瞟看到段志亮杀鸡抹脖子朝她递眼色,想想自己的时间,只得叹了口气:"不管怎么说,我手下那五千弓箭手还要安营扎寨呢,请容许我先告退。"

她伸手抱拳行了个礼,转身便要走,却被王君廓拦了下来:"你走了,这么多的事情谁来安排?"

　　"王大哥哦……"萧晓云叹了口气有些无可奈何,"我不过是个小小的主簿,身分卑微。咱们几个里就我的官位最低,你总不至于把我推出来做这管事的人吧,你们个个都是将军,我可没有那么大的胆子。"

　　王君廓裂开嘴嘿嘿一笑:"你管得还少么?在老贯庄的时候,我就已经把权力交给你了,现在你想做甩手掌柜自己休闲,我可不答应!"

　　"也罢,也罢!"萧晓云摆出一副无可奈何的表情,"怎么说王大哥都是救我脱困的恩人,您先去帐篷里休息,咱们队伍里都是聪明人,一定不会劳您费心……!"

　　王君廓这才满意地说了句:"若是有问题,我拿你是问!"

　　另一旁的张青特待不住了:"萧主簿……"他与萧晓云的关系并不像王君廓那么好,自然不能说话过于随便,可是裴行俨手下神风营的五千将士,也不是他能管得了的啊!

　　"张将军!"萧晓云摇了摇头,正了正脸色说,"并不是我不肯帮你,实在是我能力不够。王大哥手下的人我还熟悉一些,大家也能卖我三分薄面。单大哥和您的下属,我一个小小的主簿,只怕是谁都指挥不动啊!"

　　"这……"张青特听她说得在理,心里有些为难。可是这安营扎寨分派任务的工作,萧晓云处理起来的确是稳妥周到,交到她手上比自己亲自去做要放心得多。何况萧晓云刚入裴家军时,带着朱玉凤、孙白虎与神风营打了足有半个月,虽然双方都受了重伤,却打出了极好的交情,再加上萧晓云往日料理军务的积威,今日阵前救人的奋勇,神风营现在想不服她都不行。张青特算来算去,从怀中将自己的军符掏了出来:"张青特愿听凭萧主簿调遣!"

　　递上军符时,张青特单膝一弯,惊得萧晓云噌噌往后倒退了两步:"张将军,你这是做什么?"

　　张青特低了头,将两手并拢恭恭敬敬地往上举,墨绿色的玉制军符就在他的掌心里。这样一个精致的小东西，就是调动裴家军五万右军的凭证。帐篷里一时悄然无声，众人都屏息凝神看向萧晓云，而萧晓云，则是目不转睛盯着那块玉石。

"对不起！"许久之后，一口气呼了出来，萧晓云缓缓地摇了摇头，"张将军，我实在受不起。"

张青特急火火地："萧……萧主簿……"

萧晓云轻轻伸出手，把张青特挟起来，并用微凉的指尖覆在他的手背上，微微一用力，张青特的手指被一点一点地合拢，最后握成了一个拳头，那枚军符便完完全全地放在他的手心里了。这是张青特第一次如此近距离看萧晓云，一张英气的却带着女人特有韵味的脸显得非常纤细，但为人称道的明眸没有远观时那么闪亮，在下眼帘上多了几分淡淡的青色。她的五官在他的视野里放的这么大，失去了浑身上下那不可侵犯的清冷，只留下细长的睫毛在眼皮上微微的颤动，流露出不堪重负的脆弱与感伤。

"张将军的意思我明白，但有需要，萧晓云定然全力以赴。"那冰冷的手指在他的拳头上按了按，竟然比手心那块寒玉还冷。萧晓云又慢慢说道，"这里的队伍，是瓦岗主力的裴家军，是名震天下的裴家军，是各位将军用鲜血和头颅捍卫的裴家军。能掌握这个军符的，只有少将军和他授权的您！"

张青特身体蓦然一震，脸上的神情又是震惊又是感动，只觉得一股热流在心里流淌，几乎要溢了出来。萧晓云对他微微点头："下官这就去整顿军务，请张将军静候佳音。"话音未落，人已出了大帐。

段志亮跑了几步才追上大步流星的萧晓云："你怎么了？那军符不是你一直想要的么？"

萧晓云看了他一眼："你怎知我想要那军符？"

"你瞒得了别人，却瞒不了我。"段志亮一伸手从她腰带里拉出一条淡青色的丝绦，尾端系者一块黄金小牌，虽然只有半个手掌大小，却是沉甸甸亮晃晃的在阳光下刺得人睁不开眼,"王君廓的军符已经到手,你难道还会放过张青特的那一块?"

萧晓云有些出神地看了看那块牌子,突然咬牙将手腕一翻,柳叶刀快如闪电将那条丝绦一切两段,腰带上空余了一半绳子,切口处编织的丝绦一点点散开,最后变成极细的丝线在风中慢慢飘散开来。段志亮手里握着那个军符低声吼:"萧晓云,你这是做什么?"

从战场那边传来的风带着淡淡的血腥,混杂着萧晓云低沉的声音,在他心底一波一波散开:"九指神算就是孙白虎,你们看不出来,难道裴大哥也看不出来么?"

被人摩挲过无数次的军符光彩照人地躺在他的手心上,黄金的光芒炫得人脑袋直发晕,他从来没有听到萧晓云的声音是如此的悲凉,夹杂着隐隐的绝望在耳边回荡:"我做了这些事,他怎能再容我?既然缘尽于此,这些军符,这些荣耀,对我来说,还算什么?"

"少将军已经醒了,请萧主簿过去一趟……"

阳光刺着眼睛,人影和光线在眼前交错,让人无法思考。段志亮在忽明忽暗中模模糊糊地说:"晓云不要去!"他伸手要去拉人却抓了个空,失去平衡的身体打了个趔趄,跌倒在地时手被一块硬硬的东西硌得生疼。伸手摸起来一看,却是那块王君廓的军符,沾满了地上的黄土,还有自己手上蹭破了留下的血迹。

晓云,晓云……段志亮跌坐在地上,黄金的军符紧紧地贴在心口,胸口被上面的花纹硌得隐隐作疼:你那么聪明的人,为什么偏偏选择这样一条不归路?既然你什么都明白,又为什么要连夜赶来这里?

慢慢地放松了眼帘,入眼的便是忽明忽暗的光线。萧晓云困难地眨了眨眼睛,下意识地想要抬手去揉掉那份酸涩,刚一用力,便觉得胳膊酸麻,手腕上压着的力道像是呼应着自己的动作一般陡然增大,竟是一点都抬不起来,一点点细小的痛楚顺着胳膊上的神经飞快地窜入脑中,瞬间将脑

271

子刺激得清明起来:是了,这里是裴大哥的帐篷。

萧晓云放弃了挣扎,又慢慢将头埋了下去:下午的时候,裴大哥醒后派人将自己叫来。想来是已经明白了其中的关节,见了自己气得浑身直哆嗦,一把扣住腕上命脉,连着说了两句:"这是叛逆!"然后一口气没上来,便又晕了过去。萧晓云将脑袋埋在臂弯中,有些闷闷的:这次真的是把他气着了,便是晕过去都死死抓着自己的手腕不放,任凭怎么挣都挣不脱,摆明了是怕自己再逃走。

两个胳膊一起向前伸着的姿势很难受,萧晓云往床上靠了靠,让胳膊慢慢弯曲。也许是保持伸直的姿势太久了,身体里好像有一根针在游走,每一个细小的动作都疼得厉害,就这么一点一点地挪动,她几乎把上半身都移到床上去了,这才停下来喘了口气:其间她还用右手签了几份命令出去,因此可以肯定裴行俨气晕的时候只抓住她左手的手腕。但是现在两只手都动弹不得,很明显裴行俨在她睡着的时候又醒过一次。

什么时候开始睡着的呢?窗外一片漆黑,没有月亮也没有星星。立在帐篷门口的火把在沉静的夜色中滋滋作响,巨大的火焰将随风摇摆的影子投射到帐帘上,仿佛仍在诉说着战场上的苍凉。萧晓云看了一眼,忍不住将身子又往床上移了一点,随即闭住眼睛:从那日王君廓派人来请自己,当天黄昏时分点兵连夜赶路,快日出时遇到回来搬救兵的齐文,接着是两个时辰的急行军,再熬过那一场炙灼人心的战斗,身体的消耗的确有些重了。

除了胳膊上的酸麻,身体其他部位竟然也没了知觉,浑身骸骨俱散,每块肌肉都软绵绵的摊在那里哼着累。萧晓云索性整个人爬到床上去,将仅有的那一点空隙占满:自己原本计划用最快的速度安顿了队伍便偷偷离开,可惜计划赶不上变化,竟然被裴行俨扣在了这里。接下来,或许是监狱,又或者是刑法。幸好小凤和白虎不在这里,总算是没有再搭上他们两个。

这么想着,萧晓云便安安心心将大半个身子躺在床上,虽然两只手被人扣着,但比起刚才在地上睡的姿势舒坦多了。她睁大了眼睛,眼前漆黑一片,连帐篷顶都看不清楚。嘴里慢慢咀嚼着越来越重的苦涩:自己被关在老贯庄却能跑出来还取得了军权,裴行俨多聪明的人啊,自然不会重蹈上次的覆辙,绝对不会再让王君廓、张青特这些分不清问题的下属来看管自己,万一等他醒来,发现连自己的队伍都已经换了统领,那就糟了。所以最好的办法就是他亲自看管,要不他怎么拼着那么重的伤,仍把自己抓在手里不放呢。

其实,如果要走,在老贯庄的时候就可以走;

如果要带兵走那晚连夜赶路的时候就可以把王君廓的队伍带走;

如果要裴家军失败,在听了齐文的报告后,放慢行军速度完全可以做到;

如果想要全军溃败,只要带上那几万士兵以平定混乱为由与单雄信的队伍自相残杀就可以达到目的;

如果想要走,回到军营士兵松懈混乱的那一瞬间不是也走了。

可是,

可是她还担心他的处境;

可是看到他浑身是血地倒在那里她还心如刀绞;

可是她还要替他稳住队伍处理军务让他没有后顾之忧;

可是她还在担心他的伤势;

可是她还想在离开之前能见到他醒来,哪怕一眼也好!

萧晓云在黑暗中叹了口气:将她留在这里的不是胳膊上的禁锢,而是心里画下的那个牢。既然已经把自己圈在这里,接下来受什么苦都是自找了。

头顶上传来沉沉的声音:"醒了?"

"嗯,"萧晓云保持着姿势没变,眼睛睁得大大的看向虚无的黑暗,"你松手吧,如果要走,我早就走了,不会等到这个时候。"

沉默了很久很久,手腕上的力道慢慢消失,对方显然很谨慎,即使松了力气,指尖仍搭在她的腕上,随时都能再次抓住。萧晓云轻轻转了转手腕,只觉得关节仿佛生锈一样,实在很难再动,索性暂时放弃了将手抽回来:

"外面肯定有你布置的重兵把守，你还抓得这样紧，未免也太小心了。"

头顶上的人幽幽地说："就算我再小心，还不是让你伤了瓦岗的元气？"

"我要灭了瓦岗，这个消息齐武早就给你报告了。"萧晓云淡淡地说，"你也知道我一向说到做到。"

"不错！"对方一字一句地说，"你一向随心所欲，只怪我被私情蒙蔽了，一心将你留下来，反而坏了主公的大计！"

心里猛地一痛，急忙闭上的眼睛却没能拦住瞬间流出的泪水，一缕冰凉滑过太阳穴，没入发鬓："我刚来的时候并没有这样的心思，如果不是李密他欺人太甚……"萧晓云猛地闭了嘴：解释又有什么用呢。整件事情有谁还能比他更清楚？整个过程，又有谁比他了解的更透彻？

一阵难堪的沉默弥漫开来，堵得萧晓云连呼吸都觉得困难。这就是她做的选择：猜忌，埋怨，痛苦，还有羞辱？她忍着身上的酸痛坐了起来："你说的对，这一切都是我的错！当初我留在瓦岗就是别有用心，比武也罢打仗也罢，都不过是个幌子，为的不过是利用你的善良去取李密的人头。现在我总算得逞了，李密十多万大军输给了王世充三万残兵，即便此次能够全身而退，也失去了争天下的能力。"眼睛越来越疼，积蓄的液体将视线弄得模糊不清，萧晓云恨恨地说："所谓最毒妇人心，我就是你们的毒药。可惜你早看了出来，却只因为那一点善良不肯对我下手，任由我这个毒瘤……越来越大……"

这个词太过熟悉，萧晓云突然失了神，忆起蒲州与舒三的那一席话，过了许久，才喃喃地说："原来，原来又是我的错……"

她的声音不再清明，反而颤抖着带出无尽的凄苦，整个人连滚带爬从床侧摔了下来，跌跌撞撞地往外走。刚掀开帘子，就撞到了一个人："萧主簿，你这是……"

"不要碰我！"她神经质地将那人一把推开然后飞快地跑过一个又一个火把，摇晃的火焰仿佛黑暗的入口，稍稍张嘴便能将她吞下去。拴在桩子上的马是逃离这一切的救星，她猛地翻身上去，手腕一挥，柳叶刀打了个转将缰绳砍断,整个人立刻在夜色中失去了踪影。

你就是那个毒瘤！脑子里有一个声音说:所以段志玄才会离开你,所以裴行俨才会防范你！正是因为你,李世民才会头疼,李密才会失败！你换了两任主公,可是每个人都因为你而失败。这说明错的不是他们,而是你!

突兀的叫嚷,带着心中难忍的疼痛,在无边的黑夜中倏然消失,连一个小小的骚动都没有引起,就在瞬间被吞没。松枝的火把在夜风中滋滋做响,高大的柱子阴影后段志亮悄无声息地转了出来,弯腰躬身从地上拾起一截缰绳,其上利落的断处表明使刀人在不经意间表现出来的深厚功力,"萧主簿有要事要办,谁都不许走漏她离开的消息！"

守着马厩的人与几个闻声赶来的夜巡士兵跪下去答应:大家都知道现在是非常时刻,稍有消息走漏,整个军队都可能覆灭,何况刚才离开的萧主簿今日才在战场力挽狂澜,便是打死他们也不会泄露了她的消息。段志亮看到他们脸上的表情点了点头,扭头朝着那片黑暗看了一眼,转身朝中军大帐走去。

此时的中军大帐已是灯火通明,昏黄的灯光打在帐篷上,映出深深浅浅的紫,快到帐篷时,段志亮放重了脚步,然后轻轻咳嗽了一声,在门外行礼:"属下右军主簿段志亮,前来复命！"

昏暗的光线突然变得明亮,齐文站在门口恭恭敬敬地打起了帐帘:"段主簿辛苦了,少爷请您进来回话。"

段志亮一躬身进了帐篷,厚重的帘子在他身后"啪"的一声落了下来,在幽深的夜晚格外的响亮,从营地的另一头传来三更的梆子声,仿佛是刚才那一声激起的回响,在惨淡安静的营地中回荡。段志亮呆了一下,喃喃低语道:"难怪……"

"难怪什么？"

"晓云她,从昨日调兵、连夜赶路到今日战胜而归,并未有丝毫放松。以她的习惯,我以为至少明日午时才醒。"段志亮扭头朝向床榻上那人的眼睛，语气中有着无法掩饰的责怪："谁知再大的疲倦也抵不过她那三更巡营的习惯，也难怪刚才会醒。"

裴行俨肩上缠着厚厚的绷带，倚着被褥斜斜坐着，过了好一会儿才说："我知道，是她接替你去做监军时候养成的习惯吧。洛州守将跋野纲趁夜突袭便是在三更。王君廓与你仓促应战失了阵地，她替了你去做监军之后，便有了每日三更前后巡营的习惯。"

"不仅仅是我们这个队伍，便是整个瓦岗，也没有人如她一般日复一日，风雨无阻。"段志亮低声说，"而她不过是个女子。"

"是，"裴行俨记起萧晓云早晨一边打哈欠一边揉着眼睛，急匆匆赶往校场的情景。有一次她跑得太急，一头撞到了要伸手打招呼的自己怀里，抬头之时红红的眼睛因为努力抵抗睡意而拼命往大睁，泛出如晨露般的水漾，带着难得一见的天真和迟钝。那个时候她一个哈欠还没打完，便会口齿不清地向自己问好，甚至还会乖巧地一笑，或者发发牢骚要求安排将官们晚上轮流巡营。"她的确是最用心的……"

"少将军！"段志亮听了这话急忙跪倒，"纵然她这次犯了大错，难道就没有补救的方法么？她今日也算救了全军将士，难道就不能将功补过饶她一次么？"

裴行俨叹了口气："这些岂是我说了能算的？孙白虎的事情，她虽然成功了，然而布置仓促，其中漏洞甚多，如果我们双方就这么僵持下去还好，一旦洛州被攻破，必然真相大白。依主公的脾气，他怎么会放过晓云？何况还有徐世绩，因为孙白虎的事情，已经与晓云翻了脸，若是不抓着这个把柄将她整死，他又如何甘心？"

段志亮还抱着一丝希望："如今我们元气大伤，也许洛州还拿不下来……"

"不可能。"裴行俨看了他一眼，口气很是坚定，"洛州已经粮尽一个多月了，城内连树皮棉絮都快吃光了。王世充这次倾尽全城也只能打这么一战了。这一战，便是生死存亡的一战，也是决定胜负的一战！"

段志亮默然,瓦岗虽然伤了元气,可是集合两边兵力,在人数上依然占有优势,再加上徐世绩守在黎阳粮仓的精兵,对付洛州区区几万残兵败将,仍绰绰有余,萧晓云的布置迟早会泄露,的确是不走不行:"不知道她现在走到了哪里,半夜三更夜深路黑,北邙山又是荒山野岭,她一个人……"

"我也是别无他法。"裴行俨打断他的话,"趁着她身心疲惫,还未想好下一步行动的时候将她激走,总好过于让她继续留在这里。晓云脾气有多倔你也知道,若不是自己甘愿离开,便是今后主公的宝剑架在她的脖子上,她也会为了那个荒谬的想法不肯后退一步。"

"是。"段志亮低下头去,军情紧急的时刻,也想不出事事完美照顾周到的法子,只能走一步看一步了,既然晓云明白孙白虎身分迟早要暴露,想来也早已作好了抽身的准备。只是看她离开之时那副神情,不知心里的伤有多重!

"想什么呢?"

"晓云她,不知道是不是也是这样离开长安的?"段志亮猛地住了嘴,心道自己真是鬼迷了心窍,居然把这些话说出来。帐篷里刚有些缓和的气氛顿时又压抑了起来,仿佛黑暗顺着帐篷的缝隙钻了进来,一点一滴凝固在自己周围,慢慢垒成重重的石块,将自己围困其中。段志亮觉得呼吸有些困难,太阳穴上突突越跳越快,脖子上仿佛压着千钧重担,一点一点往下坠,甚至能听到颈椎一点点脱节的声音,连带着他的腰也忍不住被拉得弓了起来。

突然间这些压力一起消失,"你先下去吧。"裴行俨的声音透着虚弱,"明日带了我的印章去见单将军,请他主理营内事务。"

段志亮再不敢多说一个字,规规矩矩跪下磕了头,双手接过印章,慢慢退出了大帐。灯火下裴行俨伸手摸了摸胸前衣襟系着的带子,从打着的结上慢慢拆下两根散落的青丝,几个时辰前,这头发的主人疲惫地倒在这里,不安分地在床上乱动,最终仿佛找到了可以安心躲藏的地方般缩在他的怀中,绑着的头发也因此而散开,凌乱地散在两人的衣服上……

裴行俨轻轻地松开了手,任由那两根青丝悠悠然飘落:激她离开,的确是……不过还是为了她。

第二十二章

相思难断

正午刺眼的阳光中,守在中军大帐前的士兵眯了眯眼,不自觉地张大了嘴,随即立刻用手捂住将那半个哈欠吞了下去,带着一点恐惧慢慢看了看周围的情景,除了几只不知名的小虫自顾自在营内飞过,周围并没有任何人。与远远传来的嘈杂形成了鲜明的对比,代表着队伍内最高权力中心的深紫色大帐异乎寻常的安静,在夏末缓缓地流动着的燥热空气中影影憧憧,似隐似显。

大帐的正中央,负手站立的单雄信将复杂的目光投向正中的席位,香樟木的胡床上,斜斜搭着淡青色漏地纹样的织锦缎,这是之前曾经坐在这里的两位统帅留下来的。瓦岗常胜军的统领,万人难敌的将帅,这个曾经让单雄信羡慕和嫉妒的位置,终于有一天让他坐了上去,他这才明白要想坐稳这张椅子有多难:各位主簿之间的激流暗涌,左右两军的各自为政,张青特的轻慢,王君廓的跋扈,再加上重伤的裴行俨、莫名消失的萧晓云,单雄信忍不住心里叹息:裴家军统领的位置,他真能坐得住么?

单雄信呆呆地看了一会儿那个位置,终于收回目光,帐内角落里的一个人影出现在他眼角的余光中,单雄信心中一惊,厉声喝道:“什么人?”

人影慢慢从角落中走了出来,身上穿着长至膝盖的白色圆领窄袖袍衫,腰间系着墨绿色的革带,对着他轻飘飘地行了个礼:“武侯大人!”

单雄信朝向他清秀的面孔，将按在剑柄上的手慢慢移开："志亮啊，有什么事么？"

"大人，刚收到探子回报：敌军有动静了。"段志亮眼角的余光看到单雄信的动作，顿了顿才继续说，"似乎是撤军了。"

"撤军……"单雄信皱了皱眉，"怎么会撤军，现在的局势分明对他们有利啊。"

段志亮点点头继续汇报："更奇怪的是，似乎只有一半的军队撤离，留下的一半的军队变换了阵形，仍准备与我们僵持。"

"这个……"单雄信摸着嘴边的胡茬琢磨，"真不明白他们葫芦里卖的什么药。不过或许趁他们摆阵的时候进攻……"

"恐怕不妥，留守的将军是张童儿，他本就擅守营盘，而且皇泰主也留下来坐镇，所以这次撤军，他们的军心并没有动摇。"

单雄信皱眉说："这么说并不是仓促撤军，若是贸然进攻，只怕其中有诈。"他脑中灵光一闪，"你怎么知道的这么清楚？"

段志亮摇了摇头，刚要开口就被单雄信打断："不要跟我说这是探子打探来的！我可没有你们以为的那么好骗。"

段志亮犹豫了一会，才在他的催促下慢慢说："是张将军告诉我的，他刚回来。"

"刚回来？"单雄信心底一阵不舒服，"也就是说，他在没有请示的情况下擅自出战了？"

段志亮显然早已料到他有此一问："当时情况紧急。"他镇定的回答，"张将军也是怕错失了良机。"

"冠冕堂皇！"单雄信哼了一声：这个张青特，与他一样都是起义出身，但是比他投入瓦岗要更早一些。对于后者居上，张青特本就心存不满；此次裴行俨重伤，他接手瓦岗的军权，张青特当场便表示了反对。现在没有请示又出兵，分明是不把他这个主帅放在眼里！想到这里，他拔脚就往外走。"既然如此，我就去拜访一下张将军，看他这次还有什么'有用'的收获！"张青特这次出兵定然没有讨到什么好,正好臊臊他的脸!

从他背后,传来段志亮不紧不慢的声音:"武侯大人请留步,少将军觉得此事还是不宜追究为好。"

"什么？"单雄信猛地停住了脚步,"裴将军觉得？"

"张将军一向自恃,做事难免冲动。便是少将军,对他也甚少管束。"段志亮嘴角微弯,"如今伤患众多,军心涣散,如果再起争执,只怕局面越发不好控制。请单将军以大局为重,此事就到此为止吧。"

眼看这几天憋着的气就要发泄出去,又被生生地堵了回来,单雄信知道自己只是临时处理军中事务,裴行俨的指示不能不听,可是心里这股气憋得胸口生疼,又忍不下去:"难怪晓云要离开。"他也不知道自己是在讽刺谁,用手指着他的座位说:"这个座位上都是钉子,谁坐上去都得被扎死!"

"单将军!" 段志亮微微提高的声音中夹杂着谴责,"萧主簿并不是随便就退缩的人,她这次离开,是为了处理更重要的事!"他黑亮的眼睛紧紧地盯着单雄信,从其中散发出丝丝寒气,在温润如玉的面庞上蒙了一层寒霜,"当然,张将军对萧主簿也很信服!"

就在一瞬间,段志亮的身上散发出迫人的气势,一似万剑出鞘一般晃人双眼。单雄信只觉得自己周身的肌肉像遇到敌人一般反射性地紧缩起来,再仔细去看,却见段志亮微微拱手:"属下失言,请大人不要责怪!"表情如常,只是五官稍显冷峻,将少年的清秀减去了几分。

单雄信借着台阶笑道:"这点小事,我怎么会怪罪你!"他甚至伸手拍了拍段志亮的后背,"如今军心不稳,还要我们共同努力稳定啊。"他似是期待似是叹息地说,"至少也要维持到晓云回来吧,不然她出去冒的险,不是都白白浪费了么？"

段志亮听了这话呆了呆,低低应了一声,心不在焉地与他说了几句话,就找了借口告辞出去。单雄信坐在帅位上看着他匆忙消失的背影,哑然失笑:比起裴行俨与萧晓云,段志亮还嫩得很呢!自己最后说的那番话,不过是小小的试探,这个家伙立刻就把答案泄露出来了。他信手将压在身下的锦缎拉了一个角上来:在危机时刻离开的萧晓云,不加阻拦放人并且心甘情愿替她遮掩的裴行俨,这两个人分明将责任看得比天还重,如今却一反常态做出如此奇怪的决定。在他们之间,到底发生了什么事?

尽管有裴行俨的吩咐,单雄信仍然打着"商讨对策"的旗号把众将官召集起来,一面讨论洛州那边调动军队的意图,一面欣赏张青特半黑半青的面孔。

"他还是太在意张青特了,"裴行俨靠着垫子听完段志亮的汇报后简单地说,"他们两个起义的时候便是对手,进入瓦岗之后,更是互不相让。如今大敌当前,没有出言挑衅,大概就是单雄信最大的极限了,不能再求更多。"

段志亮却十分不服气:"晓云刚来的时候,不也跟大家不和么?她可一向是就事论事,从来没有公报私仇。"

裴行俨笑了笑没有说话,碰到有萧晓云的话题时,他总是这样的态度。段志亮也知道自己失言,急忙转了话题:"单将军决定先静观其变,您觉得呢?"

"静观其变?大家都是这个意见么?"

"单将军说了,如果有人想要出战,也是可以自动请缨的。不过,我看大家似乎都没有要出战的意思。"段志亮看到裴行俨鼓励的目光,大着胆子将自己的猜测说了出来,"张将军前日偷袭敌人吃了亏,虽然他总与单将军作对,却不至于因为赌气而出战;至于其他人,既然张将军都败了,大家在行事上也会谨慎些,没有把握,也不敢再贸然请求出战了。"

裴行俨赞许地点了点头:"单雄信说话听着简单,其实精妙。张青特、王君廓他们本就各自为政,从不主动与对方联手,可又缺乏单独与张童儿对抗的能力。接下来就只能按照老单的战略,固守营盘,减少进攻。"

"这样做,或许对恢复士气有好处。"段志亮掰着指头细数了这些天大大小小的战役,十之七八都是败仗,"很多本应胜利的战争都失败了,倒不是我们马不壮刀不快,更多的是因为士气低落。如果再有败绩,稳定军心就越发困难了。单将军这么做，对于恢复士气，也是有一定好处的。"

"这样考虑也不错。"裴行俨沉吟道，"只是这么做，恐怕遂了张童儿的意。"他见段志亮有些疑惑，进一步提醒道："洛州那里，留下来的为什么是张童儿，而不是樊智超呢？"

段志亮一拍脑袋："对啊，张童儿有'守营将军'的称号，虽然不雅观，可是他防守的能力不容忽视。他们留了张童儿，分明是要闭营不战，再加上皇泰主亲自坐镇，军心稳固，以守代攻，把我们困在这边就是轻而易举的事了。现在我们应该做的是攻破防守，与主公的队伍汇合，而不是采取防守的策略，否则正中了他们的计谋。"

"这也是我最担心的。"裴行俨将视线投到另一侧，"可是以队伍目前的状态来看，与张童儿决战，不但跳不出他们的计谋，可能连最后的士气都会失去，反而让他们一鼓作气破了阵。"

段志亮默然：裴行俨的分析没有错儿，现在的裴家军，内部矛盾的危害已经大过了敌人的威胁，这种情况下，防守的确是上乘的选择。可是……他狠狠攥紧了拳头：分明知道对方的诡计，不能破解只能眼睁睁地看着自己往下跳，这种无能为力的感觉，实在太让人懊丧了。要是晓云……要是晓云还在，一定不会让我们落入这么糟糕的境地！段志亮丧气地看向裴行俨：明明只走了萧晓云一人，仿佛整个裴家军的风水都随着她离去了。

裴行俨仿佛看透了他的想法，又露出那种只笑不说话的表情，弄得段志亮憋了半天才说："程大哥气势还好，或许可以出战。"

"他的伤还没有大好，这样太过勉强了。"裴行俨驳回了他的建议，"何况他一向指挥主公的骠骑队，张青特和王君廓的队伍，他或许不习惯。"

段志亮默默低下头：也许身在上位的李密没有发现：在整个瓦岗士兵的眼里，尽管进入骠骑队是无上的荣耀；可是最终没有进入骠骑队，而只留在各营的人，对那支队伍可是嫉妒大于羡慕。当集结了上万人的嫉妒经过时间的沉淀，就变成了一种固执的仇恨。所以让一个骠骑将军来指挥队伍，的确不是一个好的安排。但是这样一来，他们就根本没办法取胜了。

裴行俨见他垂头丧气的样子，放松了口气劝慰道："现在的情势虽然不乐观，可是也没有糟糕到不可挽回，双方互相僵持，只不过是平手。只要再给我五天时间调养身体，张童儿虽然能力出众，做我的对手却还不够资格！"

　　段志亮本想说他们调走了一半军队，或许有什么诡计，我们不能轻忽。可是这些问题，裴行俨也很清楚，大夫让他休息半个月，他却准备五天之后亲自带兵出征。这些已经是他所能做到的极限了。于是他闭了嘴，但愿这五天不要再出什么事。

　　可是命运就是这样，你越怕什么，就越来什么。第四天傍晚，洛州意外地派了使臣前来拜访，并且带来了一个惊天动地的消息：在北邙山另一侧，王世充已经击败李密，救回了被李密俘虏的自家家眷。"现在王将军已经进军瓦岗，如果各位将军眷顾着家里人，就请谨慎选择接下来的路。"那个特使半是得意半是威胁地将王世充的原话说了出来。

　　帐篷里的将官们如同炸了锅一样乱了起来，有人嚷嚷着不可能，有人抚须沉吟，有人捋袖子便要扯了那个使臣扔出去，最后被其他人拦了下来。早有人派人禀告了裴行俨，这下他也顾不得身体虚弱，挣扎着起来披了件披风就赶到主帐。这个消息在派出几拨探子后终于得到了证实，然而大家的心也沉到了底儿：那边的军队的确以惨败收场，昔日大军驻扎的地方，如今已经被烧得焦黑一片，而那个主公李密，已带了一小队人马，向北逃走了。

　　"现在怎么办？"单雄信在地上转来转去，看看帅位上裴行俨苍白的一张脸，再瞅瞅帐中颓废的无计可施的各位将军，"明天就是第七天的期限，我们还没有商讨出对策，到底该怎么办？"

　　张青特没有说话，李密对他来说不过是个头目，不值得卖命，何况在瓦岗，还有他的独生子，张家的香火掌握在王世充手里，断子绝孙的危险他绝不能冒，也不敢冒。

　　王君廓没有说话，他当年本是跟着翟让起兵的，后来翟让被杀已让他心存不满，李密又对他处处打压，虽然他平日不说，可是他一直把李密当成白眼儿狼。

段志亮也没有说话，他与李密虽然没有过节，可是走了的朱玉凤、齐武；叛入洛州的孙白虎，还有不知所踪的萧晓云，这些都是他最好的亲人、朋友，这些人的陆续离开都是被李密逼的。他可以在李密手下继续效力，却不愿意为他卖命。

裴行俨一一看过他手下的将官，这些人想些什么，他心里一清二楚。就连单雄信，虽然官居武侯之职，其实也不过是李密的鸿门宴上面对刀斧手的一个妥协。这些人或许可以打仗，但是决不会为了挽救瓦岗而拼尽最后一点气力。他们沉默，只是不愿做叛变的第一人；他们等待，就是在等一个可以投降王世充的借口。

可是自己呢？裴行俨扪心自问：从大隋叛入瓦岗，再从瓦岗叛归大隋。挣扎了这么久，难道只是离开炀帝杨广，然后再回到他的孙子杨侗手下？他和父亲所努力的，追求的目标难道就变成了乱世纷争？不行！他看到张青特张了嘴正要说话，急忙抢先一步说："局势并没有那么糟糕。不要忘了，徐世绩在黎阳还有五万大军，只要与他们联手，王世充那三万残兵，是根本坚持不了多久的。"

众人皆是一愣，还未想出应答之道时，就听到门口有熟悉的声音传来："现在晚了，徐世绩昨日前就已降唐，黎阳已经落到李渊手里了！"

门口的声音，很熟悉。即使未曾看到，即使闭上眼睛，那个声音，仍然带着熟悉的清冷，带着让人不由自主的信服，宣告着来者的姓名。

帐内顿时乱成一团，"萧主簿！""晓云？""晓云！"

段志亮定定地坐在自己的位置上，整个人僵硬得无法动弹，只能眼看着跳起来扑向门口的王君廓，眼看着张青特快速起身，眼看着单雄信愕然地立在那里，眼看着有人释怀有人欢喜。我在做梦……他咬着牙对自己狠狠地说：晓云不会回来，她不能回来。叛变，是要被斩首的。她熟知军纪，她知道自己的处境，她没有回来，永远都不会回来。

然而那个声音，在喧闹的帐篷中，在七嘴八舌的将官之中，在雀跃与欢呼声中，仍然清晰地在他耳边说："抱歉，我回来晚了。"

噩梦！这是噩梦！

段志亮想叫又叫不出来，胸口被千钧石头压着，整个人手脚发麻，四肢发凉，连回头看一眼的力气都没有。他听到那个越来越近的声音，一字一句清楚地进入耳中，在刺痛中高奏起悲剧的序曲。那些战场上被斩杀的、伤重的、呻吟的，全都长着跟晓云一模一样的脸，用带血的丹凤眼斜斜扫视过来。他猛地摇了摇头，将那情景赶出脑海，却发现淡青色的长袍一点一点挤进视野，那个人慢慢地弯下腰，模样一如记忆中那样充满了自信，然后慢慢地眯起了眼，弯下了眉，放松了嘴角："你那是什么表情呀，不欢迎我么？"

段志亮猛地向后一躲，身下的凳子"咚"的一声砸在地上，溅起一片黄土，猛然的动作让他有些站立不稳，身子一个趔趄，扶住不知哪里探来的胳膊："你胡闹！"是的，胡闹，萧晓云不会回来，回来的不是萧晓云；面前这个长相神似的人，不是萧晓云，是谁在假扮，是谁在胡闹，是谁？

漫漫尘土在空中洋洋洒洒散开，将两人包裹其中，模糊了彼此的面容，一瞬间只留下隐约的身影和闪烁的目光，对面的人似乎慢慢闭上了眼睛，于是段志亮的眼中越发的模糊，反而从心底引发了将要失去的恐惧，毫不犹豫地，他将空着的那只手伸了出去，穿过那片沙尘，慌乱地摸索着："晓云，晓云……"

"别吵！"刚才扶住他的手一翻手腕，将他拉住，"眼睛迷了……"对面的人一边嘀咕一边用手揉着眼睛，"这次没能完成任务，也不能怪我：徐老道那个家伙诡计多端，哪有那么随便摆平的？你别乱动，我的眼睛还没有好，啊！"

段志亮紧紧地把她抱住："为什么？"喃喃地在她耳边一迭连声地问，"为什么，你还要回来。"

萧晓云愣了一下，慢慢伸手扶住他的肩膀，拍了拍他的后背："对不起。"她的眼睛因为刚才进了沙土而红红的,眼角还带着止不住的水汽,"对不起,我回来了。"

出乎所有人的意料,那个温润如玉却又劲节如竹,在混乱的军中颇有些隐士风采的段志亮,听了这话,居然一头埋在萧晓云的肩头,蒙头哭了起来,虽然极力压抑着哭声,然而抽动的肩膀,却仍然掩饰不了他的激动。

众人一时面面相觑,倒是王君廓,愣了一会儿才上前粗声粗气地说:"这是怎么了?"

"他当我回不来了呢!"萧晓云一边拍着段志亮的肩膀一边笑着回头解释,"这次我本来是去当说客,去黎阳与徐将军商讨出兵之事。你们也知道,黎阳是瓦岗的粮仓,没有主公的手谕不得擅自调动,我这次前往,极有可能被徐将军当叛徒抓起来。"她拍了拍段志亮,笑着说,"志亮当时也不同意,只是我极力坚持,幸好能活着回来。"

"的确,如今洛州兵力全出,城中空虚。只要右武侯肯派兵与我们合为一处,共同努力,力挽狂澜也不是难事。"单雄信这时也走了过来,"不过晓云,你说徐将军已经降唐了?"

"是!"萧晓云见段志亮控制了情绪,这才点点头放手,"唐营对徐将军非常看重,派了重要的特使前去招降。虽然不知道双方达成了什么协议,但是从黎阳的情况来看,徐将军降唐只是迟早的事。"

单雄信手捋胡须,摇了摇头说:"既然如此,也不能就此定论徐将军已经降唐。"

"徐将军自去黎阳之前,就已对主公不满,这是众人皆知的事情。"萧晓云面容又恢复了沉稳,走到帐篷中央,向帅位上的人行礼,"末将萧晓云特来回复:大唐太子李建成,于五日前进入黎阳,与徐将军密谋,从此之后黎阳城内降唐的消息一日高过一日,今日末将离开之时,李建成已从驿馆移至少阳宫。少阳宫本为主公巡幸黎阳的行宫,因此虽无任何确切消息,下官仍然大胆推测:徐将军或已降唐,只等一个恰当时机宣布这个消息。"

最后一句话还未说完,众人轰的一声如沸水一般炸开了锅:"徐将军投降了,那我们不是腹背受敌了？"

"是啊,前有王世充,后面又多了一个李建成,咱们完啦。"

"主公七日前就已战败,瓦岗早就败了。"

"哎,那我们还在这里坚持什么,趁早给自己找条活路吧。"

"哼,你想得轻松,一家老小都在王世充手里攥着,你到哪儿找活路去？"

"要我说,不如……不如投降吧！"不知谁小声说了一句,整个大帐立刻安静下来,大家探头探脑去找是谁讲了这话,虽然大逆不道,却说出了大部分人的心声。

裴行俨沉了脸,正要呵斥,被萧晓云抢先一步说:"末将斗胆,已经将留守在老贯庄的一万五千士兵尽数调来,如无意外,半个时辰之内即可到达。连着这里留着的三万多人,我军共有五万士兵可调遣,不论与洛州决战,还是与李建成对峙,末将相信这些兵力都已足够。"

裴行俨皱起了眉头,将帐篷中每个人的面色一一扫过,视线仿佛如刀子刮过一样,那些有着投降或逃跑之心的人,被他眼睛一看,都心慌慌惴惴低下头去,最后看到萧晓云,却毫不畏惧抬起头迎上了他的目光,脸上的表情坦荡而不藏私,在他探询的目光中甚至还微微笑了一下。

直到哨兵进来报告老贯庄的队伍到达营地,裴行俨才将视线收了回去:"单将军,安排他们驻地的事情就麻烦你了,张青特、王君廓,你二人协助单将军。如今形势危急,不可再意气用事。其他人先回各自营地安定军心,我自有安排。"他顿了顿待众人行礼答应,才继续说,"晓云,你留一下,把这些消息详细地说清楚。"

裴行俨凝重地看着面前的人:"徐世绩的消息,是真的？"

"你觉得呢？"萧晓云微微一笑,脸上的表情出乎意料的轻松,"这个消息的真假,不仅影响众将的情绪,更会影响你的判断。不过在判断之前,还要看你是否相信。"

"所以我才问你,徐世绩,他真的降唐了？"

"如果他投降了,那么我们就腹背受敌,上策就是降洛州,毕竟家眷都在他们手里,中策是降唐,可惜被徐世绩拔了头功,便是投降也只能在他手下分点残羹冷饭;下策是兴兵另立反旗,虽然凭着五万人也不是不可能,可是军心涣散,大家已没了士气,就算能成功,伤亡也很大。"萧晓云笑眯眯地看着裴行俨:"但是徐世绩如果没有投降,不管怎么选择,叛逆这顶帽子,我们是戴定了。"

　　"晓云!"裴行俨看她似笑非笑的样子,直觉一定还有事瞒着自己,"到了现在,你还要怎样?主公已经兵败逃亡,你还不死心么?"

　　萧晓云听了这话,脸上的笑意越发轻浮,甚至把身子斜斜靠在几案上:"我的想法我自然知道,只是你,相信或者不相信,这才是要当前面对的问题。"她探头看了看帐外早已漆黑一片的天空,"洛州那边给的期限不就是明天了么?再不做决定,局势可就不好控制了。"

　　裴行俨听了这话,满腔怒火顿时被打了回去,颓然坐回帅位,嘴里却说:"这七日之约,是你让孙白虎定的。"

　　这话一出,萧晓云便再也笑不出来,张了张嘴还想分辩,却见裴行俨皱紧了眉头闭眼沉思,不再追究。萧晓云等了一会儿,靠着几案慢慢坐了下去,仰起头想自己当初做出这个决定时的情况:也许正如孙白虎所说,这一次她回来,已经不是冒险,而是在下赌注。当时她微笑着,一点一点分析利害关系,其实心里也明白,这次回来,手里的胜算实在是少的可怜,因为以往的布局都被裴行俨看得清清楚楚,现在回去在他眼里又是居心叵测,从进入辕门到现在,自己没有身披重枷被扔到点将台上斩首示众,已是万幸的事。萧晓云看了看闭目沉思的那个人,慢慢蜷起膝盖,用手轻轻地拢住,心里竟然有了一丝怅然。

　　等裴行俨睁开眼,看到萧晓云早已靠在几案的一角睡着了。她的头如小鸡啄米般有节奏地点着,鬓边散落的发丝随着平稳的呼吸缓缓起伏,有几绺贴在腮边,这时,裴行俨才发现,萧晓云的脸上,沾满了未曾擦去的烟尘。

从帐帘的一角慢慢钻进来一点小风，萧晓云微微侧了侧身子，脑袋从桌腿上移了下来，然后重重地一点，猛然落空。"唔！"她受了惊猛地睁开眼睛，向两边看了看，最后把焦距集中在裴行俨身上，"裴大哥，大哥……你决定了？"

裴行俨点了点头，对萧晓云那副还没睡醒的样子笑了笑："决定自然下了，不过，你希望是什么样的呢？"

"啊？我希望的……"萧晓云呆了呆才说，"我希望的决定？"

"对。"这下轮到裴行俨露出轻松的表情，"晓云，这个局是你布的，你到底想要看到什么样的结局？"他顿了顿说，"不论是何种结局，我都没有找到值得你这么费心思的回报。那么，你想要的结局，到底是什么样的？"

一丝阴影从萧晓云眼中划过，慢慢沉了下去："也许你觉得没有，可是在我看来，却很重要。"

裴行俨摇了摇头："自从你与主公作对之后，就越来越难理解了。不过，"他笑着说，"女人的心思，本来就难捉摸。"他看着萧晓云因为紧张而交握的双手，满意一笑亮出了底牌："或许徐世绩已经降唐，既然如此，身为主帅，我也要为大家找一个最好的出路……"

一声欢呼打断了他的话语，刚才还在几步开外的人毫无预兆地扑进了他的怀里，带着如同得到糖果的孩子般单纯开心的笑容，抱着他又跳又叫："你相信我，就算我做过什么，即使我与你的理想相悖，你依然愿意相信我，相信我不会害你，相信我会一直对你好，对不对？"

裴行俨有些目瞪口呆地看着过度兴奋的萧晓云，任由她抱着自己的胳膊又蹦又跳："这次回来，我以为刚进门的时候就会被抓起来，可是你没有；我以为你认为我故意动摇军心，在我讲完之前就堵住我的嘴，可是你没有；我以为你会把我之前的所作所为告诉大家，然后让我在断头台上受到一个叛徒应有的惩罚，可是你没有。"

她放开裴行俨，一下跳到帐篷的中央："从李密逃亡，我就知道你一定会考虑直奔黎阳而去，所以我才连夜赶去找徐世绩，虽然比李建成迟了一步,可总算及时把消息带了回来。我让孙白虎尽量给你争取更多的考虑时间,日以继夜在黎阳和北邙山之间往返斡旋,冒着被抓的危险回来给你报信,就是因为我相信你,相信你对我的信任还没有变,相信你对我的态度一如既往。"她把胳膊端平了尽力地向两边伸展,仰起头对裴行俨开心地笑,"你看,我赌上了自己的一切,甚至是我的生命,现在总算是赌了个盆满钵满啦!"

也许是她的热情过于强烈,或者是她的兴奋太富于感人,裴行俨竟然觉得自己也莫名地高兴起来了,甚至脸颊都变得开始发烫。不管如何极力控制,那股不知从哪里涌出来的兴奋如同被冲开了口子的温泉,夹杂着喜悦的暖流不可抑制地淹没了心中那狭小的空间,顺着神经的通道涌向全身。当裴行俨再抬头时,萧晓云已经又跳到他的面前,展开出一张开心而熟悉的笑脸。

"嗯哼,晓云,嗯哼……"裴行俨不自在地清咳两声,"你还没有听我说完,下一步,或许应该……"

"我才不管呢。"萧晓云的脸越凑越近,"我想要的,只是你的信任,你的爱护。下一步的计划,才不是我要的结果。你说什么,我就去做什么!"

"哦?"裴行俨学着她往日的表情也挑起一边的眉毛,"不回唐营,投降洛州。对你来说,也没有关系么?"

第二十三章

携手前程

"洛州啊……"萧晓云坐在地上,整个人趴在桌子前,拖长了声音懒洋洋地说:"听起来也不错啊。"

"不错?"裴行俨有些疑惑她的态度,忽然变得又明白了,一拍桌子道,"你前几天去对面找孙白虎了,对不对?"

"我哪里进的去?" 萧晓云打了个哈欠,"你想想,那可是皇泰主的军营,皇帝身边治安多严啊,像我这种布衣小人物,根本接近不了。"她眨眨眼睛朝裴行俨笑,"不过周公的使者已经完成任务重归仙位,你没有收到消息么?"

裴行俨伸手对着她的脑门轻轻一弹,满意地看到萧晓云收了狡猾的笑容:"别卖关子,赶快说,你到底在那边安排了什么?"

萧晓云一言不答。眼看裴行俨食指又弯了起来伸到眼前, 急忙向后躲:"别弹,别弹,我说嘛!"

"快点。"裴行俨见她几乎要栽倒在桌下,一伸手扶住了她,另一只手却依然作势要弹她的脑袋。萧晓云急急忙忙扭头去躲,整个人却笑软了没了气力,东倒西歪地说不出话。

裴行俨见她最后笑得上气不接下气,就不再与她闹,松了手道:"好了,孙白虎被你弄走了,可是樊智超和张童儿还在洛州呢,你就不怕他们把你供出来？"

萧晓云倒在桌子上慢慢喘气，嘴里说："我有什么好让他们两个供的？"

"你少在我面前装糊涂。"裴行俨往后一靠，"孙白虎不过是个道士，便是真能神通，也掀不起什么风浪。这次瓦岗兵败，最关键的就在张童儿、樊智超这两个人身上。"他顿了顿继续，"他们二人突然倒戈，带走了近三分之一的兵力，王世充由此也从原本的劣势变成与瓦岗旗鼓相当，我记得，有谣传是他们得到了神的指引。"他冷笑着看向萧晓云，"去劝降的人，除了孙白虎，没有第二个人吧。"

萧晓云见他脸上神色变得严肃起来，急忙挥手道："这个不能怪我。他们两个从宇文成都那里投降过来，本就不是真心的。这两个人留在瓦岗，不过是暂时给自己找条活路，其实心里一直琢磨着给宇文成都报仇呢。"她伸出一个指头举例说，"但凡投降过来的人，为了表忠心，必然要跟前一任主帅划清关系。可是你看他们两个人，还管宇文成都叫少王爷，连他的一句不是都没有说过。"

裴行俨默然，萧晓云说的不错，这些问题他与徐世绩也曾发现，可叹当时李密为了限制他们二人的势力，对于他俩的疑问，不但不采纳，反而称赞这张童儿有义，不靠诋毁旧主而博取名利，将他们二人斥责了一番。

萧晓云像是看懂了他的心思，低声说："这两个人，可是心心念念地要为那次兵败报仇，就算没有人劝说，你以为这两人就不会反么？白虎走之前，与我见了一次面，谈及他去劝降的时候，张童儿并不曾有半点慌乱，反而很快提出了条件，显然是早已做好了准备。"她摇了摇头道，"我倒是觉得对不起白虎，白白让他替这两人担了反叛的头等罪名。"

裴行俨不能不承认，事态发展到这一步，萧晓云根本没有必要再说任何假话，瓦岗落到这样的下场，只能怪李密昏了头，放着一起打天下的老臣子不信，却去宠信这些新投降的将官，终是自取灭亡啊。"那孙白虎呢？他去哪儿了？"

"长安。"萧晓云低头说，"我能安排他去的地方，也只有长安。小凤和齐武……他们两个都在那边。"她把头埋在臂弯里，声音闷闷的，"我辗转了这么多地方，能相信的人没有几个。长安的刘文静，算是能够托付的人。"她将下一句话憋了回去：这个天下是大唐的，我已经选择了错误的道路，但是我希望他们能够拥有辉煌的未来。

裴行俨心里叹了口气，伸出手去想要摸摸她的脸，犹豫了半晌却在半空中顿住："既然要投降，不如我们也归顺长安？"他心里突然有些苦涩：那里，应该是你的家吧。

"那我就死定了。"萧晓云抬头微笑，"负责东边战事的，是太子李建成。我俩之间有些过节。如果投降，大概立刻就会被砍了脑袋。"

裴行俨知道她不会再与段志玄重合，故意说："你若回去，便是西北军大都督夫人，堂堂的正三品。李建成也不能把你怎样的！"话虽然这么说，他心里却着实别扭，恨不能把自己的舌头咬下来。

"这个不可能。"萧晓云皱着眉说，"我与李建成的过节，是完全由他自己臆想出来的，与我并没有关系。他走火入魔不是一年两年了，这个时节自然更看不破。就算他幡然悔悟或者因为机缘巧合我又到了长安，那所谓的西北军大都督夫人也不是我。一切前尘往事，过去了便是过去，根本没有回头的必要！"

裴行俨见她脸上神色郑重好似在发誓，觉得自己多事了，嘴里却不受控制地："你二人也是媒妁之言，怎能……"

"裴大哥！"萧晓云断喝一声打断他，"我与宇文成都也有媒妁之言，还签了婚书下了聘礼的，你这么说，倒不如把我送去魏县，做那鬼的王妃！"

裴行俨被这一声呵斥震了两震，方才反应过来自己刚才那番话酸溜溜的，竟是嫉妒大过关心，面皮发臊的说不出话来，再看萧晓云，两眼直勾勾对着他，已经被气得浑身发抖。

"你……"萧晓云看着他只是呆在那里躲避着自己的目光，竟然连一丝道歉的意思都没有，心里痛得好像被万千蚂蚁在啃噬，连句完整的话都说不出来了，于是用力撑起身子，转身跟跟跄跄就要往外走。

裴行俨没料到萧晓云一声不吭就要走,待到对方走到大帐中央,才反应过来追上去抓住她的胳膊:"晓云,刚才我错了,你别介意!"

　　萧晓云也不答话,甩掉了他的手继续往外走,又被他一把抓住:"你去哪儿?"

　　还是没有应答,萧晓云只是努力把胳膊往外抽,这次裴行俨早有准备,将她的胳膊抓得紧紧的,不肯放手:"这么晚了你还要去哪儿?"他低声道歉,"刚才是我错了,我道歉还不成么?别闹了。"

　　"谁闹了?"萧晓云大喊一声扭过头来,"你说了那么多的话,还说我闹?"

　　"是,是,是我错了。"他一伸手揽住萧晓云的肩膀,"好了,好了,这些话我永远不再说了啊。"

　　萧晓云咬着嘴唇狠狠地剜了他一眼,正要张口反驳,不提防被他厚实的手掌摸了摸脑袋:"看看你,跟被踩了尾巴的小猫儿一样,牙齿爪子都露出来了。"

　　"我没有!"

　　"好了好了,是我不该乱说话。下次不会了,不会了啊。"小腿上被狠狠地踹了一脚,裴行俨倒吸了一口冷气,"这一脚真重,把我的腿都快踹断了。现在可消气了?"

　　萧晓云第一次见他龇牙的样子,撑不住噗哧一声笑了出来,嘴里却说:"想得容易!"话音未落已经顺势扑到他的怀里,又是一阵拳打脚踢。

　　虽然动了手,可真要把裴行俨打一顿,萧晓云还是舍不得。除了那第一脚,剩下的都控制了力道,挨了打的裴行俨不但不疼,反而像是被人捶了背,舒服又解乏。萧晓云打了一会儿,见被打的那个人脸上摆出一副很受用的表情,刚消下去的气又冒起来,抓着他的手,一张嘴便咬了下去。

　　"哎!"裴行俨见她白白的牙齿咬得毫不犹豫,急忙把手缩了回去,饶是如此还是晚了一步,手上被她的牙齿磨出一道印,落在晒成古铜色的皮肤上十分明显,"你还真咬啊!"

萧晓云脑袋点得飞快，笑意满满地漾到了眉梢："我有什么不敢的。"

眼前的人笑的得意，仿佛这一口咬下去，便白白捡了十万八千两金子一般，裴行俨拿她无法，低头再看看那道牙印，苦笑着："你这个不肯吃亏的脾气啊。"他叹了口气道："真是惹不得。"

萧晓云翻了个白眼："我不过是人不犯我，我不犯人。你什么时候见我主动惹过人？"

裴行俨认认真真把两人的过往想了一番，从刚入瓦岗到如今手握兵权，萧晓云这个丫头虽然总使些手段，但从未主动与人交恶，忍不住夸道："像你这种有仇必报的人，在大事上从不糊涂。不错，有些为将之风了！"

萧晓云这时倒谦逊起来："不过是每天晚上多读了一会书罢了，比起真正的将军差远了。不过我倒不觉得有仇必报是个坏事，总不能随便被人欺负了吧。"她收了笑容说，"远的不说，单是洛州的张童儿和樊智超，我就没觉得有什么可怕。"

话题转的飞快，裴行俨突然有些跟不上，想了一会儿才说："他们两个也有把柄落在你手里？"

"不过是点无伤大雅的问题，还算不上把柄。"萧晓云边说边找了个位置坐下，"孙白虎去招降，总要有个护身符才行，他那颗聪明的小猫头，丢了我可舍不得。"

听到萧晓云自顾自把孙白虎的脑袋叫做小猫头，裴行俨便想像那一领熬日月耐风霜的道袍上露出的毛茸茸的小猫脑袋，看到人还能睁着圆溜溜的眼睛轻轻叫一声，忍不住笑了出来，伸手点了点萧晓云的额头道："那你这个聪明的脑袋呢，丢了我也舍不得。"他看着萧晓云在自己手指下缩了缩脖子，笑道，"这么机灵古怪的一个人，真不知道从哪里冒出来的。"

"当然是遗传来的！"萧晓云笑眯眯地说："你可别小看了我们家，我爸爸可是从小当兵的老年人，参加过横渡长江的战役、打过朝鲜，带起兵来绝对不含糊。我堂哥也是从部队出来的、受过正规训练的高级军官。"她拎着茶壶给自己倒水，很是得意地说，"我哥哥的那些课本，都是军事课本，我都看过。他的军事史作业还是我帮他写的呢！"

"军事史作业……"裴行俨脑袋里有个念头一闪而过，被他紧紧地抓住，"是什么？"

"啊？"萧晓云愣了一下，反应过来是自己失了口，急忙拿起茶杯喝水，"也没什么。"她一边喝水一边偷偷地从杯沿瞄向裴行俨，只见对方的脸上已经收起了笑容，眉头紧锁，紧紧地盯住自己一眨不眨。两人的视线碰了一下，萧晓云急忙把目光挪到茶杯里，过了好一会儿，听到他在对面说："好了，这么长时间，你的水也该喝完了吧？"

萧晓云只好把早已喝得见了底儿的茶杯放下，抬头看到裴行俨凝视的面孔，讪讪一笑："裴大哥……"

"先说说这是怎么回事？"

"我刚才一时兴起，胡说八道。"萧晓云回答的心虚，微一抬眼看到裴行俨的脸色又沉了两分，想再诡辩还没说，卡在嗓子眼儿里再说不出来了。

裴行俨看萧晓云正顺着椅子往后直缩，往日飞扬的丹凤眼垂了下来，浓密的睫毛搭在上面，衬得一张小脸乖巧听话，再加上她时不时从睫毛缝里偷瞄自己的表情，与战场上叱咤风云的样子相比，平白小了四五岁，说不出的惹人怜爱，心不自觉地软了三分，缓下了气站在她面前，一伸手搭在椅子的两边："晓云，你不要骗我。"

萧晓云心里暗暗叫苦，深悔自己一时高兴说漏了嘴，可是怎么跟裴行俨说呢？我是千年之后飘来的一缕魂灵，来到这里只为了与你相见？这话不要说裴行俨不信，就是她这个亲身经历的人，也没有办法相信："嗯，其实就是……"她为难地抓着自己的手，习惯性地绞来绞去，最后决定只说一部分真话："其实我不是萧兰，而是萧晓云！"

话一说出来，她恨不能抽自己嘴巴：这不是明摆着的事么？现在全天下的人都知道她叫萧晓云，不再是当年那个段夫人萧兰。她咬了咬嘴，准备找一个更好的方式说明，就听裴行俨沉声问："你是说，你父亲并不是萧广利？"

对对对！萧晓云急忙点头，一边感叹裴行俨的善解人意，一边说："那

296

个死胖子,怎么有资格做我老爹?"

裴行俨离她更近了一些:"那为什么你会嫁到段家去?难道你们骗婚?"

"我是被逼的!"萧晓云急忙举起手来喊冤,"他们家的萧兰落水,就抓了我去结婚。"除去她附身,其他事情的确如此。萧晓云一边安慰自己,一边说:"那些道士硬说我丢了魂,在我面前跳来跳去,拿着各种神符烧成了的灰烬冲水给我喝。一碗又一碗,喝得我只好承认自己是萧兰为止。"她的脸皱得像核桃,"裴大哥,我要是不赶快嫁到段家,光喝这些符水就能喝到太上老君那里去。"

裴行俨看着她那副可怜兮兮的样子,倒似是自己欺负了她,再生不出气来,只好拍着她的背说:"好了,好了,我知道你是迫不得已了。不过……"他看着萧晓云说,"你和段志玄的婚约?"

"与段志玄有婚约的是萧兰又不是我,"萧晓云摇了摇头说,"从头到尾我都没有承认过这个荒唐的婚事。"她担心地看着裴行俨,"裴大哥,我也不是故意要瞒你,只是我后来已经从长安出来,已经跟段家断了关系。所以我觉得,这些乱七八糟的往事不如随风散了,再翻来翻去要说清楚也没有必要……"

裴行俨点了点头打断她的辩驳:"我知道了。"

萧晓云呆呆地看着裴行俨,那张脸上喜怒不变,只是眼里的神色表明这个男人似乎在极力稳住自己的情绪:"裴大哥,"她小心翼翼地碰了碰他放在椅子边缘的手,"你还生我的气么?"

仿佛触电一样,裴行俨在两人接触的时候猛地转过头来,盯住面前的人。一向沉稳的五官有些不受控制地抖动,眼里风云涌动刹那间搅浑整个天地。

萧晓云从未见过如此激动得几乎不能自已的裴行俨,吓了一大跳,身体往后靠了靠,刚要张嘴,就被狠狠地拥进一个人的怀里:"所以,所以你不是段志玄的夫人,也不是我的弟妹!"

"当……当然不是!"裴行俨的手臂力气太大,把她箍在怀里紧得连呼吸都困难。萧晓云艰难地找到一点空气,断断续续地说:"我们两个只是一起合作,没有其他关系。"她极力地想挣脱出来,却在裴行俨胸腔听到咚咚的心跳声,越来越响,越来越快,最后与自己的心跳重合在一起,一下又一下,带出两人的共鸣。

不自觉地,萧晓云停止了挣扎,略带满足地叹了口气,慢慢地回抱过去,一点一点地,抱住了自己一直以来向往的幸福。

身上的衣服是乳白的麻纱,上面绣着二寸独科花,被金线勾勒出来的繁复花纹从领口开始向外延伸,在深紫色的轻纱单衣下华贵而不张扬,埋入腰上束着的九环金腰带之中。裴行俨低下头轻轻抚摸着腰间的金环,无限感慨地叹了一口气。

"怎么?"萧晓云从另一侧的椅子上起身走了起来,"你今天叹气的次数也太多了。"她摸着下巴假装疑惑,"难道是最近胖了,这衣服穿不下了?"

"瞎说!"裴行俨嘴里这么说,脸上却撑不住笑了起来,一伸手将她拉到身边,"只是很久没有穿这身衣服了,有些不适应。"

"不过老实说,这一身还真华贵,跟你穿盔甲时一点都不像。"这两天裴行俨对她亲近了很多,总喜欢把她拉在身边,碰碰她的手,摸摸她的头发,或者突然停下来对她微笑。萧晓云顺着他的力量乖乖地靠在他胸前,将这身官服仔仔细细打量:"虽然是第二次看你穿这身衣服,可是带给我的震撼,不比第一次差。"

上一次穿这身官服,本是要随着李密入洛州辅政,谁料后来生了变故,到了今日,不过月余光景,自己变成了败军之将。裴行俨伸手拢住眼前的人,忍不住生出了感叹:"世事多变啊!"

"那有什么,"萧晓云顺手帮他整理了一下衣领,态度很是自然,"只要这身官服还穿在你身上,十万裴家军还在你手里,纵然世事多变,又有何妨?又有何惧?"

裴行俨听了这话一愣,忍不住将眼前的人打量了一番:身上只穿着简简单单的白布长衫,难得放开的头发散在肩膀上,在不甚明亮的光线下,有一两根反射出淡淡的黄色在空中飞扬。裴行俨看着她清瘦的脸庞，说不出的爱怜满满地从心底往外溢，伸手帮她把鬓边的细小发丝收拢："委屈你了，穿白衣素服。"

听了这话的萧晓云抿了嘴微笑，就在他怀里低下头，微微摇了摇头："我知道这是正式场合，庶民只能着白衣布服，"她低声说，"又不是我一个人如此，王君廓、单雄信，这些人都是草寇出身，也都是这身打扮。"

裴行俨还待再说，被外面守卫士兵的声音打断，原来是单雄信等人已经来了。萧晓云轻轻脱出他的怀抱，退后两步，在众人进门的时候慢慢躬身拜倒："前路艰辛，请将军勿要放弃，下官愿誓死追随，赴汤蹈火，在所不辞！"

裴行俨刚要说话，单雄信等人已经哗啦啦跟着跪倒了一片："誓死追随将军！"

裴行俨退后一步，看着萧晓云在众人的喊声中慢慢抬起头，眼睛亮晶晶地看了过来，满心的千言万语，在二人双目相对的时刻，顿时化为乌有，心里有说不出的畅快，"刷"的一声抽出腰间的宝剑："既然大家将身家性命都托给了我，那我也不再推辞。就算进入洛州，我裴行俨也誓与各位荣辱与共，"他认真地看了看那双凛冽的丹凤眼，"生死不渝！"

一只手缓缓地递了过来，是一只掌心厚重的手递到眼前，它分明代表着他的主人的心。萧晓云偏了偏头，认认真真地看着眼前的人，最后启齿一笑，将眼前的手一把握住，温暖的感觉顺着交握的手掌传遍全身，心里是奇异的安稳与幸福。

大帐外，一面帅旗在九月的秋风中飒飒作响，有节奏的马蹄声越来越近，隐隐传来传令兵的呼喊："报告将军，洛州特使已到辕门！"

老鼠秋收日记

三个月又十天……

辛辛苦苦搬了十几颗麦子回来,累死我了。大黄真好,给我准备了清凉的露水解渴。我最喜欢大黄了!

今天天快黑的时候,庙里搬来一个人,长眉细目,长得很普通,可是笑起来很好看,可惜太瘦了,一看就知道是从小饿大的。跟她一起来的还有很多人,但是最后住下来的只有她一个。大黄说她是犯了错儿被关进来的,都已经饿成那样儿了,还给关着,真可怜。不过她说话很好听,听起来就像大黄准备的露水一样凉凉的、很舒服,我决定晚上去看看她。

三个月又十一天……

吓死我了!

昨天半夜我发现她身下躺着的秋秸是新割下来的,于是我一边看着她一边吸着秋秸上甜甜的汁水。谁知道她突然睁开眼睛,对着我大叫!声音大得几乎把我的耳鼓震破,吓得我连动都不敢动,幸好大黄听到声音把我救了回去。她叫起来声音真高,到现在我的心还吓得扑通扑通地跳,停不下来。大黄说那些女人叫起来都是这样的。她是个母的?

唉呀,好可怕,好可怕。大黄,甜甜的秣秸水真好喝!

三个月又十三天……

庙西的花花拿着一颗麦粒在我面前炫耀是大黄送她的,这只风骚的母老鼠。更可气的是大黄面对我的质问居然点头称是,气得我给了他一爪子跑了出来。今天的月亮很大很圆,大黄早上还说今天是什么节,晚上要吃好吃的。谁知道他,他……啊,气死我了!

自从那个人搬来之后,庙里就总有人来。今天晚上又来了好几个。奇怪,他们不是一起来看她的么?怎么下一个来了,这两个就跑进来躲起来了。我本来在墙犄角下坐着,谁知道他们突然跑进来躲在窗户台下,把我堵在角落里啦!我一害怕就整个四肢发软走不动道了,呜……大黄救命啊!

三个月又十四天……

昨天睡得不好,那两个人离开之后,我根本没法儿动弹了。幸好大黄很快找到了我,才把我带回家。呜呜……原来大黄拿麦粒找花花换了一支花送给我……呜呜,我冤枉大黄了,不该抓他……呜呜……大黄哄了我一夜,可我还是怕……呜呜,为什么我哭的时候外面那个人也哭啊?

半夜的时候,我哭得正欢,突然门口咣当一声,居然把很多块胡饼丢在我家门口。太好了。我和大黄合力把这些点心拖进仓里,我们家粮仓从来没有这么满过。大黄说有了这些粮食过冬,我们就可以养孩子了。讨厌,他说话怎么这么直接?

看在那个人送来这么多粮食让我们能够生孩子的分儿上,我决定原谅她一个晚上在门外面哭打扰我们休息了的事,反正她哭得也不是特别大声,嗯,这些胡饼里面的馅真好吃,我最喜欢吃芝麻了!

三个月又十六天……

外面那个人简直是太好啦！每天送去的东西她都吃不完，吃到一半发会儿呆就把多半碗饭倒在墙角里，现在我家的粮仓全都满了。大黄说过两天就要秋收了，所以我们要加紧多建几个粮仓，现在的粮食吃到明年春天够够的啦！

三个月又十八天……

唉，外面那个人怎么这么不让人消停啊！每天晚上都咳嗽，别咳了，那声音太揪心啦，弄得我没有一时一刻能睡好觉。大黄怎么睡的这么熟？气死我了，我踹，我踹，我再踹……唉呀，大黄掉到床下了！

三个月又二十天……

秋收的日子终于到了！大黄晚上约了隔壁的大麦去粮仓找粮食，谁知道刚出门就跑了回来，说外面有人守着。怎么会有人守着呢？外面一点光亮都没有。大黄把门拉了条缝指给我看，果然有一个巨大无比的影子在那堆稻草前面，额滴神啊，好可怕！

三个月二十三天……

那个影子天天来，害得大黄都没有办法出去找吃的。真讨厌，再这样，我们家的粮仓就白建了！

大黄说那个大影子是那个女人的丈夫，就好像我们一样。怎么可能呢？他们既然是夫妻，为什么不住在一起？大黄说人类很多都这样的，白天各做各的，只有在晚上才见面。可是为什么他们不点灯呢，我知道人在黑暗里是看不到东西的，难道那个大影子像神像下的老五一样丑得没法儿见人？

不过他真的体贴，每天晚上都带些吃的喝的过来喂那个女人。就像大黄抱着我喂我喝甜甜的秋秸水一样。大黄说他带来的东西是药。嗳，我不知道什么叫药，不过那个人很少咳嗽了倒是真的，现在我晚上又能安心睡觉啦，耶！

302

三个月又二十五天……

吵架啦吵架啦，门口那对夫妻吵架啦！

本来是好好儿的，不知怎么那个女人醒过来了，两个人就开始吵架啦。后来大影子生气了，把药碗摔在墙角上就走了。我偷偷出去尝了一下那些药，苦的根本受不了。我晕，每天被人灌这么苦的药，难怪她在门口哭啊哭的，真是可怜。

大黄，你要是敢给我灌这些苦药，我就挠你的脸！

四个月……

今天我四个月大了！大黄做了好吃的给我吃，幸福啊幸福。

这些天总是在下雨，大黄在门口放了一片叶子，每天出门找粮食的时候都顶在头上，很辛苦。外面终于消停了，那个人不咳也不哭了，不过也不把饭倒在我家门口了。嗨，我想那些好吃的，还有她说话的声音，她都好几天没说话了！

四个月又三天……

大黄说门口住的那个人好厉害，今天只是随手一甩，就把一个细长的东西甩了出去，钉在门框上，把看庙的那个狱卒吓得尿了裤子。他们说那叫飞刀。飞刀离他的头很近，如果我站在飞刀上，伸伸手就可以摸到狱卒的脸。

我才不摸他的脸呢，尖嘴猴腮的，有什么好看。大黄说那个狱卒嘴里不干净，说的话就好像以前老五对我说的话那样，太粗。老五说话不文明，恶心人。大黄听见他对我说的话把他的门牙都打掉了，老五的脸更丑了。不过，大影子哪儿去了？他长得那么壮，应该过来把狱卒的门牙打掉才对。

大黄说他也不知道，大影子到哪儿去了。人类太复杂。啊，我们这儿简单，现在老五看见我就捂着嘴跑了，大黄能管他！

四个月又十天……

今天又有人来看外面那个人啦，又跪又磕头的。他背后还跟了一个，

303

偷偷溜到神像后面,不过后来也出来了。

大黄说外面住的那个人一定很厉害,不然不会有人对她磕头的。大黄是很有见识的,要知道他爷爷的三姨妈的大姑姐的表兄的妹夫一家、以前可是住在村长家的。那个人回来的时候带了一件大大的袍子回来,袍子叠得整整齐齐的放到旁边的一摞衣服上。这两天总有人晚上送衣服来,各种样式的都有,不过都是一个颜色。

晚上的时候,那些衣服会发光,像月光下的树叶一样漂亮。她穿那么少,有时候半夜会打喷嚏,但是为什么不把那些衣服穿上身,而是抱在怀里呢?不明白,不明白……

四个月又十四天……

今天晚上大影子又过来啦!他先是在门口站了一会儿,后来还是进去了。他把那些叠着的衣服一件件抖开给那个人盖在身上。唉,为什么他们还是不点灯呢?我觉得大影子就算长得比老五还丑,还是对她很温柔,她还有什么不高兴的呢。

当然,像我家大黄这样又帅又温柔的耗子,这世上已经很少了。

四个月又二十五天……

每天吃饭的时候都能听那个狱卒结结巴巴地说话,烦都烦死了。不知道为什么,那个人最近总是笑,她以前也会笑,可是没有这些天笑得……嗐,那么冷。反正我看到她笑,就冷得直打哆嗦。

今天下午刮大风,她还在外面呆着。后来来了一个人,跪在地上说了半天,她点了点头回去裹了件披风就走了,不一会儿过来一群人,把那一摞衣服也收走了。大黄说那个人又回去当官去了,从此不会再来这里了。

当官有什么好呢?大黄的爷爷的三姨妈的大姑姐的表兄的妹夫的孙子,也就是那孙子说,当官的人比那些老猫还坏。那个人的声音那么好听,若是变成老猫多可惜呀,唉!

304

八卦

双陆：请问罗将军与段公子，今年八月十五的夜晚，您二位去了哪里？又做了些什么？

段志亮、罗士信：去庙里探望被关押的萧晓云。

双陆：那么再请问二位，你们是否去过厢房呢？

罗：厢房？哪个房间？

段：就是你把我拖进去的那个房间……

罗：哦，原来是那里啊。去过，去过！

双陆：那么再请问，您二位是否在窗户台下呆过呢？呆了多久？

罗：呆过，但是记不得呆多久了，不过时间挺长的。

双陆：好，请看大屏幕（播放大黄的老婆在三个月又十三天时的日记），请问二位看完之后有什么要说的吗？

段、罗：耶！

双陆：也就是说，二位对于当时发生的事情并不否认。相信各位观众一定很好奇，大黄的老婆到底长得什么样儿？竟然得到瓦岗两位人气小天王的另眼相待？她到底具有何等气质，使得一文一武两位帅哥均被她搞得

颠三倒四,不顾形象地以迅雷不及掩耳之势将她堵在墙角里?现在让我们看一下本台记者对她的独家专访。(录像起)

段:我怎么会被你拽来上这种白痴节目,回去我就要把那天的衣服烧掉,真是脏死人了!

罗:双陆说他要推出一个新人,让我支持一下。还信誓旦旦说这样会增加我的人气,可是我不知道会是这样……

段:呆子!人气是她说了算的么?你个笨蛋!

罗:(呆掉)那该怎么办?

段:怎么办?堵住她的嘴揍她!

罗:可是现在是现场直播……

段:我去外面拔插销,你去揍她!

屏幕突然变黑,在一片乒乒乓乓声音中只剩下双陆的惨叫!

双陆:哎呀,不要打脸,我明天还要出门;哎呀,不要打头,我明天要上课的;哎呀,不要撕我的本子,虽然背面是你们的八卦,可正面是采访记录,天啊,我的笔记!哎呀,那是摄影机是 N70,录像效果是很好的啦,不要,我还得用它做课堂录音呢,别砸别砸……

砰!咣当!哗啦!

双陆:说不让砸你还真递给我啊!不知道 N70 还有板砖功能么?好,感谢 NOKIA 的非友情赞助,本期八卦八卦又八卦节目到此结束,祝各位周末愉快!

图书在版编目（ＣＩＰ）数据

隋唐风云Ⅱ中州殇/双陆著.—石家庄：花山文艺出版社，
2008．4

ISBN 978-7-80755-201-7

Ⅰ.隋 … Ⅱ.双… Ⅲ.长篇小说—中国—当代
Ⅳ.I247.5

中国版本图书馆CIP数据核字（2007）第180917号

书　　名：**隋唐风云Ⅱ中州殇**
作　　者：双　陆

责任编辑：阎　丽
特约编辑：余　慧
责任校对：贾　伟　李　鸥
装帧设计：弘文馆·刘婷瑜
出版发行：花山文艺出版社（邮政编码：050061）
　　　　　（河北省石家庄市友谊北大街330号）
网　　址：http://www.hspul.com
销售热线：0311-88643226/32/35/43
传　　真：0311-88643234
印　　刷：三河市华晨印务有限公司
经　　销：全国新华书店
开　　本：890×1260毫米　1/32
字　　数：240千字
印　　张：9.875
版　　次：2008年4月第1版
　　　　　2008年4月第1次印刷
书　　号：ISBN 978-7-80755-201-7
定　　价：25.00元